Originaire d'Uzès dans le Gard où elle vit, l'auteure se plaît à raconter les instants de vie forts en émotion de ses personnages plus vrais que nature. Souvent bouleversants, ils partagent de belles valeurs d'amitié, d'amour et d'attachement aux liens familiaux. Son premier roman *Les Genêts de Saint-Antonin*, récompensé par le prix des lectrices *Femme actuelle*, a paru en 2014 aux éditions Les Nouveaux Auteurs. En 2016, les Presses de la Cité ont publié son nouveau roman, *L'Ensoleillée*.

Retrouvez l'auteur sur sa page Facebook :
https://fr-fr.facebook.com/Dany.Rousson/

LES GENÊTS
DE SAINT-ANTONIN

DANY ROUSSON

LES GENÊTS
DE SAINT-ANTONIN

LES NOUVEAUX AUTEURS

Pocket, une marque d'Univers Poche,
est un éditeur qui s'engage pour la préservation
de son environnement et qui utilise du papier fabriqué
à partir de bois provenant de forêts gérées
de manière responsable.

© 2014 Éditions Les Nouveaux Auteurs
– Prisma Média
ISBN : 978-2-266-26558-4

1

Pétillante, joyeuse, décidée, ces traits de caractère étaient bien les siens. On aurait pu dire de Blanche Bruguière qu'avec ses yeux emplis de douceur, elle regardait les autres avec attention. Ils l'intéressaient. Pourquoi ? Elle ne le savait pas. Peut-être parce qu'ils étaient tous si différents avec leur passé, leur présent, leurs projets d'avenir secrètement gardés, leurs qualités et leurs défauts qui rendent chaque personne unique…

Elle aimait s'asseoir à la terrasse d'un café, regarder les passants et essayer de deviner qui ils étaient. Les endroits qui la fascinaient le plus, c'étaient les halls d'aéroport. Les uns arrivaient, les autres s'envolaient : c'était la croisée des destins.

Juin 2001, à 24 ans, Blanche vivait seule dans une petite maison que lui avait laissée son grand-père Marcel. « La Genestière » était une demeure familiale. Construite en pierres sèches de pays, en bordure de vignes et de garrigue, elle avait vu grandir cinq générations de Bruguière. Auréolée de quelques champs cultivés, elle était devenue au fil des ans un havre de paix au milieu d'une nature prospère. Cette bâtisse rustique et ensoleillée plaisait par sa simplicité. Sa grande terrasse ombragée par une ancienne tonnelle s'ouvrait sur un jardin florissant aux mille senteurs. Un énorme platane trônait devant la maison, semblant veiller sur elle en patriarche bienfaisant.

Au printemps, les alentours de la maison se paraient de soleil, avec la floraison abondante des genêts sauvages. Leur parfum enivrant se diffusait jusqu'au village. Ils avaient donné leur nom à la vieille bâtisse. Mais ce qui rendait la Genestière si précieuse aux cœurs de ses habitants successifs, hormis l'attachement à leurs racines, c'était son emplacement.

En effet, il suffisait de longer le champ derrière la demeure, pour avoir une vue plongeante sur la vallée de l'Aucre. Celle-ci, à la fois verdoyante, rocheuse et rafraîchissante, ouvrait grand ses bras vers une garrigue superbe. Au-dessus des combes vertes, les grands rochers blancs semblaient faire le guet, protégeant de leurs accès difficiles quelques grottes et repères du temps jadis.

Avoir un tel lieu à portée des yeux restait un réel privilège que les habitants de Saint-Antonin savaient savourer. Simplement grimper sur les hauteurs et, pendant de longues minutes, prendre dans le cœur tout ce que la garrigue offre, l'indicible, l'inracontable, ce qui donne des palpitations et du rose aux joues et forge une âme de Languedocien.

C'était ce que ressentait Blanche la Gardoise, amoureuse et fière de ses racines aux parfums de genêts et de pins d'Alep. Elle avait ces paysages en elle, blottis au fond de ses entrailles, cachés comme des trésors qu'elle seule pouvait dénicher.

Jolie brune aux cheveux longs, elle était une jeune

fille sur laquelle on se retournait. Son allure élancée et ses jambes bien galbées lui donnaient un charme certain. Mais ce que tous préféraient chez elle, c'était son visage fin marqué par deux petites fossettes qui se creusaient lorsqu'elle souriait. Ses yeux verts emplis d'humanité la rendaient rayonnante comme le soleil du Sud.

Le Sud baigné de lumière, son Sud de vieilles pierres chargées d'histoire, de ruelles aux pavés usés par le temps, de passages étroits unissant des calades mystérieuses... Ce Sud-là, elle l'avait dans la peau. Même si elle adorait découvrir de nouveaux paysages, son cœur battait très fort pour « son Sud », comme elle disait avec son bel accent chantant.

Lorsque Blanche marchait dans les ruelles de Saint-Antonin, la bourgade où elle était née, les odeurs du passé bercé par le tumulte de l'histoire l'enivraient. Elle ne pouvait expliquer pourquoi, chaque fois qu'elle y entrait, elle regardait ce village avec tant de chaleur humaine, d'enthousiasme, comme si elle le découvrait pour la première fois. Lorsqu'elle contemplait les façades de la vieille place, son cœur s'emballait comme une gamine se rendant à son premier rendez-vous. Elle aimait les arceaux qui semblaient danser la ronde autour de la grande fontaine. Elle aimait les hautes persiennes qui laissaient libre champ au soleil étincelant. Elle aimait aussi les larges platanes aux troncs d'aquarelle, qui étalaient leurs branches protectrices au-dessus des terrasses de cafés.

Son histoire d'amour avec ce village s'était amplifiée au cours des années et se renforçait chaque jour un peu plus. Elle était « fille de Saint-Antonin ».

Blanche en était pourtant partie durant de longues années, pour continuer ses études d'agronomie. Passionnée par l'herboristerie, elle avait trouvé sa voie dans la culture et la transformation de plantes aromatiques et médicinales. Elle fournissait quelques laboratoires en phytothérapie de la région. Derrière la Genestière, Blanche cultivait plusieurs champs. Les alentours étaient parfumés par les aromatiques, de l'aneth à la verveine citronnelle, en passant par la grande balsamite et la réglisse romaine, sans oublier les plus traditionnels thym, basilic, sarriette, sauge, menthe, gentiane, romarin…

Les plantes médicinales poussaient dans un grand champ bordé de lauriers-sauce et de genévriers dont les merles adoraient les baies. Ses terres accueillaient des cultures d'agripaume, de santoline, d'armoise commune, de valériane officinale, de camomille romaine, d'arnica, de ciste… Un petit local attenant à la maison servait à Blanche au séchage et à l'emballage des plantes. Cette proximité facilitait sa tâche et lui offrait le luxe de travailler chez elle, lui donnant une qualité de vie qu'elle savait apprécier.

Vingt ans plus tôt, Marie sa mère utilisait les plantes elle aussi. À l'époque, cette pratique semblait marginale et farfelue. Aujourd'hui, on avait désormais conscience que la nature est un trésor et qu'il est précieux de savoir tirer avantage de ce qu'elle offre. Il est même devenu de bon goût d'apprendre les secrets de grand-mère, leur cuisine et leur savoir-faire. On commence à privilégier la qualité à la quantité, le mieux consommer au consommer à tout prix. Blanche pensait que ce retour en arrière était une vraie avancée vers le mieux-vivre et s'en réjouissait.

Petite, elle accompagnait sa mère à travers les prés et les combes, pour la cueillette des salades sauvages. C'était Marie qui l'avait initiée aux bienfaits de la nature. Elle lui avait appris le cycle des saisons, les vertus des plantes, leurs propriétés, leurs utilisations diverses. Blanche lui serait toujours reconnaissante de l'enseignement qu'elle lui avait apporté.

Avide d'apprendre, elle avait fait plusieurs stages en herboristerie. C'est d'ailleurs dans une des dernières boutiques de la région, la maison « Magne et Fils », qu'elle avait passé plusieurs mois. L'expérience avait été enrichissante et Blanche s'était sentie dans son élément. C'était un lieu où les étagères alignaient de grands bocaux en verre remplis de feuilles de toutes formes et de toutes origines. Des sachets en papier kraft consciencieusement étiquetés recelaient des senteurs diverses. Ces matières premières, précieuses et courantes à la fois, plongeaient Blanche dans des paysages lointains et encore inconnus. Elle y retrouvait aussi sa garrigue aux mille ressources, où elle se sentait paisible, légère, les yeux baignés de couleurs plus délicates les unes que les autres.

Plusieurs années passées en ville, si belle soit-elle, lui avaient permis de découvrir que son cœur était à la campagne, au milieu des genêts et des chênes verts.

Blanche aimait sa vie. Sa joyeuse bande d'amis se retrouvait plusieurs fois par semaine « chez Boubou », le café de la place aux Herbes. On y dégustait les merveilleux vins des Côtes-du-Rhône que la région offrait. On y riait, on racontait les dernières nouvelles de la semaine, on parlait des avancées sociales et politiques de Saint-Antonin, de la cohabitation du gouvernement, des nouvelles lois comme la loi Taubira qui reconnaissait enfin les traites et l'esclavage comme crime contre l'humanité. Tous avaient leur mot à dire et échangeaient avec ferveur. On y discutait sans jamais mépriser l'avis de l'autre, même si quelquefois le ton montait.

Boubou le patron, personnage bourré d'humour, savait faire retomber la pression, normal pour un cafetier ! Flegmatique et souriant, il regardait tout ce petit monde avec des yeux bienveillants qui, quelquefois, se plissaient de malice. Lorsqu'il voulait faire diversion dans le café, il appelait sa femme Lulu. D'un caractère bien trempé, les cheveux et les lèvres rougis par la fantaisie, elle passait pour une originale dans le village. En fait, Lulu était une créatrice, passionnée de couture, toujours en quête d'innovation. Son âme restait celle d'une adolescente, curieuse et gourmande de la vie. Celle-ci adorait chanter, bien qu'elle chantât très faux ! Aussitôt sollicitée, Lulu entonnait les répertoires de Jacques Dutronc, Boby Lapointe ou encore Nino Ferrer, dans un vacarme assourdissant ! *Mirza, Les Cornichons, Tchita la Créole, J'ai fantaisie, L'Hôtesse de l'air* et *Les Cactus* faisaient partie de ses titres préférés. Chaque fois que Lulu commençait à chanter, c'était l'hilarité générale. Puis, tous reprenaient les chansons avec elle. Lulu n'était pas dupe du comique de la situation et en jouait formidablement bien. Il y avait une ambiance au café de la place aux Herbes qu'il n'y avait nulle part ailleurs. C'était un endroit festif où les habitués se sentaient chez eux. Boubou et Lulu étaient les complices, les confidents de cette jeunesse pleine de vie, et des autres.

Parmi les principaux amis de Blanche, il y avait

Mathilde Barandon, son amie d'enfance. Mathilde, débordante d'énergie, avec qui elle avait eu les fous rires les plus délirants, celle qui comprenait tout sans jamais juger, Mathilde, rousse flamboyante, l'espiègle qui adorait faire des farces aux autres, était la meilleure amie de Blanche. Militante en faveur du logement social, elle était bien connue pour ne pas mâcher ses mots. Organisatrice de diverses manifestations en faveur des plus défavorisés, elle savait taper aux portes des mairies et des préfectures lorsqu'il le fallait. Révoltée par la fracture sociale, elle interpellait, dénonçait, écrivait dans les journaux locaux sa colère et son désir de changement en faveur des plus démunis. Mathilde était aussi aide-soignante dans un hôpital local et bénévole à l'antenne des Restos du cœur de Saint-Antonin. Tous se demandaient où elle trouvait l'énergie pour mener de front tous ces combats ! Elle répondait en riant qu'elle était née comme ça, pour le plus grand désarroi de ses parents épuisés ! Mathilde était chère à Blanche et Blanche à Mathilde : ces deux-là s'aimaient comme des sœurs.

Il y avait aussi la secrète Armelle Vézon, l'artiste, cheveux bouclés et yeux noisette. Elle avait fait de sa passion son métier. Elle était potière avec beaucoup de réussite. Ses créations aux motifs peints très raffinés, aux couleurs tendres et vives à la fois, se vendaient dans toute la région. Elle avait énormément travaillé avant d'en arriver là, s'acharnant tous les jours pour continuer à progresser dans cet art qui l'exaltait. Après de longues années de vache maigre et quelquefois de doutes et de rage, elle s'était accrochée à son rêve, persuadée qu'elle était sur la bonne voie. Son obstination avait payé car aujourd'hui Armelle vivait de son métier, certes modestement mais heureuse. Blanche était très fière de son succès.

Le meilleur ami de Blanche était Paul Albarès. Blanche et lui avaient vécu une jolie histoire d'amour dans leur adolescence et gardé beaucoup de tendresse l'un pour l'autre. L'athlétique brun à la peau mate était un sportif complet, pratiquant la course à pied, l'escalade et le handball. Son besoin de faire du sport n'avait jamais faibli depuis l'enfance. Ce qui représentait le mieux Paul, c'était son short rouge et noir qu'il avait sûrement plus porté que n'importe quel pantalon. Il était un garçon simple, fidèle en amitié, toujours prêt à rendre service en dehors de ses activités sportives. Employé au bureau de poste du village, il était depuis des années la coqueluche des ménagères et des petites mamés, doublant les ventes de timbres depuis son embauche ! Il était vrai qu'il n'était pas désagréable à regarder, ce beau garçon au visage expressif ! Certaines oubliaient de râler dans la file d'attente de l'administration. C'était un ami sincère, attaché à ses copains et… encore à Blanche.

La jeune fille aimait mitonner de bons petits plats pour son entourage ; sa cuisine était ensoleillée, méditerranéenne quoi ! Tous venaient à sa table, impatients de découvrir ses dernières trouvailles culinaires. Elle utilisait sans retenue les plantes et les légumes frais de son potager, créant des associations parfois insolites mais toujours savoureuses. Blanche était gourmande et curieuse, deux qualités précieuses dans le domaine de la cuisine. Jamais à court d'idées, elle cuisinait même après une dure journée de travail aux champs. Ça la délassait et lui faisait oublier sa fatigue physique. La cuisine était la pièce la plus importante de sa maison. Elle y passait beaucoup de temps. Entre plaisir de création et plaisir de dégustation, elle n'avait jamais choisi, les deux la rendant heureuse. Sa maison embaumait la menthe et le basilic, l'harmonie et la générosité, comme elle.

Sans le provoquer, Blanche avait toujours plu aux hommes. Sûrement à cause de ses formes généreuses, de son sourire aux dents parfaitement régulières, de son attention envers les autres, de son amour pour les bonnes choses de la vie et de l'amour. Le brun foncé de sa chevelure qui tombait en bataille dans son dos faisait ressortir la transparence de son regard, franc et direct. Les hommes aimaient chez elle cette simplicité. Sa jeune vie comptait quelques belles rencontres amoureuses. Elle gardait le souvenir de moments précieux, de partage, de passion et d'étreintes exquises. Blanche ne percevait pas la fin d'une aventure comme un échec mais plutôt comme une nouvelle tranche de vie. Sans regret, sans rancune, elle accueillait l'amour comme un cadeau de la vie.

Son dernier amant en date, elle l'avait rencontré… chez elle ! Lors d'un souper qu'elle avait préparé pour ses copains, Kerry avait accompagné Armelle chez qui il logeait pour quelques jours. Cet Irlandais était blond, le regard affirmé d'un homme de la mer. Il était venu retrouver des amis en France, voyageant entre deux campagnes de pêche. Il dégageait de sa personne un charme évident. Blanche l'avait accueilli en nouveau venu, chaleureusement, avec décontraction et spontanéité. Après de longs regards échangés, il était évident que Blanche et Kerry avaient eu une réelle attirance physique l'un pour l'autre. Dès le lendemain commença une idylle passionnée qui dura six mois. Six mois où les amants se retrouvaient dans des endroits insolites pour faire l'amour. Ils aimaient se surprendre, se caresser sans retenue comme s'ils se connaissaient depuis toujours ! Ils ne se lassaient pas de s'unir, encore et encore, tant leurs peaux étaient en accord. Kerry s'était révélé un excellent amant, confirmant à Blanche son amour pour la chair. Elle l'avait croqué avec beaucoup de plaisir.

Le semestre passé, il dut retourner en Irlande pour débuter une nouvelle campagne de pêche. Ils savaient tous deux que malgré ces mois de ferveur, ni l'un ni l'autre ne pourraient refuser la vie qui se présenterait à eux. Se l'avouant sans détour, Blanche et Kerry n'étaient pas assez attachés l'un à l'autre pour avoir envie de s'investir dans une relation de longue durée. Ils ne se reverraient pas avant un an au moins... Comment s'empêcher de vivre durant tout ce temps, en attendant l'autre, sans se lasser ? Honnêtes et lucides, ils se quittèrent donc dans une ultime étreinte, en se félicitant de s'être rencontrés.

Blanche n'était pas de celles qui attendent le prince charmant. Sa mère ne lui avait jamais raconté ces contes de fées aseptisés qui fleurissent dans les livres pour enfants. Marie était partisane de fables et de contes paysans, développant l'imaginaire des petits, où les animaux et les sorcières les tenaient en haleine des heures durant.

La jeune fille n'attendait pas le grand amour. Il ferait partie de sa vie si le destin en décidait ainsi. Elle pensait que l'essentiel était qu'elle soit heureuse et épanouie dans sa vie de tous les jours. Elle l'était.

2

Après avoir envoyé sa commande à un client, il était temps pour Blanche d'aller cueillir ses plantes de garrigue ! C'était un moment qu'elle adorait. Munie de son Opinel, de son sac à dos et de son chapeau de paille, elle s'élança dans les chemins, un large sourire aux lèvres.

Ce mois de juin était très agréable. Un doux soleil caressait les épaules et les joues, rendant les âmes joyeuses. Blanche descendit vers la vallée de l'Aucre par les petits sentiers sinueux ombragés de hauts arbres. Arrivée en bas, elle trouva comme toujours le spectacle magnifique. Verdoyante en cette saison, la vallée semblait un havre où les oiseaux et les canards avaient élu domicile, pour la plus grande joie des promeneurs et des enfants. Elle s'arrêta un instant pour boire à la fontaine. Une eau limpide en découlait. Les berges de cette rivière, alimentée par des sources claires et vivifiantes, regorgeaient de plantes fleuries, très bénéfiques. Elles étaient chères à qui savait les reconnaître et les utiliser.

Au pied de la passerelle en bois, un couple de colverts s'agitait dans tous les sens, appelant leur nichée à les suivre. Blanche s'assit un moment au pied d'un vieux saule pleureur qui offrait son ombre depuis des décennies aux amoureux. Elle contemplait cette vallée, bordée par un écrin de roches calcaires abruptes, d'un blanc pur, qui mettaient en valeur la végétation lumineuse des berges. Par quelques chemins de terre pentus et sinueux, on accédait à la garrigue. Vissant son chapeau de paille sur sa tête, Blanche s'y élança.

Dès qu'elle atteignit le haut du sentier, elle admira cette vue somptueuse qui surplombait Saint-Antonin, les toits dorés par le soleil. Son cœur résonnait en même temps que la cloche de l'église Saint-Jean. Elle apercevait au loin la grande esplanade ombragée, enlacée par un boulevard circulaire où se déplaçaient langoureusement quelques véhicules. Sur le côté, se dressait la belle bâtisse du temple, qui faisait face à l'école maternelle du village. Colorée, ouverte sur un joli parc, celle-ci faisait la joie des petits, attirés par cette profusion de couleurs. Blanche et ses amis s'y étaient tous retrouvés, gardant en mémoire le nom de quelques maîtresses chères à leurs cœurs, et d'Émilie, la chaleureuse directrice. Elle imaginait la présence des joueurs de boules sous les platanes, s'invectivant avec ferveur, offrant un spectacle délicieux aux retraités assis sur les bancs environnants. Après quelques engueulades chères aux Méditerranéens, perdants et gagnants finiraient ensemble au bistrot de l'esplanade, célébrant leur amitié devant un bon pastis. Blanche apercevait la camionnette de l'épicier des marronniers qui partait livrer ses fruits et légumes aux restaurateurs locaux. Plus loin, la fourgonnette jaune de la factrice rejoignait les petits villages environnants. Saint-Antonin vivait sous les yeux attendris de la jeune fille.

Continuant son chemin, Blanche était bien décidée à

trouver cette fois-ci quelques tiges d'angélique sauvage qui se faisait assez rare. Cette plante aux vertus stimulantes et tonifiantes était nécessaire à l'élaboration de certaines tisanes.

Dévalant plusieurs vallons, cherchant pendant plusieurs heures sans résultat, Blanche eut l'idée folle de traverser l'abîme du Diable. C'était un endroit que personne ne pénétrait car il était réputé pour être très dangereux. Avec ses abords bordés de roches friables, l'abîme du Diable était enveloppé par un amoncellement d'arbres hostiles, de ronces aux épines acérées, donnant au lieu un caractère maléfique. En regardant en bas, on pouvait apercevoir un énorme trou béant, qui ne donnait aucun espoir de survie à qui y tomberait. L'étrangeté de ce lieu était confortée par la noirceur de la végétation environnante. On aurait dit que toutes les espèces les plus nuisibles poussaient ici. Même le soleil ne s'y aventurait pas.

Au-delà de l'abîme, on apercevait ce qui semblait être une petite combe. La curiosité de Blanche fut plus forte que son appréhension. Elle se glissa sur les abords, chancela à plusieurs reprises prête à tomber mais, têtue, persévéra jusqu'à ce qu'épuisée, elle l'atteignît enfin. Là, elle dut s'asseoir un moment pour reprendre ses esprits et son souffle. Mais pourquoi avait-elle pris autant de risques ? Elle se fit mille reproches en mesurant le danger qu'elle avait couru, tout en étant quand même satisfaite de son courage.

Le soleil perçait à travers les branchages. Ce lieu était différent et paisible. Adossée contre un chêne vert, Blanche était à deux doigts de s'endormir… Un reflet brilla sur ses yeux clairs, la tirant soudain de sa quiétude. Cela venait du haut de la combe. Le soleil s'était reflété dans quelque chose, mais dans quoi donc, au milieu de cette nature profonde ? Irrésistiblement attirée, Blanche fit l'effort de monter jusqu'à l'endroit où elle avait aperçu le reflet.

Quelle ne fut pas sa surprise de découvrir un mazet ! Un petit mazet en pierres sèches que les rayons de soleil caressaient avec douceur. Elle n'avait jamais entendu dire, au village ou dans sa famille, qu'il y en avait un dans ce lieu si hostile ! Même par son oncle François, chasseur invétéré, grand amoureux de la nature, qui connaissait ce canton dans ses moindres détails… Un refuge de chasseur ? Impossible, ils ne s'aventuraient pas ici. Leurs chiens n'auraient pu traverser des ronces si épaisses sans se blesser. Un ancien abri de berger ? C'était peu probable, car les troupeaux se tenaient principalement sur le plateau de La Marjolaine, où les pâturages sont étendus et riches en herbe grasse.

Blanche fit le tour du mazet. Il était en bon état. Un petit banc de bois faisait face à la clairière, sous un bel olivier. Le vitrage de l'unique fenêtre d'où le soleil réfléchissait était intact. Elle ne parvint pas à voir au travers. Aucune tuile n'était tombée du toit. Le lierre avait parcouru les murs jusqu'à la vigoureuse porte en bois. Aucune présence humaine aux alentours. Blanche eut envie de voir à l'intérieur. Il était très certainement vide, comme la plupart des mazets abandonnés que l'on trouve çà et là dans la garrigue… À quoi bon ? Après tout, personne ne se rendrait compte de son intrusion, ici, au milieu de nulle part ! Blanche hésita. D'ici, la vue sur la clairière était agréable. Des tapis de thym embaumaient tout autour de la bâtisse. Quelques cistes mauves fleurissaient les environs. En grimpant sur la gauche, on devait certainement apercevoir une partie de la vallée de l'Aucre. Se retournant vers le mazet, Blanche se décida. Il lui fallut le reste de ses forces pour ouvrir la lourde porte. Elle en vint à bout et elle fit irruption dans l'unique pièce. Elle retint son souffle.

Quelques meubles raffinés habillaient la pièce, couverts par un épais voile de poussière : une table ronde en noyer de style provençal entourée de trois chaises paysannes, un vieux bas de buffet sur lequel trônait un grand miroir rectangulaire, un grand lit à barreaux de fer recouvert d'une étoffe bleu cendre, et enfin une petite commode à trois grands tiroirs. Un évier creusé dans la pierre avec un nécessaire de toilette se trouvait derrière la porte. Suspendus à côté, des vêtements de femme, dont une jolie robe bleue. Des vêtements ordinaires mais de belle qualité, aux couleurs douces, qui rappelaient une ancienne mode.

Blanche s'assit sur le lit, délicatement, comme si elle avait peur de réveiller une présence endormie. Il était évident que le mazet n'avait pas été habité depuis plusieurs années. Tout dans cette pièce sentait la féminité. Quelques objets sur la commode étaient alignés avec une précision parfaite. Placée à l'angle du miroir, une esquisse au fusain représentait le corps d'une femme, un vase en poterie grossièrement achevé et mal verni qu'on aurait dit réalisé par un enfant, une petite boîte en carton contenant une mèche de cheveux sur laquelle on pouvait lire ces quelques mots : « Je serai toujours avec toi. J. » Il y avait aussi les tissus aux couleurs délicates, la bougie parfumée au centre de la table, un petit cadre doré à côté du miroir…

Blanche s'en saisit et le retourna. Il contenait une photo représentant deux enfants étreints, riant aux éclats : une fillette de sept ans environ, qui avait commencé à perdre ses dents de lait et un garçonnet plus jeune. Ils étaient beaux et attachants, leurs yeux pétillant d'une complicité certaine ! Derrière la photo, était seulement inscrit « 1973 ».

Les questions fusaient dans la tête de Blanche. Mais qui pouvaient bien être ces enfants ? Qui était cette femme qui avait habité là ? Était-ce leur mère ? Qu'était-il arrivé à cette personne pour qu'elle laisse toutes ses affaires ainsi ? Était-elle vivante ou bien morte au fond de l'abîme du Diable ? Cette hypothèse donna la chair de poule à Blanche. Il semblait que le temps s'était arrêté. Blanche fut émue par sa découverte et par l'immersion qu'elle venait de faire dans la vie de cette inconnue. Ou bien était-ce cette inconnue qui venait de surgir dans la vie de Blanche... ?

Malgré le mystère qui entourait ce lieu, Blanche devait admettre qu'elle s'y sentait bien. Une ambiance féminine y régnait. Les couleurs étaient apaisantes et gaies, comme dans une chambre de jeune fille. Peut-être que la fatigue avait endolori son corps tout entier et ramolli ses méninges... Elle devait se poser un peu avant de repartir, il fallait franchir de nouveau l'abîme du Diable. Quelle folie ! C'est bien elle qui finirait au fond... Elle s'allongea sur le lit juste pour un instant. Ses yeux naviguèrent autour de la pièce. De longues minutes passèrent sans qu'elle songe à bouger.

Si seulement il y avait de l'eau... La soif séchait sa gorge. Dans son sac à dos, sa petite bouteille était vide. Elle avait aperçu une citerne derrière le mazet. Mais même si elle contenait encore le précieux liquide, Blanche n'osait pas imaginer son état et le nombre de bactéries qui devaient s'y être développées...

Elle ouvrit le vieux robinet en cuivre et vit couler

un petit filet d'une eau verdâtre. Effectivement, plus personne ne vivait ici depuis longtemps. Furetant dans la pièce, elle ne résista pas à l'envie de toucher le tissu de la robe bleue. C'était bien du velours, doux comme une caresse. Sa coupe était sobre. Ce qui attirait le regard, c'était ce bleu azur, pur comme l'eau d'un lointain atoll.

Accrochée au portemanteau, une longue veste en laine semblait calfeutrer la vieille porte fendillée par les années. Son bois avait dû subir les sévices du mistral, du froid et du soleil durant des décennies… Blanche y posa ses mains, palpa ses veines et ses nœuds avec délicatesse.

Elle fut étonnée lorsqu'elle aperçut en haut de l'encadrement de la porte une toute petite clé accrochée à un clou. Une minuscule clé qui ne pouvait correspondre qu'à la serrure fragile d'une boîte à musique ou d'un coffret à bijoux… Sa curiosité attisée une fois de plus, Blanche examina l'ustensile minutieusement. Après tout, le mazet avait été déserté, ses effets abandonnés… Après un long moment d'hésitation, elle décida de chercher la boîte que cette clé avait verrouillée.

Peut-être lui livrerait-elle quelques indications sur la locataire du mazet ? Elle commença ses recherches en prenant soin de ne rien déranger. Elle n'en trouva aucune trace dans les effets personnels précautionneusement pliés dans les tiroirs de la commode. Rien dans le vieux buffet, qui ne contenait qu'un peu de vaisselle et quelques casseroles. Sous le lit, elle fut surprise de découvrir un petit panier rempli de cocottes en papier, au moins une quarantaine. Sans doute des enfants avaient vécu ici. Comment peut-on faire vivre des gamins dans une nature si rude ? Blanche pensa que c'était irresponsable !

Elle reprit ses recherches. Rien non plus derrière les quelques meubles... Assise sur le lit, elle s'apprêtait à abandonner, pensant qu'elle fantasmait sur un objet qui peut-être ne se trouvait plus ici depuis longtemps. Puis elle se mit à la place de la personne qui n'aurait pas voulu que son trésor soit découvert. Elle réfléchit donc où elle-même aurait caché une boîte secrète et en conclut qu'elle aurait choisi... les murs.

Les solides murs en pierre de pays recelaient souvent autrefois des actes notariaux ou bien des pièces de monnaie péniblement économisées. Elle avait le souvenir que son grand-père Marcel avait longtemps dissimulé une telle cachette à la Genestière. C'était une habitude chez les gens de sa génération. Blanche les inspecta avec attention. Rien de visible. Elle sortit pour examiner les murs extérieurs mais, au bout d'un moment, se résigna à rentrer, bredouille. Elle avait sûrement beaucoup trop d'imagination ! Elle allait rentrer maintenant. Enfilant son sac à dos et s'avançant vers la porte, elle se baissa soudain pour regarder sous le vieil évier.

Elle remarqua qu'une pierre avait été descellée. Le sourire aux lèvres, Blanche était heureuse que sa persévérance ait payé ! Elle la retira tout doucement. Le pavé se détacha facilement du mur. Vraisemblablement, cette cachette avait été utilisée de nombreuses fois. Le déposant à terre avec soin, Blanche aperçut un objet dans le fond. Elle avança sa main et en ressortit une boîte en fer... Une petite boîte en fer fermée à clé !

Assise sur le lit, l'objet entre les mains, Blanche hésita. Avait-elle le droit d'aller plus loin, de faire intrusion dans la vie d'autrui ? Le mystère était tellement grand qu'elle tourna soudain la petite clé dans la boîte qui s'ouvrit...

Blanche découvrit un petit carnet aux pages jaunies et à la couverture cartonnée. Sur l'étiquette d'écolier était écrit :

Odile Coste, 1974

Elle commença sa lecture.

Elle m'a dit qu'il fallait que je t'écrive. C'est dur de t'écrire. Je suis lourde de mon chagrin. Ce sont tes yeux. Ils sont vides. Vides de moi. Je n'y suis pas dedans ! J'aurais tellement voulu m'y voir un peu ! Mais tes yeux sont toujours restés noirs, noirs à crier. Je crie encore. Moins qu'avant, quand je sentais ton parfum dans la pièce. Quand j'entendais ton pas sec. Ta voix froide coupante comme une lame. Tu me disais toujours : « Lève-toi de là, pauvre fille. » Pauvre fille ! Je suis TA pauvre fille ! Je suis sortie de ton ventre, comme les autres ! Je hurle ton mépris ! Je vomis ta haine !

Blanche se recula machinalement, comme pour éviter un coup de poing imaginaire. Surprise par tant de violence, elle relut ces quelques phrases, puis continua.

Pourquoi tu ne m'as jamais touchée ? Je n'ai jamais senti la chaleur de ta main. Ni l'odeur de tes cheveux. Encore moins tes lèvres sur moi. Ça doit être merveilleux d'être embrassée par sa maman ! Tellement doux... Je ne pouvais même pas te parler. Trop dur. Juste hurler pour que tu me regardes un peu. Et puis vite fuir, pour ne plus voir tes yeux noirs vides de moi.

Les pages suivantes avaient été froissées, mouillées, mais toujours là. Blanche, émue par cette lecture, tourna plusieurs pages plus loin, où l'écriture reprenait.

J est venu me voir, je suis contente. Il est resté cette nuit avec nous. C'est tellement rare qu'il puisse monter jusqu'à Grand Bastide ! J'ai le cœur en fête. Il m'a dit que notre grenouille avait bien grandi. Il est fier d'elle. Ses yeux sont pleins d'amour quand il la regarde, comme mon père quand il me regardait...

Je me sens tellement bien avec mon homme. Il me cajole, il me rassure. Il m'appelle « ma petite fée », ça me fait rire ! Il aime quand je ris. Je l'embrasse sans arrêt ! Sa bouche est belle, j'aime ses cheveux gris, ils brillent au soleil.

Quand je l'ai vu pour la première fois, j'étais à l'école de Saint-Antonin. J'étais une enfant et lui, un homme déjà. J'ai adoré sa démarche qui se balançait. Son sourire doux et ses yeux... Ses yeux verts qui me regardaient avec tant de gentillesse. Pas comme tous les autres regards de compassion, d'indifférence ou de mépris. Quand il me regardait, j'étais là. J'existais. Personne ne m'a jamais regardée comme lui à l'extérieur.

Quand j'avais onze ans, je savais que c'était lui que j'aimerais toute ma vie.

Blanche leva un instant les yeux du petit carnet, juste assez longtemps pour s'apercevoir qu'elle était bouleversée par ce récit, où les émotions se bousculaient. Seul un être sensible au grand cœur avait pu écrire ces lignes. Odile Coste... Irrésistiblement attirée par le petit carnet, elle reprit sa lecture.

J est redescendu le lendemain avec elle. Je ne suis pas seule. Ses amis, les Folcher, sont là, tout près, derrière le mur. Je vois qu'elle est heureuse quand elle part avec son papa. C'est juste pour une semaine. Chez les amis, elle voit d'autres enfants avec qui elle s'entend bien. Je sais qu'elle a une préférence pour le petit Yann, il est si malin ! Elle joue. Elle les regarde beaucoup sans rien dire. Elle est un peu secrète. Je sais qu'elle pense beaucoup à sa maman quand elle est là-bas. Mais il ne faut pas. Il faut qu'elle profite de son enfance et de ses amis. C'est tellement beau l'enfance normalement.

À l'école de Grand Bastide, pour tous, elle s'appelle Nathalie. Pour moi, c'est ma grenouille pour toujours.

Blanche arrêta sa lecture. Elle regarda autour d'elle. Elle se sentait mal à l'aise, violant l'intimité de cette femme tourmentée. En avait-elle le droit ? Même si elle était certaine que personne ne ferait irruption dans le mazet, elle contempla son reflet dans le miroir poussiéreux. Elle, Blanche Bruguière, ne se savait pas capable de fouiner dans la vie des gens ! Sa petite voix intérieure lui dit qu'elle exagérait, que cette personne avait disparu ou bien était morte, qui savait ? Peut-être lui rendrait-elle service en lisant son histoire ? Peut-être pourrait-elle l'aider ? Bien consciente qu'elle s'inventait des prétextes pour continuer sa lecture, elle arrêta de se voiler la face et lut la suite.

Heureusement que mon homme connaissait quelqu'un qui faisait des faux papiers pendant la guerre. C'est lui qui a trouvé nos noms, à moi et à ma grenouille. Il nous a sauvées.

Elle est intelligente. Elle aime l'école. Elle veut lire tout le temps, mais moi, quelquefois je sais et quelquefois je ne sais plus. Quand je ne sais plus, elle m'explique, mais je ne peux pas écouter. Quand je sais, je n'arrête pas de lire et d'écrire, comme aujourd'hui.

Elle est aussi douce que son père ! Ses yeux me cherchent sans arrêt. Elle veille sur moi, on dirait ! Depuis qu'elle est née, elle est mon petit bonheur. Il faut que l'on vive cachées pour rester ensemble toutes les deux, tous les trois.

Mais qui était cette Odile Coste, qui était allée à l'école de Saint-Antonin et se cachait sous un faux nom en plus ? Elle n'en revenait pas qu'une pareille histoire puisse se passer ici, chez elle, et que ce soit elle, Blanche Bruguière, petite cultivatrice de village, qui découvre ça par hasard ! Tout ça pour quelques tiges d'angélique sauvage, qu'elle n'avait pas trouvées d'ailleurs...

Qu'allait-elle faire maintenant ? Cette découverte était lourde à porter... Mais si elle en parlait, elle risquait peut-être de porter préjudice à Odile Coste... ? Peut-être était-elle encore en vie et sa fille aussi... ? Comment le savoir ?

Le petit carnet gardait sûrement leur secret, mais Blanche devait rentrer chez elle. Hypnotisée, elle était restée là pendant plusieurs heures, sans se rendre compte du temps qui passait. Il fallait partir. Se détacher de cette histoire lui était difficile. Quand pourrait-elle revenir ? Pas avant une semaine, car les cultures lui prenaient beaucoup de temps et il fallait honorer les commandes. Et pourrait-elle revenir ? L'abîme du Diable était si dangereux qu'il serait vraiment fou de tenter de le franchir une nouvelle fois. Peut-être n'en saurait-elle jamais plus sur Odile... Voilà qu'elle l'appelait « Odile » maintenant, comme si elle la connaissait !

Pourtant, après quelques longues minutes d'hésitation, irrésistiblement, elle mit le petit carnet dans son sac à dos, comme une voleuse, et repartit vers l'abîme du Diable.

3

Cette nuit-là, Blanche ne dormit pas. Sans cesse, elle pensait aux mots d'Odile Coste, à sa douleur, à son bonheur... Ses mots résonnaient dans la tête de la jeune fille, « tes yeux noirs vides de moi », « sa petite fée », « ma grenouille ». Que d'émotions en quelques pages seulement ! Blanche se demanda comment ce journal avait pu atterrir dans le petit mazet, puisque Odile habitait Grand Bastide en Lozère ? Était-ce Odile Coste qui avait habité le mazet de la petite clairière ? Ah ! si seulement Blanche avait pu se confier à sa mère ! Seule Marie aurait pu garder ce secret avec certitude...

Mais Marie l'avait laissée seule, quatre ans plus tôt, un jour de juillet 1997. Sur la nationale 568 avant Martigues, la voiture de Marie avait percuté violemment un poids lourd venant en sens inverse. Elle n'avait que quarante-cinq ans. Elle avait laissé un mot sur la table : « Je pars à Marseille pour la journée, je serai rentrée ce soir. Bisous. maman. » Elle n'était jamais revenue... Blanche était encore très meurtrie par le décès de sa mère. Elle lui manquait. Sa fantaisie, son humour, son sens de la dérision, sa tendresse lui manquaient. La mère et la fille avaient été très complices. Elles avaient les mêmes goûts, riaient des mêmes blagues, se surprenaient souvent à dire ensemble les mêmes phrases. Une harmonie parfaite les liait toutes deux depuis toujours.

Marie, épanouie par une jeunesse qu'elle avait voulue insouciante et libertine, était tombée enceinte de Blanche alors qu'elle avait plusieurs amants. Libre comme l'air, elle accueillit sa grossesse avec bonheur sans chercher à savoir qui en était l'auteur. Aucune importance, car personne ne serait père, juste géniteur. Malgré la désapprobation virulente de sa propre mère, Marie éleva sa fille seule, comme elle l'avait souhaité. Elle réussit dans son rôle de maman, enveloppant sa fille du mieux qu'elle put d'un grand amour maternel, celui qui lui avait tellement manqué dans son enfance.

Un père n'avait jamais fait défaut à Blanche. Marie lui apportait équilibre et amour. Et puis l'homme de la famille, son grand-père Marcel Bruguière, veillait sur elle, l'entourant d'une affection profonde. Pour Blanche, Marcel avait les qualités essentielles qu'un homme doit avoir. Il était aimant, attentionné, courageux, droit, juste, et un peu fou dans sa jeunesse…

Les amis du vieil homme aimaient à raconter qu'un jour, alors qu'ils avaient vingt ans, Marcel s'était mis en tête de donner une leçon d'humilité au nouveau gendarme de Saint-Antonin. Il est vrai que le garçon, nouvellement nommé, avait pris la grosse tête, et n'adressait plus la parole à ses anciens camarades de classe. Ils avaient beau le charrier, le jeune homme restait de glace, le nez en l'air, imperturbable. Un matin, on le retrouva attaché sur la place du village, debout à plat ventre contre un gros platane, le pantalon baissé jusqu'aux chevilles. Un message était écrit à la peinture sur ses fesses : « Police ralentir ! » C'était l'œuvre de Marcel. Le gendarme ne donna pas le nom de celui qui avait outragé la gendarmerie nationale, de peur de représailles, et devint subitement plus modeste.

Tout le village en fit des gorges chaudes, bien sûr ! Même les grenouilles de bénitier en parlaient en cachette, outrées des dernières péripéties de ce mécréant !

Mécréant, Marcel l'était ! Elles le connaissaient bien, pauvres d'elles. Marcel et ses copains adoraient les choquer, s'attirant les foudres du père Armand qui râlait devant ses ouailles, mais se marrait une fois seul... Il était assez sympa, ce vieux curé. Dès qu'il avait l'occasion de goûter un bon vin, au cours d'un repas de famille, il se mettait à raconter les meilleures blagues du moment. Inutile de dire que l'équipe de farceurs s'empressait de l'enivrer, pour savourer le meilleur de la religion...

Tous les dimanches, installés au bistrot en face de l'église Saint-Jean, la bande de joyeux lurons attendait que les cagotes sortent de la messe pour chanter *L'Internationale* à tue-tête ! C'était un instant qui ne manquait pas de spectateurs, tellement la situation était cocasse. Les pauvres femmes affolées en oubliaient même de passer par la pâtisserie du village, pour acheter leurs petits gâteaux dominicaux ! Au pâtissier qui un jour vint se plaindre à Marcel, celui-ci fit une réponse cocasse :

— Elles devraient nous remercier. Grâce à nous, elles ne commettent pas le péché de gourmandise ! On viendra les acheter à leur place, tes gâteaux.

Et ce fut chose faite. Après *L'Internationale*, la

fuite des cagotes devant l'hilarité générale, la bande à Marcel allait acheter les petits gâteaux et les mangeait à la terrasse du bistrot.

Marcel continua ses frasques jusqu'au jour où il rencontra Berthe. Fille d'une famille très pratiquante, il se résolut à se montrer plus discret pour ne pas s'attirer les foudres de ses futurs beaux-parents. Les grenouilles de bénitier en conclurent que Berthe avait remis Marcel dans le droit chemin et retournèrent s'empiffrer de petits gâteaux tous les dimanches.

Blanche aimait entendre raconter ces vieilles histoires. Si elle avait croisé ce jeune homme audacieux qu'il était à vingt ans, elle l'aurait tout de suite aimé.

Aujourd'hui, il avait quatre-vingt-cinq printemps. Depuis des années, il truffait dans la campagne de Saint-Antonin accompagné de sa fidèle Titine, une bâtarde vaguement griffon ratier qu'il avait recueillie un matin de grand froid. Aller aux truffes était devenu pour Marcel plus qu'un passe-temps. Il aimait voir le travail de sa chienne, souvent bredouille, mais tellement fière lorsqu'elle trouvait l'emplacement du précieux champignon ! Ils pouvaient rester des heures tous les deux à marcher au milieu des chênes truffiers, à sentir le parfum de la terre humidifiée par la rosée, l'odeur de la garrigue qui s'éveille aux gloussements d'une compagnie de perdreaux. Comment ne pas apprécier la vue du soleil levant sur les feuilles effilées des oliviers centenaires ? Marcel avait passé sa vie dans la garrigue et ne s'en était jamais lassé. Titine, forte de l'amour démesuré qu'elle portait à son maître, bondissait de bonheur dès qu'elle devinait l'heure de la balade arrivée. Entre le vieil homme et la petite chienne, l'affection et la complicité s'étaient installées pour toujours.

Marcel vivait avec son fils François, célibataire endurci, dans une maison de village au centre de Saint-Antonin. Il était veuf de Berthe Vernet, qui s'était éteinte doucement, deux ans auparavant à l'âge de soixante-quatorze ans, des suites d'un cancer généralisé contracté quinze ans en arrière.

Blanche n'avait jamais eu beaucoup d'affinité avec sa grand-mère. Berthe en avait toujours voulu à sa fille Marie d'avoir vécu comme une libertine, de ne jamais s'être occupée de « l'honneur de la famille » et du « qu'en-dira-t-on ». Elle considérait Blanche comme l'enfant de la débauche et ne s'était jamais intéressée à elle, en bonne bourgeoise têtue et coincée qu'elle était.

Il ne restait à Blanche que Marcel et son oncle François, d'une personnalité renfermée et un peu aigrie, à l'opposé de Marie. Mis à part la chasse, rien ne l'intéressait, même pas sa famille. Il parlait très peu, n'allait jamais au café où il aurait pu rencontrer d'anciens camarades et passait le plus clair de son temps dans les bois. François avait voué un amour sans limites à sa mère. Il avait souffert de l'isolement dans lequel elle s'était installée depuis si longtemps. La beauté méditerranéenne de Berthe avait toujours subjugué le petit garçon qu'il avait été. Ses traits fins, son allure hautaine, ses cheveux noirs impeccablement tirés, donnaient à Berthe une grande prestance d'un autre temps. Aux yeux de François, nulle femme ne pouvant l'égaler, il avait choisi de vivre seul.

Marcel et Berthe avaient eu une fille cadette, Isabelle, morte noyée alors qu'elle avait seize ans. Depuis ce drame, Berthe avait commencé à se fermer à son entourage. Même François, son garçon adoré, n'attirait plus son attention. Elle n'y pouvait rien. Elle était toujours dans ses pensées. Quelquefois des larmes coulaient toutes seules sur ses joues, sans qu'elle ne puisse rien faire pour les retenir. Il y a des épreuves insurmontables dans la vie, la mort d'Isabelle en était une pour Berthe. Marcel, qui aimait profondément sa femme, avait déployé des montagnes de tendresse et d'attention à son égard. Berthe était restée froide, cassée. Depuis, personne ne parlait du drame, pour ne pas ajouter de la souffrance à l'insupportable.

Après avoir préparé la majorité de ses commandes et renvoyé quelques mails à ses clients, Blanche partit chez Boubou retrouver ses amis. Mathilde et Paul étaient déjà là, plaisantant avec d'autres camarades, Christophe et Laurie. Christophe était un ami de fac. Il travaillait comme dessinateur chez un architecte de Nîmes. Quant à Laurie, blond platine, elle était toujours en quête d'un beau garçon qui au final ne l'était pas assez ! Blanche l'aimait bien, elle était rigolote.

Justement la tablée plaisantait au sujet des nouvelles chaussures de Laurie. Celle-ci affirmait qu'elle avait aux pieds le dernier modèle de la collection créée par Kylie Minogue elle-même ! En tant que fan de la chanteuse, elle était fière de porter ces escarpins roses vernis aux talons de quinze centimètres, même dans les rues pavées du village ! Tous riaient, mais adoraient la fantaisie de leur amie.

Blanche se rapprocha du comptoir pour commander un demi à Lulu. Puis, engageant la conversation, elle profita de l'éloignement de ses amis pour lui poser une question qui lui tenait à cœur.

— Dis-moi, Lulu, toi qui as travaillé à l'école, tu te souviens d'une Odile Coste ?

— Odile Coste ? En quelle année elle y était ?

— Sûr en 1961.

Lulu réfléchit un moment puis secoua ses boucles rousses.

— Non, Coste, ça ne me dit rien du tout ! Pourtant j'y suis restée de 1958 à 1967 à l'école de Saint-Antonin. Pourquoi tu me demandes ça ?

— Rien d'important, c'est une cliente de Nîmes qui recherche son amie d'enfance.

Lulu resta songeuse et continua à essuyer ses verres. Tout d'un coup, elle hurla en direction de son mari.

— Boubou, ça te parle, Odile Coste ?

Le patron du bistrot, interrompu dans sa discussion avec un client, se retourna vers sa femme, étonné. Après une moue désapprobatrice, il reprit sa conversation de plus belle. Blanche, très gênée, chercha autour d'elle pour voir si quelqu'un y avait prêté attention. Un homme âgé aux cheveux blancs, que Blanche ne vit que de dos, s'empressa de quitter les lieux. Surprise, Blanche se précipita devant la terrasse mais l'homme avait disparu. Elle se rassit auprès de ses amis, réfléchissant à la scène qui venait de se dérouler. Quelqu'un connaissait l'existence d'Odile Coste à Saint-Antonin ! Elle n'était sûrement pas la seule à connaître son secret...

Mathilde la tira de ses pensées.

— Eh bien Blanche, tu rêves ou quoi ? Qu'est-ce que tu en penses du dernier look de Madonna ?

Blanche regarda son amie sans répondre. Paul, s'apercevant de son trouble, répondit à sa place :

— Elle peut bien avoir le look qu'elle veut, Madonna, du moment qu'elle continue à se débarrasser de sa petite culotte, ça me va ! Par contre, je n'amènerai pas Kylie Minogue courir avec moi. Avec ses grands talons, elle ferait rire les agaces !

Hilarité générale. Paul fit un clin d'œil à Blanche, qui lui répondit par un sourire. Ils avaient gardé une grande complicité tous les deux. Paul remarquait tout de suite quand elle était soucieuse. Il était toujours plein d'attention à son égard, c'en était touchant.

Elle s'esquiva plus tôt que d'habitude, pour se retrouver seule chez elle. Là, installée en tailleur sur son lit, Blanche continua la lecture du journal intime d'Odile Coste.

Aujourd'hui, 28 février 1975, c'est mon anniversaire. J'ai vingt-cinq ans. Ma grenouille m'a fait un gâteau au chocolat, avec l'aide des Folcher. Elle n'avait pas de bougies, alors elle a mis vingt-cinq brindilles de paille, c'est adorable ! Elle a dessiné ma silhouette au fusain, c'est vraiment très beau. Elle est douée. J est venu nous rendre visite cet après-midi, nous étions heureuses. Il m'a offert une belle robe bleue, du bleu que j'aime ! Quand je l'ai mise, je me suis sentie inondée de bonheur. Ma grenouille m'a dit que j'étais très belle. J'étais émue aux larmes. C'est leur amour qui me rend belle !

À Grand Bastide, l'hiver est froid, trop froid ! La neige reste longtemps. Je n'aime pas tout ce blanc, ça m'étouffe ! On ne voit pas la verdure ! J'aime tant la verdure... Chez moi, à Saint-Antonin, il neige rarement. Le vert est plus fort que le blanc. Ma garrigue me manque. Je ne dois pas être triste, pour elle. Je m'ennuie ici quand elle est à l'école. Même si les Folcher viennent me voir après leur travail, je m'ennuie à mourir. Alors je range tout, toute la journée ! J'aligne les boîtes de conserve, qui n'arrêtent pas de bouger, je le sais, je le vois ! Je les range à nouveau jusqu'à ce qu'elles soient parfaitement en place. Quand je suis trop anxieuse, il faut que je frotte mes mains, toujours, longtemps ! Et puis, je m'assois devant la cheminée pour regarder le feu. Je reste des heures à regarder le feu. C'est beau et ça me fait chaud dehors et dedans. Quand j'ai chaud dedans, je ne pense pas. J'ai encore cassé des assiettes aujourd'hui ! Ça m'énerve ! Mes mains tremblent quand je m'énerve, je ne peux rien y faire ! Et puis, j'en ai assez de tout ! J'en ai marre d'écrire aussi ! Ça suffit ! Je n'écrirai plus !

À la suite, plusieurs pages étaient arrachées. On aurait dit qu'elles l'avaient été avec rage. Les yeux fatigués, Blanche s'endormit tout près du petit carnet.

Le lendemain, en chemise à bretelles, elle s'installa sur sa terrasse pour boire son bol de café. Le soleil était doux à cette heure-là. Elle étendit ses jambes et ferma les yeux. La douceur du matin était apaisante, après une nuit sans sommeil. Dans le jardin, les merles cherchaient à manger dans l'herbe embuée de rosée. Au soleil, les fils tissés par les araignées brillaient entre les branches. Le jardin de Blanche était sauvage. Aucun arbuste taillé, les végétaux poussaient à leur guise, se développant quelquefois de façon inattendue. De multiples variétés méditerranéennes se côtoyaient avec bonheur, offrant aux yeux admirateurs une large palette de couleurs et de senteurs. Seule l'allée était dégagée, accueillante comme un sourire de bienvenue. Pas de sonnette ni de cloche au portail de Blanche, il était toujours ouvert.

Pastis, le chat que lui avait laissé Marie, vint se frotter avec douceur à ses mollets. Blanche le prit sur ses genoux. Il était encore fin bien qu'âgé de six ans. Il devait son nom au mélange de couleurs qui composait son pelage. En effet, de dominance blanche, Pastis était tacheté de gris tigré, de noir et de roux ! Cet aspect surprenant attisait la curiosité de gens. La petite bête semblait s'en réjouir. Être le chat vedette du quartier ne lui déplaisait pas ! Devant les autres chats, il semblait rouler des mécaniques, valorisant sa différence et la beauté de son pelage. C'était un jeu qui lui avait valu quelques déculottées bien cuisantes ! Mais avec les êtres humains, Pastis était le plus affectueux des chats. Il ne se dérobait jamais aux caresses.

La sonnerie de son téléphone portable tira soudain Blanche de sa quiétude. Elle entra dans la maison à regret. C'était Mathilde. Elle organisait le dimanche suivant un vide-grenier au profit de son association « La Main sur le cœur » et sollicitait l'aide de son amie. Blanche accepta sans hésiter, comme d'habitude. Mathilde, la généreuse, récoltait des fonds toute l'année, dans le but d'offrir de modestes vacances aux personnes les plus défavorisées de Saint-Antonin. Toutes les générations étaient concernées et se retrouvaient ensuite ensemble pour une semaine de vacances familiales. Blanche était admirative de l'énergie déployée par son amie. C'était la passion de Mathilde de faire du bien autour d'elle, au détriment de sa vie sentimentale sûrement... Malgré quelques aventures, elle ne supportait pas longtemps celui qui ralentissait la mise en œuvre de ses projets. Un amoureux devenait vite encombrant et gênant pour Mathilde. Du haut de ses vingt-quatre ans, elle voulait sauver le monde et n'avait pas de temps à perdre en badinage !

De retour devant son bol de café, Blanche aperçut une silhouette dans l'allée. Elle la reconnut facilement.

C'était Paul, pas élancé et souple, visage mat des sportifs que la passion expose aux rayons du soleil. Paul était un garçon charpenté, souriant, sur qui la vie coulait sans apparemment laisser de traces.

— Coucou, Blanche ! J'arrive juste au bon moment, on dirait ! Tu m'offres un café ?

Blanche avait toujours aimé la spontanéité de Paul. Elle l'accueillit avec plaisir en l'embrassant affectueusement.

— Assieds-toi vite, je vais chercher un autre bol. Qu'est-ce qui t'amène ce matin à la Genestière ?

— Je viens prendre de tes nouvelles. Tu m'as paru préoccupée hier, chez Boubou... ? Tout va bien ?

Blanche, un peu gênée, resta évasive.

— Oui, ça va, ne t'inquiète pas ! Tu es gentil de te soucier de moi.

Paul se leva et l'entoura de ses bras robustes. Ils étaient réconfortants. Elle ne bougea pas.

— Je me soucierai toujours de toi, ma Blanche, tu le sais bien. Si tu as le moindre souci, je serai toujours là pour toi.

Ils se serrèrent fort pendant quelques minutes. L'affection qu'ils éprouvaient l'un pour l'autre était intacte depuis leur adolescence. Ils étaient bien ensemble, même en temps qu'amis seulement. Quelques années auparavant, ils avaient découvert dans la tendresse les plaisirs de l'amour, la passion de la chair et en éprouvaient une profonde reconnaissance l'un pour l'autre. Seule l'envie partagée de faire leur vie les avait séparés. Ils étaient bien conscients à cette époque-là qu'ils étaient trop jeunes pour qu'une relation durable s'installe entre eux. Ils n'avaient pas vécu. Par la suite, Paul avait eu beaucoup d'aventures sans lendemain, plus sexuelles qu'amoureuses. Depuis quelque temps, il voyait régulièrement une certaine Julie, secrétaire à Nîmes.

Après s'être promenés dans le grand jardin, ils s'assirent sur le banc en pierre qu'avait taillé Marcel, dans sa jeunesse. L'ombre du vieux platane donnait une fraîcheur agréable.

— Dis-moi, Paul, ton cousin habite-t-il toujours à Grand Bastide ?

— Oui, bien sûr ! Il y a même construit sa maison. Sa menuiserie marche bien. Pourquoi tu me demandes de ses nouvelles ?

— Je ne vais pas te mentir, mais… je ne peux pas te dire. Je t'expliquerai plus tard, c'est promis !

— Pas de souci, ma Blanche, je te fais confiance.

Paul la laissa parler.

— J'aurais besoin que tu te renseignes s'il a connu une Odile Coste et sa fille, qui ont été hébergées vers 1974 à Grand Bastide par la famille Folcher. Mais, s'il te plaît, n'en parle devant personne ! Demande-lui, mine de rien…

— D'accord, je dois monter dans trois jours à Mende pour préparer le marathon des Cévennes. Si c'est tellement important pour toi, je m'arrêterai chez lui avant de redescendre.

— Merci, Paul, tu es un amour !

— Ne le dis pas trop, ma Blanche, tu vas me tenter…, dit Paul avec douceur.

Blanche sourit. Elle savait qu'il en aurait fallu de peu pour que Paul l'embrasse comme avant. Il y pensait depuis de longs mois. Mais même si Blanche éprouvait des sentiments pour lui, leur histoire faisait partie du passé. Elle devait rester belle, comme une première histoire d'amour.

Paul parti, Blanche avait retrouvé son tonus habituel. Allait-elle en savoir plus sur Odile Coste ? Trois jours à attendre ! Elle prit le temps de téléphoner à son grand-père.

— papé, tu m'as bien dit que tu cherchais à te débarrasser de quelques vieilleries, l'autre jour ?

— Oui, pourquoi ?

— Mathilde va faire son vide-grenier pour l'association. Si tu veux me donner quelques bibelots, ce sera pour la bonne cause...

— Avec plaisir, ma petite ! Il en reste des caisses entières, tu prendras ce que tu voudras. C'est dommage, j'ai cédé la semaine dernière quelques meubles des Vernet à Charly le brocanteur. Si j'avais su, je te les aurai gardés...

— Ça ne fait rien. Des meubles auraient été difficiles à transporter dans ma 4L. Des bibelots, c'est parfait. Merci papé, je passerai bientôt.

Blanche raccrocha, heureuse d'alimenter le prochain vide-grenier de Mathilde. Pleine d'énergie, elle se dirigea vers la douche et au boulot ! Affairée à sa cueillette, Blanche ne vit pas passer la journée.

4

Sur le soir, comme entendu, Mathilde téléphona à son amie. Elle était anormalement triste. Elle expliqua à Blanche que sa grand-mère maternelle, Liora Comte, âgée de soixante et onze ans, venait d'être hospitalisée à Nîmes ce midi, pour une défaillance respiratoire. La mère de Mathilde était avec elle. Aux dernières nouvelles, il s'agissait d'une sévère crise d'asthme, dont Liora était coutumière depuis de longues années. Les deux amies parlèrent de cette femme remarquable qui forçait l'admiration de tous.

De son nom de jeune fille Liora Berr, elle était née en 1930 à Paris, de parents juifs. Liora était la troisième d'une famille de quatre enfants : deux frères aînés et une petite sœur. En juillet 1942, les parents Berr et leurs quatre enfants furent arrêtés par la police française à leur domicile parisien, comme près de treize mille juifs. Il s'agissait de l'opération « Vent printanier », organisée par les nazis. Transportés au vélodrome d'hiver, la majorité fut déportée cinq jours plus tard. Des familles entières furent laissées là sans eau ni nourriture, dans une chaleur étouffante d'été. Certains se suicidèrent et d'autres tentèrent de s'enfuir. Ce fut le cas des Berr. Rattrapée par les nazis, la famille fut exécutée sur-le-champ. Seule la petite Liora, âgée de douze ans, avait réussi à se glisser sous un véhicule de police poussée par son père. De sa cachette, elle les vit, de ses yeux horrifiés, se faire abattre comme des bêtes ! Ses chers parents, ses deux frères aînés et sa petite sœur adorée gisaient dans leur sang au milieu des cris et des bottes allemandes.

Elle resta prostrée là jusqu'à la nuit, incapable de bouger. Puis, par un instinct de survie extraordinaire, elle se faufila au travers des rues. Liora erra des journées durant, se cachant des adultes. Le soir, elle trouva refuge dans une cage d'escalier d'un immeuble déserté par ses habitants. À bout de force, elle fut victime d'un malaise en pleine rue. Par chance elle fut recueillie, cachée et soignée par de braves gens. Elle resta chez eux plusieurs mois, puis fut envoyée clandestinement loin de Paris par un réseau de la Résistance. C'est à Saint-Antonin, chez Maurice et Adrienne Vézon, les grands-parents d'Armelle, l'amie de Mathilde et Blanche, qu'elle vécut jusqu'à la fin de la guerre. Elle était pour tous les étrangers et les curieux la nièce de Maurice, dont les parents étaient morts sous les bombardements. Ils l'accueillirent à bras ouverts et l'aimèrent comme leur propre fille. Il fallut à Liora de longs mois pour parvenir à raconter la fin tragique de sa famille.

Après la guerre, elle resta définitivement chez les Vézon. Elle alla à l'école de Saint-Antonin. Elle était une élève brillante, dévorant les livres comme pour combler le vide qu'elle avait en elle. Elle était une enfant sans sourire, enfant de la souffrance et de l'horreur. La patience et l'affection de cette seconde famille vinrent à bout, au fil du temps, de la carapace dans laquelle elle s'était enfermée depuis le drame. Son camarade d'école, Jeannot Comte, avait activement participé à tirer Liora de sa léthargie, par sa gentillesse et son attention. Un lien fort était né entre les deux enfants, celui qui a la solidité des amours adultes. D'ailleurs, jeune femme, Liora se maria avec lui, et donna naissance à un fils, Jean-Pierre, puis à une fille, Corinne, mère de Mathilde Barandon.

Malgré ce début de vie tragique, elle était une femme pleine d'espoir, qui ne voulait croire qu'en l'avenir. Afin d'exorciser cette enfance si douloureuse, elle écrivit son histoire. Son livre fut publié. Il obtint un succès reconnu par tous les littéraires. Depuis ce temps-là, Liora Berr, de son nom d'écrivaine, n'avait cessé d'écrire. Elle s'était engagée auprès des défavorisés, dénonçant les inégalités et invectivant les politiciens. Elle avait même rencontré Simone Veil, sœur de souffrance et grande dame politique, garante de l'avancée de la cause féminine en France.

Mathilde était très fière de sa grand-mère. Blanche la rassura. Les jours suivants, les nouvelles de l'état de santé de Liora étaient meilleures. Tous furent soulagés.

Le lendemain, Blanche décida de passer plus de temps avec son grand-père. Elle se rendit dans le quartier de la petite bourgade, descendit plus bas que l'imprimerie et emprunta la première rue à droite. Dans ce quartier ancien, les gens conservaient leur maison sur plusieurs générations. La maison de François avait appartenu aux parents de Berthe, avant qu'ils aient fait fortune dans le vin. À l'arrière, elle bénéficiait d'un petit jardin comme la plupart des habitations voisines. François y avait installé ses trois chiens de chasse, des épagneuls bretons de race, dans un grand chenil. Pas un arbuste, ni une fleur n'agrémentaient le petit coin de verdure. François pensait que c'était une perte de temps de s'y intéresser et préférait bénéficier de la flore de la garrigue. Ce manque de végétation rendait le petit jardin austère et dépouillé. Seule Titine l'arpentait de long en large, la truffe collée au sol. Quelquefois, elle s'allongeait dos à la porte du chenil, semblant snober les chiens de race qu'il abritait. En bonne bâtarde qu'elle était, elle se différenciait des autres en gardant sa liberté dans le jardin. Ça avait été la seule condition que Marcel avait posée à son fils, lors de son emménagement chez lui : Titine resterait libre ou ils vivraient ailleurs ! François avait cédé sans beaucoup de résistance, trouvant exagérée l'attention que son père portait à la petite chienne, bâtarde de surcroît.

Blanche s'engagea dans la ruelle. Une grande maison bourgeoise en faisait l'angle. De la terrasse du premier étage tombait une épaisse vigne vierge d'un vert brillant, qui offrait ses lianes à quelques galopins se prenant pour Tarzan. Ensuite elle passa devant la porte grise qui donnait sur un jardin. Sa propriétaire, une dame âgée, sortait parfois dans la rue pour discuter avec ses voisines. Elle était toujours vêtue de la même blouse étroite, trouée au niveau d'un sein. La pauvre dame ne s'aperçut jamais que la pointe de son mamelon jaillissait du petit trou. Ça faisait beaucoup rire les gamins du quartier ! Elle dépassa rapidement la maison suivante. C'était celle de « la Yougoslave », femme charpentée qui grondait souvent ses trois fils et… son mari aussi. Personne ne lui tenait tête dans la rue, sauf Marcel. Blanche arriva devant la maison de son oncle François. Elle toqua mais aucune réponse ne se fit entendre. Habituée à trouver la porte ouverte, elle entra discrètement. Elle cria pour signaler son arrivée.

— Monte, ma petite, je suis en haut.

En effet, elle trouva son grand-père dans le petit bureau sombre, au milieu de ses papiers.

— Tu as l'air bien affairé, papé…

Marcel paraissait soucieux.

— Oh, tu sais que je n'aime guère cette paperasse ! Mais comment faire ? Il faut bien s'en occuper…

— Si tu as besoin d'aide, n'hésite pas à me le dire.

— Tu es gentille, mais tu as déjà assez de travail comme ça ! Ce n'est rien de bien important, ne t'inquiète pas.

— Et l'oncle François, il ne pourrait pas t'aider ?

— Ah, non ! Je ne risque pas de lui demander, ça concerne Costebelle…

Depuis la mort de sa femme, Marcel avait hérité du domaine de Costebelle, propriété familiale des Vernet. Les parents de Berthe, devenus de riches viticulteurs, s'étaient fait construire un petit manoir planté au milieu des vignes, au cœur de Saint-Antonin. Leur fortune récente ayant ravivé leur orgueil, la famille Vernet avait voulu montrer à tout le village sa réussite sociale. Ce qu'ils ne surent jamais, c'est que les Saint-Antoninois avaient surnommé Costebelle « le manoir des peigne-culs », à cause du beau monde haut placé qui y était reçu. Un ouvrier agricole fut même embauché pour s'occuper des nombreuses vignes du domaine. Il était constitué de syrah et de grenache, sélectionnés avec soin par le père de Berthe.

À la mort de ses parents, elle avait mis en gérance les vignobles mais ne voulut pas quitter le manoir.

Alors pour faire plaisir à son épouse, Marcel partit la mort dans l'âme de la Genestière. Par amour, il laissa ses racines, la mémoire de ses ancêtres mais surtout une bâtisse à laquelle il était très attaché. Comprenant que Berthe ne quitterait jamais son domaine, il se résigna à vivre à Costebelle, trop grand et trop pompeux à son goût. Là-bas, il ne s'était jamais senti chez lui. Il retrouvait à chaque recoin du manoir et du parc l'orgueil de sa belle-famille et bien sûr, celui de Berthe. Ils étaient si différents de caractère...

Des années plus tard, Marcel fut tout content quand Marie et Blanche emménagèrent à la Genestière. Enfin, son coin de paradis reprenait vie ! Des cris et des rires réveillaient les murs endormis depuis si longtemps. Sa fille, femme de la terre comme lui, ressuscita le jardin en sommeil, plantant diverses variétés d'arbustes odorants. Marcel eut de nouveau plaisir à y retourner, retrouvant son vieux platane.

En 1999, se retrouvant tout seul, il décida de partir définitivement de Costebelle qu'il n'avait jamais aimé. Trop de tristes souvenirs pesaient entre ces murs.

— Aujourd'hui, j'ai décidé de mettre le manoir en location.

— C'est une excellente idée, papé.

— Ça évitera qu'il ne se détériore. Et puis, il peut rendre service à quelqu'un...

— Mais qui va pouvoir louer une si grande baraque ?

Marcel prit son temps pour répondre à Blanche.

— Je me suis adressé à une agence immobilière de Nîmes. Elle a trouvé une association intéressée pour louer Costebelle à partir de septembre.

— Voilà qui est bien, tu auras un souci en moins. Quel genre d'association ?

— Une association d'Aix-en-Provence qui accueille des enfants toute l'année...

— Des enfants à Costebelle, quelle bonne idée ! Ça va lui donner un peu de gaieté, ça ne sera pas de trop !

— Oui, tu as bien raison. Ça ne sera pas de trop...

— Tu veux que je t'aide à ranger tes papiers, j'ai le temps...

— Non, ma petite, ça ira. J'ai presque fini.

Il joignit le geste à la parole et rangea rapidement un imprimé qui était posé sur la table. Cela ne surprit pas Blanche, qui se dit que son grand-père ne voulait pas l'ennuyer avec ces tracasseries administratives. Elle savait qu'il avait toujours su résoudre toutes les difficultés qu'il avait rencontrées à ce jour.

— Bon, je te laisse finir. Je passerai sur le soir en voiture pour charger les caisses. Là, j'étais venue juste pour te voir.

— D'accord, je serai là. François t'aidera à les mettre dans ton coffre, elles sont lourdes. Merci pour ta visite, ma petite. Je passerai vous voir, toi et tes amis, demain au vide-grenier.

— Volontiers, papé ! Tu mangeras des grillades avec nous ?

— Oui, ça me rappellera mes journées à la pêche avec les copains. Mais n'essayez pas de me vendre des vieilleries, j'en ai assez comme ça !

— Promis ! À demain.

Marcel regarda s'éloigner sa petite-fille avec un sourire triste, lourd de secrets.

Blanche allait rejoindre Mathilde chez elle. Sur le chemin, elle passa devant le manoir de Costebelle.

Elle s'arrêta quelques instants devant les hautes grilles qui l'entouraient. Pour rien au monde, elle n'aurait voulu y vivre. Cette demeure froide et austère lui rappelait trop cette grand-mère qui n'en avait jamais été une. Perdue dans ses pensées, elle ne remarqua pas la présence de deux mamés, assises à quelques mètres d'elle sur un banc municipal. Leur conversation attira l'attention de Blanche. Elles parlaient de Marcel.

— Et le Marcel Bruguière, tu te souviens comme il était charmant dans le temps ?

— Oh oui, que je me souviens ! C'était le plus beau gars de Saint-Antonin. Tu en pinçais pour lui, toi aussi ?

— Ben oui ! S'il m'avait fait des propositions, je n'aurais pas dit non, tu peux me croire !

— Mais il ne t'en a pas fait...

— Et non. Et à toi, il t'en a fait ?

— ... Non. Dommage, je ne me le serais pas fait dire deux fois !

Les deux mamés rirent de bon cœur. Blanche sourit, debout derrière elles. Elle s'apprêtait à poursuivre sa route quand la suite de la conversation l'interpella. L'une des deux femmes continua, avec une mine désolée.

— Malheureusement, le beau Marcel s'est entiché de cette Berthe Vernet. Celle-là, elle ne se prenait pas pour une queue de cerise ! Fille unique, des parents qui avaient des sous comme les chiens ont des puces, et en plus elle vivait dans un manoir... La totale !

La seconde femme hocha la tête en signe d'approbation.

— Tu te souviens qu'à l'école communale, elle avait toujours des souliers neufs et un sac de bonbons ?

— Oui et elle ne les partageait pas. Quand on lui en demandait un, elle répondait toujours : « Ma mère m'a dit de ne pas en donner ! » Tu parles, je lui aurais bien fait avaler son sac de bonbons... Et en plus c'était une grenouille de bénitier ! La générosité, le père Armand n'avait pas dû lui apprendre à la Berthe, ni ses parents d'ailleurs.

— Les Vernet, ils ne risquaient pas ! Tu te souviens du Cyprien, leur ouvrier agricole ?

— ...

— Mais si, tout maigre, renfrogné...

— Ah oui. Il était toujours mal habillé, ce bonhomme.

— Ce n'était pas avec ce que le payaient les Vernet qu'il aurait pu se faire beau ! Une misère ils lui donnaient, lui qui se tuait au travail. Toujours dans les terres par n'importe quel temps, à n'importe quelle heure. Une honte !

— Eh oui, et après ça faisait les beaux avec le gratin de tout le département...

Blanche n'était pas étonnée par les propos que tenaient les deux vieilles femmes. Elle avait déjà entendu parler de la pingrerie des Vernet. Ils avaient la réputation d'avoir fait leur fortune sur le dos des autres et n'étaient pas très appréciés dans le village.

Les deux mamés continuèrent à remonter dans leurs souvenirs de jeunes filles.

— Pauvre Marcel, il ne méritait pas une famille comme ça.

— Tu as raison, lui qui est si simple.

— Tu te souviens qu'avant le Marcel, la Berthe devait se marier avec le fils Janin ?

— ...

— Oh ! Simone, tu perds le ciboulot ! Tu ne t'en rappelles pas ? Le fils Janin, le fils d'un notaire de Nîmes...

— Ah oui ! Si, je me souviens de tout, mais il faut un petit moment pour que ça revienne, maintenant...

— Tu as un diesel sous la perruque, non ?

— Dis, tu as fini de te foutre de moi ?

En voyant son amie vexée, la deuxième mamé pouffa de rire et continua son récit.

— Mais non, que tu es susceptible alors ! Souviens-toi, trois jours avant le mariage préparé en grande pompe à Costebelle, le fils du notaire s'est envolé à Paris ! Plus de mariage. Les Vernet ont eu sur les bras tous les frais qu'ils avaient engagés afin de se pavaner devant le village.

— Et la Berthe alors ?

— Elle faisait moins la pimbêche, la demoiselle ! Je crois qu'elle y tenait à ce vaurien de fils Janin... Enfin c'est ce qu'on m'a dit.

— Et après ?

— Ah ! tu vois que tu ne te souviens pas !

La première mamé secoua la tête en râlant.

— Mais que tu es pénible ! Raconte.

— Peu de temps après, Marcel Bruguière est tombé fou amoureux d'elle. C'est vrai qu'elle était quand même belle, la Berthe...

— C'est peut-être tous ces bonbons qui l'ont rendue belle... ?

Son amie la regarda, ahurie.

— D'où tu as vu que les bonbons ça rendait beau ?

— Ben, il me semblait que quand tu en manges avec autant de plaisir, ça pourrait te rendre agréable à regarder...

Sans réponse de sa copine, elle commença à douter de ce qu'elle avançait.

— Enfin, il me semblait...

Le retour fut tranchant.

— Eh ben, tu aurais bien fait d'en manger des bonbons !

— Pourquoi tu dis ça ?

— Pff, pour rien. Où j'en étais ?

— Les Vernet...

— Ah oui. En tout cas, les Vernet ne se sont pas opposés au mariage de leur fille avec un gars sans fortune. La leçon avait été cuisante.

Blanche en avait appris un peu plus sur le passé et la personnalité des Vernet. Elle n'attacha pas beaucoup d'importance à ces vieilles histoires bien lointaines. Le passé de Berthe lui appartenait. Tout ça ne concernait que Berthe et Marcel.

— Dommage qu'il ne se soit pas intéressé à moi, le Marcel... Il n'aurait pas vécu avec une pisse-froid, au moins...

— Ça, c'est sûr. Mais il aurait fallu qu'il t'explique longtemps les choses avant que tu les comprennes...

— Oh ! tu m'énerves ! Je rentre chez moi.

La première mamé se leva et partit en direction du centre-ville. Son amie la suivit, les yeux pleins de malice.

— Attends-moi, Simone ! Tu sais que j'ai mal aux pieds, je ne peux pas bien marcher...

Son amie se retourna en colère.

— À la langue, tu n'as pas mal, va ! Pour te foutre des autres, tu es la championne.

— Si on ne peut plus plaisanter maintenant !

Blanche les regarda s'éloigner clopin-clopant,

mémoires d'un temps si lointain, dans les ruelles étroites du village.

Elle contempla un instant ce manoir familial, chargé de non-dits, de tristesse et d'espérance. La vie n'était décidément pas simple. Elle jouait des tours, enflammait les âmes par surprise, manipulant les êtres comme des pions sur un grand échiquier. Pourtant Blanche restait persuadée qu'elle valait le coup d'être vécue.

Dans le parc du manoir, un écureuil roux traversa la pelouse en quelques bonds. Un vent léger fit vibrer les feuilles des arbres et s'envoler quelques passereaux promeneurs. L'après-midi était doux comme une caresse sur la joue. Il était encore temps d'en profiter. Blanche continua son chemin, abandonnant à ses secrets la demeure endormie.

5

Le lendemain aux aurores toute la bande d'amis déballait des cartons et des caisses, une multitude d'objets en tout genre, de toutes utilités. Les étalages bien remplis du vide-grenier promettaient une journée réussie. En plus, le monde était au rendez-vous, fouinant, examinant et marchandant. L'organisation de Mathilde était parfaite ! Sous l'ombre des marronniers, la buvette offrait cafés, boissons et grillades. Tout Saint-Antonin était venu chiner.

Mathilde, Blanche, Armelle, Christophe et Laurie jouaient les vendeurs occasionnels, dans une joyeuse ambiance. Tous avaient fouillé dans les greniers, les caves afin de dégoter les objets qui attireraient les acheteurs vers leur stand. Sur l'initiative de Mathilde était organisé un concours du plus beau stand. Le gagnant désigné par les visiteurs se verrait décerner la médaille de la meilleure occas' et serait porté en triomphe sur la place du village. Chaque année, ce moment était un délire entre amis, honoré par maintes photos parues dans l'hebdo local la semaine suivante.

Laurie s'était décidée à brader sa collection de tee-shirts à l'effigie de Britney Spears. C'est dire l'effort collectif ! Elle présentait même sur son étalage des perruques fluo, des chapeaux à paillettes, des disques et des affiches des rois du disco tels Boney M, Donna Summer et Village People. Son stand avait le mérite d'être coloré et d'attirer l'œil !

Armelle vendait ses anciennes poteries, des livres, de la vaisselle, des toiles qu'elle avait peintes plus jeune et quelques sanguines.

Christophe s'était spécialisé dans les trente-trois tours vinyles, de Duke Ellington à Michael Jackson et bien d'autres... Ce féru de musique bradait aussi quelques instruments gardés dans la remise de sa mère précieusement. Il était temps de tourner la page de l'enfance.

Blanche et Mathilde avaient fait étalage commun. Marcel avait donné à sa petite-fille tout ce qui restait dans les greniers, la cuisine, la salle à manger de Costebelle. Sa 4L était pleine d'objets d'un autre temps, comme des pots de chambre en faïence, des valets de chambre en bois sculptés, un service à asperges avec sa pince, une collection de théières dorées à l'or fin, une collection de pipes en ébène et en écaille de mer, d'anciennes cartes postales des stations balnéaires de la Côte d'Azur... Si au moins c'étaient des vues de la région, elle les aurait gardées ! Quelques brocanteurs avaient semblé très attentifs lorsqu'elle vida sa voiture. Ces vieilleries feraient recette. Blanche, qui était plus sentimentale que matérialiste, préférait que ces souvenirs servent à rendre des gens heureux.

Mathilde étala des jouets, du matériel de cirque, des déguisements, des peintures offertes par les enfants du village, des marionnettes fabriquées par les personnes âgées du club du troisième âge... Tout Saint-Antonin avait voulu participer pour « La Main sur le cœur », ça touchait beaucoup Mathilde. Même sa grand-mère Liora lui avait offert une multitude de napperons au crochet qu'elle avait faits des années auparavant.

Dans les allées du vide-grenier, l'artiste natif du village suivi de son orchestre de rue, déambulait au rythme de ses joyeuses créations. Avec lui, tout le monde chantait à tue-tête. Les musiciens animaient la manifestation dans la joie de vivre, à l'ombre salvatrice des marronniers.

Les ventes s'enchaînèrent durant toute la journée. Les gens du village se retrouvèrent et discutèrent au milieu du vide-grenier. L'ambiance était vraiment familiale et bon enfant. Une femme se pencha sur l'étalage de Blanche. À son mari qui se tenait en retrait avec des amis, elle montra un service à vaisselle fleuri.

— Regarde, chéri, comme elles sont belles ces assiettes !

L'homme jeta un coup d'œil et resta évasif.

— Elles sont belles, hein ?

— Mouais…

— Elles ne te plaisent pas ?

Le mari, qui discutait avec ses copains, se retourna à contrecœur.

— Mais si, ce sont des assiettes, pas plus…

— Des assiettes, pas plus ? Mais tu es aveugle pour ne pas voir la finesse du décor et l'état de la dorure ! Sois un peu raffiné, s'il te plaît, une fois dans ta vie.

Le mari, vexé, s'avança vers sa femme et s'exprima d'un ton qu'il aurait voulu maîtriser, mais qui finalement ne l'était pas vraiment.

— Le jour où tu feras à manger autre chose que

des boîtes de raviolis, on commencera à parler de raffinement. Pour l'instant, notre vieille vaisselle suffit.

Les amis témoins de la scène pouffèrent de rire.

— Chez les hommes, il n'y a que l'estomac qui compte, je vous le dis, ma petite !

Blanche, surprise, sourit à Mathilde qui renchérit.

— Mais ils seront encore meilleurs, vos raviolis, monsieur, dans ce beau service...

Une odeur de saucisses grillées envahit la place.

— Ne m'en parlez pas, je préfère un sandwich, ça au moins, ça sent bon.

Il entraîna ses amis vers le bar. Son épouse leva les yeux au ciel en soupirant et s'éloigna.

Mathilde et Blanche rirent de bon cœur. Plus tard dans l'après-midi, on installa une sono. Un organisateur fit une annonce au micro.

— Et maintenant, un peu de musique pour le troisième âge.

Sur un air de musette, des couples se laissèrent aller à quelques danses, tout heureux.

Au fil de la journée, Laurie vendit toute sa collection de tee-shirts à quelques petites adolescentes de Saint-Antonin. Elle décida que l'année prochaine, elle sortirait ses chaussures. Les antiquités de la famille Vernet partirent rapidement, à la grande joie de Blanche. Christophe avait fait la connaissance d'un passionné de jazz. Ils sympathisèrent et échangèrent des adresses de collectionneurs. Il vendit ses instruments de musique à une partie des enfants de l'école de musique municipale. Ça lui fit chaud au cœur de savoir qu'ils allaient encore servir et faire aimer la musique à quelques gamins enthousiastes.

Armelle, qui s'attendait à vendre ses poteries, vit

partir une grande partie de ses anciennes toiles, achetées par une vieille dame qui avait eu un coup de cœur pour sa peinture.

— Vos magnifiques couleurs vont égayer mon salon. Je vais mettre à la cave les portraits de famille. Dieu ait leurs âmes, mais je les ai assez vus ! Vous pourrez me les livrer, mademoiselle ? J'habite à la sortie du village, sur la route d'Avignon…

Armelle, surprise, ne put s'empêcher d'en demander plus.

— Bien sûr, madame. Mais vous les voulez toutes ? Il y en a huit…

— Oui. Votre peinture m'enchante et en plus c'est pour la bonne cause. Que demander de plus ? À bientôt, jeune fille.

— Merci, madame…

La vieille dame s'éloigna sous le regard médusé d'Armelle. Elle fit un aveu à Christophe, son voisin.

— Et dire que je ne suis jamais parvenue à vendre une de mes toiles, aujourd'hui que je suis potière, j'en vends huit d'un coup ! C'est à n'y rien comprendre…

La journée s'était écoulée sans que personne n'y fasse attention. Mathilde était radieuse. « La Main sur le cœur » avait récolté le double de la somme espérée. Les vacances étaient maintenant une réalité pour beaucoup de défavorisés du village. Laurie gagna la médaille de la meilleure occas' et fut trimbalée par les gaillards du village au travers de la place. Elle criait en riant.

— Attention ! Mon portable va tomber de ma poche… Oh ! purée, les garçons, faites gaffe où vous placez vos mains, sinon je vous arrache les yeux !

Un journaliste en herbe demanda à la joyeuse bande de poser pour le journal local.

— Attendez deux secondes que j'aie le temps de me recoiffer quand même ! Je ne vais pas être dans le journal tout ébouriffée...

Après avoir photographié Mathilde et les organisateurs du vide-grenier, l'orchestre de rue et quelques visiteurs, il put immortaliser Laurie et sa médaille.

La journée se terminait très bien, dans les rires et les plaisanteries. Le plus contraignant était de remballer les articles restants, mais tous s'y mirent ensemble. Armelle offrit à Blanche une dizaine de livres que lui avait donnée Brigitte, sa mère.

— Prends-les, je n'ai pas envie de les ramener chez moi.

— Chouette ! Qu'est-ce qui te ferait plaisir sur mon étalage ?

Armelle s'approcha d'un miroir ovale à main.

— Il est finement ciselé ce miroir, c'est étonnant que tu ne l'aies pas vendu...

— Je te l'offre de bon cœur.

Les deux amies s'embrassèrent. Comme tous, une fois les affaires chargées dans les voitures, Blanche rentra chez elle. Elle déposa les cartons dans la remise, mais ne résista pas à l'envie de sortir les livres d'Armelle. Elle les feuilletterait ce soir devant la télévision.

Alors qu'elle était en train de souper, Paul téléphona.

— Coucou, ma Blanche ! Je n'ai pas le temps de venir chez toi, il est trop tard. Je suis passé tout à l'heure chez mon cousin, je lui ai demandé s'il connaissait cette Odile Coste et sa fille, qui vivaient chez la famille Folcher, à Grand Bastide.

— Oui, alors... ?

— Il connaît les Folcher, d'anciens paysans éleveurs de vaches. Ils ne vivent plus à Grand Bastide.

Ils sont âgés maintenant et ils ont vendu leur ferme. Ils sont partis habiter en Corrèze chez leur nièce. Ils ne pouvaient plus rester seuls. Ils étaient trop isolés là-haut et en plus, lui ne conduisait plus depuis plusieurs années…

— Et Odile Coste et sa fille ?

— Ben… Il connaissait la fille, parce qu'elle était à l'école de Grand Bastide. Elle s'appelle Nathalie. Une fille qui parlait peu, qui restait souvent seule dans la cour, mais très douée à l'école. Il paraît qu'elle faisait de superbes dessins. Il m'a dit qu'elle avait de grands yeux verts. Je crois qu'il en était un peu amoureux ! Elle était à l'école avec lui de 1972 à 1981, ils étaient encore ensemble au lycée à Mende. Puis en 1984, après avoir eu son bac avec mention, elle est partie en fac. Depuis il a perdu sa trace, disparue ! Il était très content de parler d'elle apparemment.

— Il t'a demandé pourquoi tu lui posais ces questions ?

— Oui. J'ai répondu, comme convenu, qu'une camarade de colonie de vacances qui habite vers chez nous la recherchait. Il m'a demandé de lui donner de ses nouvelles, si j'en avais. Ouais, il avait le béguin ! Il paraît qu'elle était très jolie, ta mystérieuse Nathalie…

— Et sa mère ?

— Alors là, c'est bizarre cette histoire…

— Quoi donc, Paul ?

— Mon cousin m'a dit qu'il n'avait jamais vu la mère de Nathalie. La petite venait seule à l'école. En hiver, c'étaient les Folcher qui l'accompagnaient en voiture. À Grand Bastide, on disait que lorsqu'ils n'étaient pas chez eux, on entendait des cris de femme, des hurlements… comme des cris de folie quoi !

— En tout cas, les Folcher n'en parlaient pas au village. « La petite était la fille d'un ami », c'était tout ce qu'ils disaient.

Paul continua.

— Lorsque Nathalie est partie en fac en 1984, « la folle » n'habitait plus chez les Folcher. C'est certain car le logement a été loué ensuite à quelqu'un d'autre. Voilà, je t'ai tout dit.

Blanche resta silencieuse un moment.

— Tu me raconteras un jour, hein, ma Blanche ?

— Oui, bien sûr. Merci beaucoup.

— De rien, à très bientôt.

Blanche raccrocha.

Donc, Odile Coste était folle… ? Blanche était sceptique. Sa façon d'écrire, la description qu'elle faisait des gens qui l'entouraient… Peut-être choquée, traumatisée, bouleversée, mais folle… ?

Blanche se replongea immédiatement dans le journal d'Odile.

Ma grenouille réussit tous ses examens, je suis si fière d'elle ! Maintenant, elle va partir étudier à Marseille. Je paye tous les frais pour qu'elle fasse ce qu'elle veut faire depuis toujours. Elle est tellement passionnée ! Je l'admire. Elle dit que c'est grâce à moi. D'une certaine manière, oui, malheureusement. J'aurais préféré qu'elle découvre ça dans les livres ! Son père ne la voit pas souvent, à cause de sa femme. Elle ne se doute de rien, mais elle est souvent malade. Il veut être auprès d'elle, je comprends. Il l'aime aussi.

Il est un bon père. Il est attentif aux besoins de notre fille et à ses envies. C'est bien. C'est vrai qu'elle n'est pas exigeante. Elle se contente de si peu ! C'est loin, Marseille ! Mais je ne dois pas dire ça ! Je n'ai pas le droit. Je dois lui donner toutes ses chances. Elle a tellement supporté ma maladie... Je n'ai même pas l'impression d'être un poids pour elle. Ses grands yeux me regardent avec tant d'amour, c'est troublant, ça me fait pleurer de bonheur. Elle m'appelle « ma mérette », c'est doux à mon cœur.

« Ma mérette », Blanche aurait pu appeler Marie comme ça, c'est si affectueux... Elle s'évada quelques instants du petit carnet et pensa fortement à sa mère. Comme s'il l'avait ressenti, Pastis vint se blottir tout contre elle en miaulant doucement.

— À toi aussi elle manque... ?

Le petit chat la fixa du regard, tout était dit.

— Ah ! mon petit Pastis, moi je suis là maintenant.

Après quelques caresses rassurantes, Blanche reprit sa lecture.

Quand elle partira étudier à Marseille, je retournerai chez moi, dans ma garrigue. Enfin ! Après tant d'années loin d'elle, je vais la retrouver. Quel bonheur ! Je ne pouvais pas rester seule ici à Grand Bastide, même avec les Folcher... Ils sont très gentils, ils sont de ma famille maintenant. Mais, dans ma garrigue, je vais refleurir, je vais revivre rien que de la sentir, de la renifler toute la journée ! Ma garrigue, c'est mon bien-être, c'est du baume au cœur, c'est un rayon de soleil dans ma vie... J'ai hâte de retrouver Saint-Antonin, même si je n'en ai pas le droit. Personne ne saura que je suis là. Et puis J sera près de moi. Bien sûr, il faudra que je reste cachée, mais j'ai l'habitude. Chez moi, je me sentirai capable de vivre seule. J viendra dès qu'il pourra.

Blanche s'endormait sur le journal d'Odile. Elle le rangea et alla se coucher en râlant. La journée avait été riche en événements. Pourtant fatiguée, elle ne trouva pas le sommeil rapidement, son esprit encombré par mille pensées. Odile Coste était bien revenue à Saint-Antonin… Était-ce au mazet ? Elle passa la nuit à se poser des questions. Fatiguée, elle se tournait et se retournait dans son lit et aurait voulu arrêter de penser.

Cette bonne femme prenait trop de place dans sa tête et dans sa vie aussi ! Et si elle était folle ? Si elle avait inventé toute cette histoire… Et si Odile Coste n'avait jamais changé de nom ? Si elle était réellement Odile Coste ? En attendant, c'était Blanche qui devenait folle ! Il fallait absolument oublier cette histoire pour un temps. Elle se leva, descendit à la cuisine pour boire un grand verre d'eau glacée. En ouvrant le réfrigérateur, elle aperçut le saladier de fraises. Elle n'eut pas envie de résister à sa gourmandise. Blanche sortit un ramequin du buffet et le remplit. Les fraises au sucre embaumaient dans toute la pièce. La jeune fille sortit de la maison, s'assit sous la tonnelle et mangea ces fruits succulents. Quel plaisir, quelle volupté que de sentir un tel goût sur son palais ! Les fraises Gariguettes étaient décidément son fruit préféré.

La fraîcheur était agréable sur ses bras nus. Blanche s'étira et déposa ses talons sur le banc. Elle n'avait plus envie de dormir. Elle regarda ses jambes fines et se dit qu'elles étaient belles. Ça faisait bien longtemps que des mains masculines ne les avaient pas caressées… Elle n'avait pas eu d'aventure amoureuse depuis le retour de Kerry en Irlande. Depuis combien de temps n'avait-elle pas fait la fête avec ses amis ? Elle avait besoin de se défouler, de danser toute la nuit sur une musique qui emplissait la tête ! Elle avait besoin de se sentir vivante, quoi !

Elle entendit le hululement d'une chouette plus loin. Elle resta là un long moment, profitant de la nuit et de ses vérités. Lorsqu'elle frissonna, elle se décida à aller se coucher.

Cette semaine, chez Boubou, elle proposerait une virée à Montpellier.

6

Alors qu'elle dormait profondément, un bruyant klaxon retentit. Blanche se leva d'un bond, sans trop savoir ce qu'il arrivait. En l'espace de trente secondes, elle réalisa ce qu'elle avait oublié ! Un coursier venait chercher une commande d'aromatiques ce matin. Sautant dans ses habits, elle fut hors de la maison en moins d'une minute ! Le coursier sourit devant ses cheveux ébouriffés et ses yeux endormis, et emporta l'imposant carton que Blanche avait préparé la veille. Il n'y avait plus de temps à perdre. Un petit bol de café et au boulot !

Ce jeudi soir, la jeunesse de Saint-Antonin se retrouva au café de la place aux Herbes. Ils partaient à Montpellier pour la fête de la Musique. Ce 21 juin avait été chaud, et la tiédeur du soir donnait envie de rester dehors toute la nuit. Le ciel était rempli d'étoiles, plus brillantes les unes que les autres. Petit à petit les amis se regroupaient, prêts à faire la fête. Toute la bande avait répondu présent. Ils partirent, bien décidés à s'éclater jusqu'au matin.

À Montpellier, la place de la Comédie était noire de monde. Une piste géante avait été déployée au centre. Des centaines de personnes bougeaient au son d'une techno endiablée. De puissants spots hachaient les mouvements des danseurs infatigables. Les Saint-Antoninois s'ajoutèrent à la masse avec ferveur. Après une demi-heure de gesticulation en tout genre, ils s'écartèrent de la foule. Puis ils traversèrent le centre historique pour rejoindre l'auberge de l'Homme Tranquille. C'était un lieu atypique dans cette ville du Midi. C'était aussi le lieu de rendez-vous des étudiants et de la jeunesse montpelliéraine. Devant l'entrée, une bande de fêtards chantait à tue-tête des chansons paillardes, levant haut leurs chopes de bière. Ils durent se frayer un chemin pour pouvoir rentrer dans l'établissement. Derrière le comptoir en bois, le patron savoyard souriant comme à son habitude échangeait avec des étudiants enflammés, prêts à refaire le monde. Cette auberge, il l'avait créée et décorée à son goût. De larges poutres cérusées de blanc donnaient de la profondeur à la salle. Les longues tables fermières favorisaient les rencontres et la convivialité entre les clients, les rapprochant les uns des autres. Ce lieu était très chaleureux avec son immense fresque réalisée à même le mur de la salle, représentant un énorme Gargantua coloré, faisant bonne chère autour de mets tous appétissants. Une grande barque fixée au haut plafond trônait au centre de la salle, attirant tous les regards. C'était un endroit atypique que l'on n'oubliait pas.

La joyeuse bande réussit à trouver deux tables libres et s'installa. Blanche rencontra des amis de fac qui se joignirent à eux. Les deux premiers vivaient en couple depuis la fac. Adrien, lui, était devenu technicien agronome chez un semencier de la région. Blanche et lui avaient eu une aventure, lors d'une soirée étudiante. La soirée ayant été très arrosée, leur étreinte avait été décevante. La jeune fille avait été charmée par ce beau Congolais au sourire éclatant. Sa peau noire l'avait attirée comme un aimant. Sa compagnie était agréable. Elle en gardait tout de même un bon souvenir. Mathilde d'un sourire complice se mêla à leur conversation, très attentive aux dires du jeune homme.

Paul s'était enfin décidé à présenter sa petite amie à la bande. Une jeune fille d'une beauté assez classique, au caractère réservé. Discutant quelque peu avec Laurie et Mathilde, elles s'aperçurent vite que l'amie de Paul avait beaucoup de principes traditionnels sur le couple. La jeune fille défendait la chasteté jusqu'au mariage et condamnait le droit à l'avortement. Ses deux interlocutrices horrifiées bondirent de leurs chaises pour défendre leurs opinions. Mathilde réagit avec virulence.

— Comment peut-on avoir ces idées rétrogrades à vingt ans ? Que fais-tu de la liberté de choisir sa grossesse ou pas ?

La jeune femme, gênée, pensa qu'elle aurait dû garder ses idées pour elle. À son tour, Laurie s'exprima avec un naturel qui lui était propre.

— Eh ben ! Il ne doit pas rire tous les jours, notre pauvre Paul !

Effectivement, vu sa mine dépitée, Laurie avait visé juste ! Pour ne pas mettre la jeune femme plus mal à l'aise, ils changèrent de conversation. Laurie s'écria :

— Justement, moi je sens que je vais passer du bon temps, ce soir ! Voilà les plus beaux...

Deux superbes garçons venaient droit sur elle, un blond aux cheveux longs et un brun aux cheveux très courts. Pantalons blancs moulants et marinières, tout

71

droits sortis de la dernière pub d'un parfum homme, ils attiraient les regards à eux. Ils étaient habitués. Les deux copains mannequins de Laurie s'empressèrent de l'embrasser chaleureusement dans le cou. Leur entrée avait été remarquée par la gente féminine présente dans la salle. Ils se collèrent à Laurie qui à ce moment-là fut jalousée par des dizaines d'yeux posés sur elle. Elle présenta ces apollons à ses amis et s'élança avec eux dans une conversation quelque peu superficielle. Au fond d'elle, une seule question se posait. Lequel des deux allait-elle choisir pour finir la soirée ? Elle se trouva placée devant un choix très difficile, un vrai dilemme qu'elle ne parvenait pas à résoudre…

Plus loin, Armelle et Christophe discutaient à bâtons rompus des artistes, de la place qui était donnée à la culture, de la difficulté de vivre de son art quel qu'il soit… Ces deux-là avaient toujours eu beaucoup d'affinités. Ils prenaient plaisir à se retrouver assis l'un à côté de l'autre, car ils s'appréciaient. Armelle était secrètement amoureuse de Christophe, bien que connaissant sa préférence pour les garçons. Elle s'était donc résignée. Si Christophe avait aimé les filles, c'est Armelle qu'il aurait choisie. Mais ça, Armelle ne le savait pas.

Tous rejoignirent le parc Peyrou où se produisait un groupe de rock de Saint-Antonin. Encouragé par tous ses amis, le guitariste entama un solo de guitare à la Santana, qui souleva le public présent. La prestation terminée, les jeunes musiciens furent acclamés par les Saint-Antoninois solidaires.

De quartier en quartier, les styles musicaux s'enchaînaient. Du hard rock vénéré par une foule de rockers endurcis, ils passèrent à la samba. Sur une large place, un orchestre brésilien battait le rythme pour cinq danseuses déhanchées. Joliment costumées d'un soutien-gorge et d'un string de plumes et de paillettes, ces belles Brésiliennes aux fesses rebondies et à la peau mate faisaient l'admiration de tous. Paul, qui ne parvenait pas à détacher son regard de ces corps ondulants, se fit enguirlander par sa petite amie vexée. Cette musique-là sentait bon le sable chaud de Copacabana et le carnaval de Rio de Janeiro. Les percussionnistes s'en donnaient à cœur joie, un large sourire aux lèvres, heureux de partager leur samba avec ces Français enthousiastes.

Lorsqu'ils firent une pause, le groupe d'amis déambula vers un autre quartier de la vieille ville. Le public y était tout aussi varié, jeunes et moins jeunes se balançant sur eux-mêmes au son du reggae. Le chanteur, copie conforme de Bob Marley, secouait mollement ses longues rastas, devant un public amateur. Après deux morceaux, ils furent remplacés par un groupe africain, qui emballa le public par un rythme endiablé. Des fourmis dans les jambes, tous bougèrent en se déhanchant de leur mieux. Adrien, dans son élément, dansait avec le naturel des gens de couleur. Souple et habité, il fit sensation autour de lui.

Entre deux percussions, Blanche fut attirée par une musique différente mais non moins envoûtante. Abandonnant ses amis, elle tendit l'oreille et se laissa guider par la douceur de quelques notes classiques. Des violonistes proposaient le calme après la tempête africaine. Les notes fluides flottaient jusqu'à la cathédrale Saint-Pierre. Blanche apprécia cette quiétude inattendue.

Soudain un solo de violon retentit, clair, audacieux.

Comme saisie par cette envolée de notes, Blanche chercha des yeux son auteur, se glissant à travers la foule. Quand elle parvint enfin à se faufiler devant la scène, elle découvrit un jeune homme d'une trentaine d'années, brun, aux cheveux mi-longs. Il interprétait ce morceau avec une fougue remarquable. Ses yeux restaient fermés, ses doigts dansaient sur les cordes du violon à toute vitesse, et un sourire de bonheur illuminait son beau visage. Blanche n'arrivait pas à détacher son regard du musicien. Elle frissonna.

Était-ce la fraîcheur qui tombait doucement sur la ville, la musique qu'elle découvrait ou bien le musicien qui lui faisait cet effet ? Pourtant, elle n'avait jamais aimé la musique classique, qu'elle trouvait même ennuyeuse... Elle appréciait beaucoup les gens passionnés, qui partagent leurs émotions avec les autres. Le solo terminé, les applaudissements fusèrent de tous côtés. Le violoniste sortit de sa bulle, ouvrit enfin les yeux. Ils étaient clairs comme l'azur, d'une transparence surprenante. Blanche sentit son cœur battre plus fort. Stupéfiée, elle restait là, immobile.

Que lui arrivait-il ? Elle n'avait jamais été aussi impressionnée de sa vie... Elle se sentait toute chose, incapable d'articuler deux mots tant sa gorge était sèche. L'esprit ailleurs, elle ne remarqua pas les va-et-vient de la foule derrière elle. Une femme endimanchée et maniérée monta sur scène. Elle prit la parole.

— Je tiens à remercier, au nom du conseil municipal de la ville de Montpellier dont je fais partie depuis plusieurs années, le virtuose Marceau Conti, du conservatoire international de la ville de Paris, d'être venu gracieusement ce soir.

Les acclamations redoublèrent. Visiblement Blanche

n'était pas la seule à avoir apprécié la prestation. Après avoir attendu plusieurs minutes, l'adjointe au maire reprit son allocution.

— Merci de nous avoir fait cet honneur, merci aussi à l'orchestre philharmonique de Lyon qui l'accompagnait. Nous espérons avoir le plaisir de vous entendre l'année prochaine, le rendez-vous est pris. En attendant, nous aurons la chance d'entendre Marceau Conti prochainement dans plusieurs villes de notre région, lors d'une série de concerts en plein air. Merci encore !

Le jeune homme s'inclina poliment, promena son regard clair sur ce public qui l'ovationnait, croisa celui de Blanche. Le musicien la dévisagea, lui sourit et disparut derrière la scène. Dès que l'orchestre eut quitté la scène, un quatuor se mit en place. Devant un auditoire souriant et détendu, il entonna un joyeux morceau de jazz de La Nouvelle-Orléans. L'enthousiasme envahit le public de nouveau.

Blanche, flattée, sortait lentement de son enchantement. Alors qu'elle se préparait à rejoindre ses amis, elle entendit une voix grave derrière elle.

— Vous avez aimé ?

Se retournant avec surprise, elle se retrouva face à face avec le musicien qui l'avait tant émue. Elle ne put que lui sourire, son trouble étant encore visible. Gênée, elle s'apprêtait à balbutier quelques mots mais n'en eut pas le temps.

— Ne soyez pas embarrassée. C'est la plus belle des récompenses pour un artiste de voir qu'il a réussi à transmettre ses émotions.

Le jeune homme planta son regard bienveillant dans celui de Blanche. Encore étonnée, elle parvint à se ressaisir.

— Je suis désolée, d'habitude je ne me laisse pas troubler si facilement ! En plus, je n'aime pas la musique classique.

Le musicien sourit devant la moue enfantine de la jeune fille.

— Je suis encore plus ravi de vous l'avoir fait apprécier.

La sincérité de Blanche plut au jeune homme. Cette jeune femme rebelle aux beaux yeux verts le touchait. Il lui tendit la main qu'elle prit avec hésitation.

— Je m'appelle Marceau Conti, et vous ?

— Je le sais !

Devant le large sourire du jeune homme, elle se résigna à répondre.

— Je m'appelle Blanche Bruguière.

La voix du violoniste devint plus douce.

— Blanche... Ça vous va bien, Blanche. Viendrez-vous me voir en concert ?

— Peut-être... Si vous passez dans les parages, pourquoi pas ?

Il réfléchit un instant.

— Oui, je joue à Nîmes le 25 juillet, dans les Jardins de la Fontaine.

— Un concert en plein air, ça doit être bien agréable...

— Oui, ça donne une autre dimension à la musique. Si vous venez, je vous invite à souper après le concert. Vous voulez bien ?

Il la fixa comme pour lire sa réponse dans son regard.

Blanche, surprise, pensa qu'il ne manquait pas de toupet ! Mais pour qui il se prenait ? Sa réponse tranchante ne se fit pas attendre.

— Vous invitez à souper toutes les filles qui se laissent charmer par votre musique ?

L'air du jeune homme s'assombrit.

— Non, ce n'est pas du tout mon genre ! J'ai été touché de vous voir émue en m'entendant jouer... J'ai envie de vous connaître simplement...

Il avait l'air tellement sincère que Blanche assura qu'elle viendrait.

— D'accord, au 25 juillet. À bientôt, Marceau Conti.

Puis, elle partit furtivement rejoindre ses amis, le laissant là, les yeux brillants, au milieu de la foule en mouvement. Elle avait l'impression de s'être enfuie. Elle ne se reconnaissait pas, elle qui avait d'habitude pas mal d'assurance... Souriante, elle se sentait bien légère maintenant...

Plus loin, elle retrouva Mathilde qui dansait sur des rythmes africains avec Adrien. Tous les deux se déhanchaient avec un bel enthousiasme. « Ils sont très beaux tous les deux », pensa Blanche. Elle se joignit à eux et se défoula, toute contente, jusqu'à la fin de la fête.

Laurie était finalement partie avec les deux garçons. Impossible pour elle de choisir entre ces deux merveilles de la nature. Elle rentrerait demain.

Comme c'était programmé, la joyeuse bande quitta Montpellier au matin, épuisée mais heureuse de cette virée nocturne. Sur le retour, Blanche raconta sa rencontre à son amie Mathilde avec tellement d'exaltation que celle-ci en conclut que Blanche venait de tomber amoureuse. Elle ne manqua pas de taquiner son amie.

— Un musicien classique... ? Il n'est pas dégarni, bedonnant, la cinquantaine au moins ?

Blanche, qui n'avait pas compris que son amie blaguait, répondit très vite :

— Oh non ! Il est... il est...

Ne trouvant pas les mots justes, elle se complut :

— Il est chouette.

Mathilde, amusée, regarda Blanche en souriant.

— J'avais bien compris.

Cette fête de la Musique était décidément pleine de surprises...

7

Les jours suivants s'égrainèrent assez vite. La chaleur s'installa fortement sur la région, obligeant les
Languedociens à chercher l'ombre salvatrice. Les terrasses de cafés ombragées furent prises d'assaut par
les touristes, surpris par la montée brutale du mercure.
Les fontaines de Saint-Antonin apportaient un peu
de fraîcheur supplémentaire à ces journées chaudes.
Blanche, très occupée par ses récoltes, n'avait pas le
temps de s'en soucier. Elle était habituée à composer
avec et, à vrai dire, la supportait bien. C'était une
chance car le travail de la terre était rude et elle y
était exposée toute la journée. Le soleil offrait à la
jeune fille le hâle brun doré d'une estivante ayant
paressé la journée durant sur une plage de sable fin.
Elle était encore plus rayonnante qu'auparavant, le
bronzage faisant ressortir l'éclat de son sourire et la
douceur de ses yeux.

Très occupée par de longues journées de travail,
elle n'avait pas ouvert le journal d'Odile Coste depuis
plusieurs semaines. Son esprit était ailleurs, squatté par
un fougueux violoniste. Elle y pensait très souvent,
pour ne pas dire toute la journée. Il était devant ses

yeux lorsqu'elle cultivait ses plantes, et se surprenait même à lui sourire quelquefois... Soit elle était l'heureuse victime d'un coup de foudre, soit elle devenait complètement nunuche ! Enfin c'était certain, elle attendait le 25 juillet avec impatience. Peut-être serait-elle déçue, mais peu importe, elle comptait les jours qui la séparaient du musicien.

Elle se mit à penser à Odile, à son amour profond pour son homme. Dans l'effervescence de ses sentiments, Blanche se sentit encore plus proche d'elle. Un soir après souper, dans la tiédeur de la nuit, elle rouvrit le petit carnet.

C'est arrivé ! Je suis à Saint-Antonin, ma terre, mon village... Je ne croyais pas que j'y reviendrais un jour. Mon frère me l'avait interdit. Je lui avais promis... Je suis si heureuse d'être là. Je passe beaucoup de temps dehors, assise sur le banc. C'est merveilleux. J'aime être sous l'olivier. Ses feuilles fines forment comme une dentelle au-dessus de ma tête. J'aime leur couleur douce, elle m'apaise. Je regarde autour de moi et mes yeux sourient de bien-être. Elle est belle et elle sent si bon, ma garrigue ! Aucun endroit n'est semblable. Souvent je ferme les paupières et je la respire. Mon cœur est ému, il applaudit dans ma poitrine comme un enfant devant un spectacle de clowns. C'est comme l'amour qui fait battre les tempes et briller les yeux. On ne peut pas dire, on doit juste le vivre.

Ici, je vais même me promener aux alentours, il n'y a personne. Je ramasse du thym pour m'en faire des infusions. Comme quand j'étais petite... Je me souviens de mon instant préféré, quand je m'allongeais dans les champs, couchée sur le ventre pour mieux sentir les parfums de la terre. Je pouvais y rester très

longtemps, j'oubliais tout à son contact. Quand je ren-
trais, ma mère hurlait parce que je m'étais encore salie
et mon père souriait en enlevant les herbes de mes
cheveux. Il comprenait tout car j'étais comme lui, on
respirait de la même façon. J'aimais ce qu'il aimait,
pauvre de lui ! Je n'aurais pas voulu lui faire de mal...

Le bonheur le plus grand, c'est quand je monte là-
haut. J me l'a déconseillé car il a peur qu'un promeneur
ou un chasseur me voie. Mais il n'y a vraiment personne.
Je grimpe sur la butte, derrière les rochers blancs et je
vois la vallée de l'Aucre, comme je la voyais de la fenêtre
de ma chambre. C'est incroyable ! Elle était restée la
même dans ma tête. Je n'avais rien oublié d'elle. Pas
un roc, pas un chemin, pas un arbre... Rien n'a changé.
La revoir me rend si heureuse. Je passe des heures à la
regarder, ça m'enveloppe de plaisir. Je vais être bien
maintenant, même si je suis seule, je suis chez moi.

Mon ami d'école et sa femme viennent assez souvent
me porter des vivres. Heureusement que J a construit
un passage à la Cadière, sinon personne ne pourrait
arriver jusqu'ici. Je suis contente de les voir. Ils sont
si gentils avec moi. Elle sait que je suis gourmande,
alors elle m'apporte des gâteaux de chez Blanc. Ce
sont les meilleurs ! Quand j'étais petite, je les regar-
dais souvent à travers la vitrine. Ils étaient beaux, tout
ronds et brillants. Un jour, Mme Blanc est sortie et
m'en a tendu un, gentiment. J'ai été tellement étonnée
que je l'ai pris et que je me suis enfuie sans rien dire.
Qu'est-ce qu'il était bon ! Je l'ai mangé en cachette,
assise derrière le mur de l'église Saint-Jean. Je me
souviens encore de son goût sur mon palais.

Ma grenouille partait quelquefois chez mes amis en
vacances quand elle était petite. Elle aimait beaucoup

y aller. Je leur suis reconnaissante pour toute l'attention qu'ils lui ont apportée. Maintenant, elle est à la faculté de Marseille, le temps a bien passé !

Blanche leva les yeux du petit carnet, songeuse. Odile avait un frère. Qui pouvait bien être cet ami d'école et sa femme ? Comment savoir de qui Odile parlait ? Aucun nom n'était donné. Malgré tout, des éléments nouveaux étaient révélés par inadvertance. Blanche nota sur un calepin *La Cadière*. Elle ne voyait pas où ça se trouvait, mais elle chercherait. Peut-être au cadastre de la mairie… Ce passage expliquait comment quelqu'un avait pu vivre au mazet, sans passer par l'abîme du Diable. Ce mystère-là était dissipé. Blanche sourit et se dit qu'Odile avait du goût : M. Blanc faisait bien la meilleure pâtisserie de Saint-Antonin, elle était bien d'accord avec elle. La jeune fille bâilla. La fatigue de la journée se faisant lourdement ressentir, Blanche laissa Odile à ses gâteaux et referma le petit carnet.

Sous la tonnelle, elle sirota un jus d'ananas en cajolant Pastis. Le chat était couché sur le dos, se laissant caresser le ventre dans un ronronnement sans retenue. Un rouge-gorge fit entendre son chant enjôleur dans la campagne endormie. Au loin une chouette hulula, sûrement en chasse de quelques souris imprudentes. Blanche aimait cette atmosphère nocturne. La nuit, la nature était différente mais tout aussi passionnante que la journée. Elle reconnaissait chaque cri d'animaux, chaque bruissement d'ailes. Tout cela lui était si familier et cher. Un bien-être l'envahit. Ce soir, le ciel éclaboussé d'étoiles offrait un spectacle magnifique. Demain serait encore une belle journée.

Lorsque Blanche arriva devant la mairie à onze heures trente, elle aperçut l'écriteau apposé sur l'imposante porte : « Fermé pour cause de congés annuels, réouverture le 6 août prochain ». Mais bien sûr, elle aurait dû y penser ! La secrétaire partait toujours en vacances en juillet avec la sœur de Boubou... Dommage, il lui faudrait attendre plusieurs semaines pour consulter le cadastre.

En pensant à Boubou, Blanche décida d'aller y faire un tour, histoire de faire une pause. Elle traversa la rue entre les tours, puis emprunta la petite rue de l'Épée qui rejoignait la place aux Herbes. Malgré les trente degrés ambiants, une foule de touristes flânait ce matin de marché. Les commerçants ambulants avaient déployé tôt leurs étalages. Certains proposaient des tissus provençaux ou de la belle toile de lin. Plus loin, on pouvait dévorer des yeux les pains de campagne artisanaux qui côtoyaient les fougasses aux grattons de canard et celles sucrées d'Aigues-Mortes. Juste à côté, une jeune femme emballait ses fromages de chèvre maison dont le délicat parfum faisait lever en l'air tous les nez passant aux alentours. Devant chez Boubou s'était installé le marchand d'olives de pays. Une longue file d'attente s'y était formée. Tout le monde voulait des olives vertes au basilic ou des noires à la provençale pour déguster à l'heure de l'apéro.

À la terrasse du café de la place aux Herbes, Mathilde sirotait le Pac à l'eau régional, le visage bien protégé par un large chapeau de paille. Malgré cette précaution, le nez de la jeune femme était rougi par le soleil, ce qui faisait ressortir ses taches de rousseur. Cette particularité lui donnait un charme certain.

— Blanche, viens vite à l'ombre...

La jeune fille s'approcha de son amie, l'embrassa et s'assit à ses côtés.

— C'est bien rare de te voir au village à cette heure-là...

— J'allais à la mairie, mais j'avais oublié qu'elle était fermée pour les congés.

— C'était urgent ?

— Non, pas vraiment...

Des voix montèrent de l'étal du maraîcher, attirant tous les regards. Deux mamés se disputaient, tendant chacune leurs paniers de légumes au jeune vendeur interloqué.

— Comment ça, tu es pressée, Monique ? Ton mari ne va pas au boulot à ce que je sache !

— Non, mais il aime manger à midi, pas à midi et quart.

— Il a qu'à le faire, lui, le marché ! Mais, fainéant comme il est, vous n'auriez pas les légumes pour midi, mais pour le goûter, peut-être...

— Tu exagères, Raymonde...

— J'exagère ? Je le connais depuis la communale, ton bonhomme. Déjà, à l'époque, il faisait porter son cartable aux filles. Moi, je te jure qu'il ne m'a jamais attrapée.

Le ton monta encore entre les deux femmes qui faisaient l'attraction sur la place.

— Mais personne ne t'a jamais attrapée, ce n'est pas pour rien que tu es restée vieille fille.

— Ah ben ça alors ! Qu'est-ce que tu en sais, d'abord ?

— Tout le monde le sait à Saint-Antonin. Tu l'as même dit à ma belle-sœur que tu étais toujours pure. Tu parles d'une affaire à ton âge...

— Ben, il vaut mieux être seule que mal accompagnée...

— Tu n'as pas le choix. Bon, vous me les pesez ces légumes, jeune homme ? Regarde, Raymonde, tu fais rire les touristes...

En effet, tout autour, la scène avait semé la bonne humeur sur le marché. Blanche et Mathilde riaient elles aussi de bon cœur. La voix puissante du poissonnier se fit entendre vantant les mérites de son arrivage de poissons. Blanche, souriante, savourait ce moment avec détente.

— Qu'est-ce que j'aime cette ambiance !

— Tu devrais venir toutes les semaines, c'est une belle tranche de vie ici.

— Tu as raison, mais c'est impossible en ce moment, j'ai trop de travail.

— À propos de travail, je dois te laisser. J'ai rendez-vous avec le directeur d'un camping du Grau-du-Roi, pour les vacances de l'assoc'. La date du départ approche, j'ai encore des formalités à remplir.

— Tu vas encore faire des heureux. Tu me raconteras ?

— Bien sûr.

— À bientôt, ma copinette !

Mathilde se faufila rapidement dans la foule, en faisant un signe de la main à son amie. Blanche la regarda s'éloigner au milieu des promeneurs. Son chapeau de paille devint vite invisible, se perdant dans le fond des rues piétonnes. Les parasols multicolores des marchands donnaient au centre du village un air de fête foraine. Malgré le brouhaha, une quiétude envahit Blanche qui se laissa aller aux caresses d'un rayon de soleil sur son visage. Les yeux fermés, elle écoutait avec encore plus d'intensité les gens vivre, le rythme de leurs pas, les bribes de conversations diverses et la musique de l'accordéoniste qui enveloppait gaiement la belle place. Une petite voix familière la tira de ses rêveries.

— Coucou, Blanche, je suis contente de te voir !

La jeune femme ouvrit les yeux sur Suzie, la petite-fille de Boubou et Lulu. Plantée devant elle,

elle arborait un large sourire jusqu'aux oreilles. Ses cheveux bruns coupés au carré auraient pu lui donner une allure rigide, mais son visage était doux comme de la guimauve. Blanche avait toujours trouvé à la fillette de sept ans une ressemblance évidente avec l'actrice Juliette Binoche, une pureté dans les traits. Elle l'aimait bien et l'étreignit très affectueusement.

— Comment tu vas, ma Suzie ?

— Je vais bien. Aujourd'hui je reste avec papé et mamé au café, c'est chouette ! Dis-moi, tu peux m'aider à mettre ça sur la porte ? Je suis trop petite…

— Qu'est-ce que c'est ? Une affiche ?

— Oui, c'est la dame de l'office du tourisme qui l'a donnée à mamé Lulu pour la coller…

Blanche la déroula et vit apparaître le beau visage de Marceau Conti. L'affiche annonçait le concert du 25 juillet à Nîmes. Elle sourit machinalement. Suzie la regarda et lui fit part de ses intentions.

— Il est beau, hein ? Moi, quand je serai grande, il sera mon amoureux. Mais comme je serai une star du théâtre, je n'aurai pas assez de temps pour lui.

Blanche éclata de rire devant l'assurance de Suzie. La petite fille considéra avec beaucoup de sérieux cette Blanche qu'elle aimait bien et décida de lui faire plaisir.

— Peut-être que je te le laisserai…

Blanche l'embrassa sur le front.

— Merci beaucoup, ma chère Suzie, je saurai m'en souvenir !

Elle n'en doutait pas une seconde, cette enfant-là deviendrait un personnage, dans le théâtre ou dans un autre art. C'était évident pour la petite fille mais aussi pour les adultes qui l'entouraient. Son aisance, son imagination et sa volonté ne laissaient pas indifférent.

Suzie avait du charisme. Les yeux remplis d'étoiles, il émanait d'elle une poésie à la Prévert, renvoyant les adultes tout autour de la terre, dans un wagon doré, tout autour de la terre...

Après l'avoir embrassée une dernière fois, la jeune femme entra échanger quelques mots avec ses amis cafetiers. Boubou l'accueillit chaleureusement, comme à son habitude.

— Tiens, voilà notre tourterelle. Comment tu vas, ma jolie ? Tu es dorée comme un petit pain au lait, on en mangerait...

Il prit à témoin des touristes affalés au comptoir.

— Vous avez vu comme elles sont belles, les filles d'ici ?

Les clients acquiescèrent du regard, sous l'œil amusé de Boubou. Une voix résonna du fond du café.

— Et les filles du Nord, elles ne sont pas jolies, peut-être ?

Lulu arriva avec son torchon sur l'épaule et embrassa Blanche. Son mari s'empressa de la rassurer, avec toujours beaucoup d'affection.

— Mais bien sûr, ma Lulu. Elles sont magnifiques, les filles du Nord. Je dirais même qu'elles sont extraordinaires, exceptionnelles !

Lulu, satisfaite, plissa son nez en une grimace taquine en direction de Boubou, puis prit Blanche par les épaules.

— Comment tu vas, ma petite ? Tu t'en sors avec tes cultures ? Avec les jambes que tu as, c'est du spectacle que tu devrais faire.

— Ne t'inquiète pas, Lulu, je vais bien. Du spectacle, moi ? Pour quoi faire ? Je suis bien dans mes plantes et dans mes terres. Pour rien au monde, je ne changerais de vie...

Lulu l'embrassa sur la joue et lui parla à l'oreille.

— Je sais. Tu es comme ta mère, la passion à fleur de peau et le cœur sur la main. C'est comme ça que l'on t'aime.

— Merci.

Blanche, touchée par ces paroles, salua ses amis et repartit au travers des rues de Saint-Antonin. Elle dit quelques mots en passant à la jolie vendeuse de chapeaux toujours souriante. La jeune femme était très sollicitée en ces températures élevées. Son joli minois n'y était sûrement pas pour rien, vu la clientèle masculine qui se pressait autour d'elle, ayant subitement besoin d'une casquette qui ne serait jamais portée…

Sur le boulevard, elle passa devant la brocante de Charly. Le passionné de vieux objets était en pleine discussion avec quelques touristes allemands. Ces derniers s'étaient laissé séduire par une belle armoire du dix-neuvième en châtaignier. La vente conclue, Charly raccompagna ses clients jusqu'à sa porte. Blanche aimait ce personnage passionné d'histoire, amoureux de sa région. Il avait été un camarade de classe de Marie durant de longues années. Apercevant Blanche, il s'avança.

— Comment vas-tu ? La semaine prochaine, je vais commencer à restaurer les petits meubles que Marcel m'a cédés.

— Les petits meubles… ?

— Oui, ceux du manoir.

— Ah oui… Ce style-là, ça intéresse encore quelqu'un ?

— Oui, les Anglais les apprécient beaucoup. Ils sont de qualité, tu sais. Un bon nettoyage, une bonne cire d'antiquaire et ils seront encore très beaux.

La jeune fille examinait une série de verres à pied dépareillés.

— Qu'est-ce qu'ils sont fins, ces verres !

— Mais il n'y en a pas un pareil...

— Justement, c'est tout ce que j'aime. Combien tu les vends à la pièce, Charly ?

— Combien tu en achèterais ?

— Trois ou quatre...

— Tiens, je t'offre les six, en souvenir de Marie.

— Merci, Charly, c'est très gentil.

Elle le reconnaissait bien là, l'ami d'enfance de sa mère, généreux et sentimental. Le brocanteur eut vite fait d'emballer les verres dans du papier journal et de lui tendre le paquet.

— Ils seront très bien à la Genestière. Marie les aurait aimés aussi.

C'était touchant pour Blanche d'entendre parler de cette mère qui lui manquait tous les jours. Elle soupçonnait Charly d'en avoir été amoureux dans sa jeunesse...

— C'est vrai. Encore merci !

Son cadeau sous le bras, Blanche repartit toute contente sur le boulevard. Elle s'arrêta devant les épices qui offraient un dégradé d'ocres très agréables à regarder. Présentées dans de larges sacs en toile blanche, elles laissaient échapper leurs parfums envoûtants au grand bonheur des passants. La jeune fille ne résista pas à acheter quelques épices d'ailleurs, avec lesquelles elle agrémentait certains poissons en sauce. Elle s'approcha de la vendeuse originaire de Madagascar.

— Bonjour, Malala. Tu pourrais me donner du curcuma, du combava et du gingembre, s'il te plaît ?

La jeune femme s'avança avec un grand sourire.

— Mais bien sûr. Si je comprends bien, tu as aimé ma recette de cabillaud aux épices de chez moi…

— Excellent ! Tu devrais écrire un livre de cuisine… Malala rit d'un rire communicatif.

— C'est ma mère, mon livre de recettes. Elle fait tous les plats traditionnels malgaches. C'est du bonheur dans l'assiette.

La jeune femme afficha un large sourire qui en disait long. Un client, qui attendait d'être servi, ne put s'empêcher de lui lancer un compliment que Blanche trouva très justifié.

— C'est vous, mademoiselle, le bonheur de ce marché. Vous êtes aussi lumineuse que le soleil de Saint-Antonin.

Malala regarda Blanche avec des yeux ronds de surprise, puis sourit de nouveau.

— Vous savez, monsieur, chez nous, le sourire c'est naturel.

Mais l'homme charmé insista.

— Mais votre naturel est merveilleux.

Blanche fit un signe d'approbation en sa direction.

— À bientôt, Malala.

Elle rentra tranquillement en flânant, désireuse de profiter de l'ambiance du marché jusqu'au bout. Ces quelques heures lui avaient fait beaucoup de bien, mais elle devait consacrer l'après-midi à l'emballage de sa marchandise. Le travail n'attendait pas. Pourtant Blanche aurait volontiers pris son après-midi pour lézarder au bord de la rivière… Se laisser aller dans l'eau claire par cette grosse chaleur était un luxe qu'elle ne pouvait pas s'offrir pour l'instant. Il lui fallut se faire violence pour retrouver la motivation d'aller travailler. Blanche s'activa et rejoignit la Genestière.

8

Hier, ma grenouille est venue me rejoindre au mazet. Je ne devrais plus l'appeler comme ça, ça fait un peu ridicule maintenant qu'elle est adulte ! Il faut que je fasse un effort. Nathalie est venue. Je ne l'avais pas vue depuis trois semaines. Quelle belle journée ! Elle m'a beaucoup parlé de sa vie à Marseille. Elle est heureuse. Son remplacement à l'hôpital vient de se terminer, c'est pour ça qu'elle a pu venir. Dès le week-end prochain, elle va travailler dans un institut spécialisé, comme elle m'a dit. À présent elle gagne sa vie, assez modestement mais elle la gagne. Je suis si fière de son parcours ! Ce qui la rend heureuse, c'est qu'elle est indépendante. Son père ne paiera plus pour ses études.

Nathalie a un appartement en colocation avec une amie infirmière. Elles s'entendent bien, mais son amie va se marier au printemps prochain. Elle m'a dit qu'en dehors de ses heures de travail, elle fait du baby-sitting pour mettre de l'argent de côté. Elle compte bien garder cet appartement à elle toute seule. Ou bien elle a un autre projet... Je me demande si elle n'a pas un amoureux. Elle est toute joyeuse en ce *moment et beaucoup plus coquette qu'avant. L'autre jour, je lui ai demandé. Elle m'a répondu qu'elle ne savait pas encore, que c'était trop tôt pour le dire.*

Je suis tellement bien ici. Nathalie le voit. D'ailleurs elle m'a dit que j'avais bonne mine. C'est vrai que je suis plutôt jolie en ce moment... Quand je fais ma toilette devant le miroir, il m'arrive de me sourire. Mon visage est reposé, comme il ne l'a pas été depuis longtemps. J'ai très peu de rides pour l'instant mais quelques fils blancs se mêlent à mes cheveux bruns. J'aime bien...

La vieille comtoise de Marcel sonna six heures. Habituellement réveillée tôt, Blanche s'était déjà plongée dans le petit carnet. Elle jugea qu'elle avait encore un peu de temps pour lire avant de se lever.

Je ne vois pas souvent J. Je languis de ses bras. Il fait ce qu'il peut. Je comprends que c'est pénible pour lui de venir jusqu'ici avec ses jambes fatiguées. Ces dernières années, il a beaucoup changé. Des rides profondes se sont creusées sur son front et sur ses joues. Ça lui va bien. Je le trouverai toujours beau, jusqu'au bout de notre vie. C'est comme ça. Je pensais qu'en revenant à Saint-Antonin, on se verrait souvent, mais ce n'est pas le cas. Sa femme est malade, il doit être avec elle aussi. Je comprends. Je dois le partager. C'est moi qui l'ai volé à cette pauvre femme ! Je n'ai pas fait exprès. Je ne voulais pas faire de mal. Il ne faut pas qu'elle sache, il ne faut pas qu'elle souffre, je me sentirais trop laide.

Je ne regretterai jamais le choix que j'ai dû faire dans l'urgence, après la naissance de Nathalie. Ça nous a permis de rester tous les trois. Je regrette juste le mal que j'ai fait à mon père et à ma petite sœur. Mon pauvre papa ! Toi qui supportais tant déjà. Je lisais l'amour dans tes yeux. Tu as dû souffrir de mon départ... Et ma sœurette ! Tu m'entourais de tes petits bras quand j'étais mal, sœurette au cœur d'or ! Tu te révoltais contre elle parce qu'elle ne m'aimait pas. Tu désobéissais toujours pour la punir. Tu semais la pagaille partout pour qu'elle te déteste aussi ! Ma sœurette, je t'imagine à mes côtés, toutes les deux dans notre garrigue qu'on aime tant. Peut-être qu'un jour je pourrai vous dire que je suis là...

Assise sur son lit, Blanche réalisa qu'Odile parlait pour la première fois de cette petite sœur. Elle semblait très attachée à elle. Le ton d'Odile avait changé. Il était plus triste au fil des lignes. Un poids pesait sur ses épaules, c'était évident. Sur le carnet suivaient plusieurs pages vierges chiffonnées. Alors que Blanche s'apprêtait à lire la suite, Pastis bondit sur le lit en miaulant. Il eut vite fait de faire comprendre à sa maîtresse qu'il était temps de se lever et de remplir sa gamelle de croquettes ! Le carnet refermé sur son oreiller, Blanche se dirigea vers la cuisine. Elle se prépara un petit déjeuner appétissant, composé de tranches de pain de campagne tartinées de fromage de chèvre très frais, d'un jus d'oranges pressées et de son précieux bol de café noir. Pastis ronronna devant son récipient plein. Blanche déjeuna, songeuse. Elle pensait à Odile. Il devait être difficile pour cette femme à l'esprit troublé de vivre seule, sans personne à qui parler... Aurait-elle pu, elle, Blanche ? Elle, l'amoureuse des autres, de la vie, des plaisirs qu'elle offre, aurait-elle pu vivre isolée comme Odile ? Même dans la garrigue, elle était certaine que non. Elle serait sûrement devenue folle, à parler aux plantes, aux oiseaux ou bien toute seule pour se faire la conversation. Blanche sourit en imaginant la scène.

À la radio locale, l'animateur annonça un tube sorti deux ans plus tôt.

— Benjamin à l'antenne. Ce matin, pour vous réveiller, j'ai choisi *Mambo n° 5* de Lou Bega. Que du tonus !

— Chouette, Pastis, j'adore cet air. Il me donne des fourmis dans les jambes.

Le chat de gouttière la regarda, étonné, en penchant la tête.

— Tu danses avec moi ?

Pastis plongea le nez dans ses croquettes.

— N'aie pas peur, je ne vais pas te faire danser le mambo…

Une demi-heure plus tard, Blanche retourna à son atelier. En passant devant la remise, elle aperçut les cartons du vide-grenier qu'elle avait laissés là depuis. Cet après-midi, elle devrait avoir terminé son travail. Elle se promit d'y mettre de l'ordre.

Au milieu de la matinée, elle vit arriver Titine qui jappait dans l'allée. Marcel son grand-père passa l'embrasser. Très souvent, après sa promenade matinale, il venait la voir. Il la regardait bouger dans tous les sens, pleine de vie et de jeunesse. Elle lui apportait de la force avec sa gaieté et son optimisme. Il en avait bien besoin en ce moment. Depuis quatre ans, Marcel avait beaucoup vieilli. Il est vrai qu'à quatre-vingt-cinq ans, il se portait physiquement bien. Pourtant, depuis 1997, Marcel se sentait fatigué. Le décès de sa fille Marie l'avait déchiré au plus profond de lui-même. Mourir si jeune, c'était trop injuste ! Pourquoi elle et pas lui qui avait tant vécu ?

Quand il voyait Blanche, il revoyait Marie à son âge. La même joie de vivre, le même charme insolent, le même sourire ravageur. À la différence de Blanche, Marie avait été une enfant rebelle très tôt. Une révolte intérieure grondait en elle, depuis toujours. Depuis l'enfance. Ça rendait Berthe folle de rage ! Elle disait souvent : « Est-ce que tu trouves ça normal qu'une enfant de quatre ans n'obéisse pas à sa mère ? Pourquoi elle t'écoute toi ? » Marcel lui expliquait qu'elle devait être plus douce avec la petite, mais Berthe ne voulait rien entendre. L'affrontement dura jusqu'à l'adolescence, pénible, insoutenable selon les jours.

Puis Marie demanda à partir en pension à Nîmes. Marcel accepta malgré le refus de Berthe. Il avait compris que ce serait salutaire pour Marie. Ce le fut. L'adolescente rebelle se transforma loin de sa mère, en jeune adulte joyeuse et paisible. Elle choisit sa vie et aima sa vie. C'était une maigre consolation pour Marcel. Il n'avait jamais regretté d'avoir tenu tête à Berthe au sujet de la pension. Il avait compris qu'il était impératif et urgent de séparer la fille de la mère. François était devenu triste et renfermé à cause de l'indifférence subite de Berthe à son égard. Isabelle, l'enfant complexe, avait toujours fui sa mère qui ne la supportait pas, avant de disparaître tragiquement. Il restait Marie, l'enfant rebelle et libre, qui refusait farouchement de se laisser enfermer par une éducation stricte et aveugle. Marcel avait libéré sa fille du carcan familial, avant qu'elle soit abîmée à son tour. Il ne l'aurait jamais supporté.

Il regarda Blanche avec tendresse. Il s'approcha de sa petite-fille et posa sa main sur son bras.

— Blanche, j'aurais voulu te parler de quelque chose de sérieux.

Elle leva les yeux de sa mixture et regarda son grand-père avec attention.

— Quand je serai mort, je voudrais être incinéré.

La jeune fille le regarda avec des yeux ronds. Il continua.

— Surtout pas de curé, ça serait mon pire cauchemar !

— Mais pourquoi tu parles de ça, papé ?

— Il faut dire les choses... Ces temps-ci, je suis fatigué, tu t'en es aperçue. Et puis, c'est la vie. Ça ne fait pas mourir.

— Non, bien sûr, mais je n'aime pas que tu parles de la mort. Je ne peux pas l'imaginer, ta mort. Qu'est-ce que je ferais sans toi, moi ?

Devant l'angoisse de sa petite-fille, il la prit par le cou et l'embrassa affectueusement.

— Écoute-moi, ma fille. Il n'y a qu'à toi que je pouvais confier cette tâche...

— Je t'écoute, papé.

— Quand tu seras seule, tu creuseras un trou au pied du vieux platane qu'a planté mon père, dans la cour de la Genestière. Et là, au cœur du jardin, tu y verseras mes cendres. Je voudrais finir en paix ici, dans la maison de mes ancêtres, tout près de toi.

Titine se mit à gémir doucement en regardant son maître. Blanche hocha la tête.

— D'accord, papé, je te le promets. Tous les jours, je te parlerai en me levant.

— J'aurai beaucoup de mal à te répondre, mais je suis partant.

Après une dernière embrassade, Marcel repartit,

laissant Blanche émue. Elle n'avait jamais entendu son grand-père évoquer ce sujet.

L'après-midi, se tenant à son programme, elle entreprit de vider les cartons encombrant la remise. Les livres donnés par son amie Armelle étaient posés au-dessus. Irrésistiblement attirée, Blanche s'y plongea avec plaisir. Il y avait quelques romans de Giono, Clavel, Chabrol, Deforges mais aussi Bazin, Vian et Voltaire. Des écrivains aussi différents les uns que les autres se côtoyaient étroitement sur le petit carton. Il restait aussi quelques livres de cuisine et de jardinage qui curieusement n'avaient pas trouvé preneur lors du vide-grenier. Un bel ouvrage sur l'histoire de l'art à la couverture flamboyante glissa entre ses mains. Blanche l'ouvrit. Les dessins de Raphaël et ceux de Léonard de Vinci retinrent son attention. Quelle finesse dans les traits, quelle beauté dans les courbes ! La jeune fille s'extasia devant autant de talent. Comme elle aurait aimé être douée en dessin… Mais malgré son insistance, elle était loin de créer des chefs-d'œuvre ! Blanche oublia son rangement et feuilleta encore un peu l'ouvrage. Plus loin, les fusains d'Ingres racontaient leurs modèles. En quelques traits de charbon, les émotions se lisaient sur les visages croqués. Puis vint le tour de la couleur vive qui éclaboussait avec bonheur les pages suivantes. Lisant les explications du narrateur, Blanche remarqua qu'un marque-page était tombé sur le sol de la remise. Machinalement, elle le ramassa. Il s'agissait d'une photo. Plus attentive, elle la retourna. Blanche eut le souffle coupé quand elle la reconnut.

Deux enfants souriants… Une fillette aux dents de lait tombées et un garçonnet plus jeune joyeusement enlacés. Au dos, on avait noté « Nathalie et Yann ». C'était la photo qu'elle avait vue dans le mazet d'Odile ! Celle qui se trouvait encadrée sur la commode. Mais que faisait-elle dans ce livre ? Armelle avait dit que les bouquins appartenaient à sa mère, Brigitte... Brigitte connaissait-elle Nathalie ? Et Odile ? Blanche s'assit sur un gros carton, stupéfaite. Quelle coïncidence qu'elle soit tombée sur cette photo ! Elle aurait bien pu ne pas ouvrir ce livre. Armelle aurait pu aussi le garder, ou bien le vendre. Non, cette photo était venue entre ses mains, comme pour délivrer un message. Tout à coup, ses yeux s'écarquillèrent. Blanche avait compris le lien entre Brigitte et Nathalie...

Bien sûr ! Le petit Yann de la photo devait être le grand frère d'Armelle, Yann Vézon ! Pourquoi n'y avait-elle pas pensé avant ? Peut-être parce qu'elle l'avait peu fréquenté dans son enfance. Yann était l'aîné d'Armelle de sept ans, ils n'avaient jamais eu les mêmes jeux. Lorsque Armelle, Mathilde et Blanche jouaient ensemble, Yann était déjà un adolescent qui sortait avec ses copains ! Et puis, il était rapidement parti étudier l'informatique à Paris... Aujourd'hui il devait avoir trente-deux ans environ et vivait à Nantes depuis des années. Blanche n'aurait pas pensé au frère d'Armelle sans cette découverte. Yann Vézon était le petit Yann, ami de Nathalie Coste. Et puis, si cette photo était dans un livre de Brigitte Vézon, il y avait de grandes chances pour qu'elle la connaisse aussi. Quelqu'un l'avait bien prise cette photo ! Tout s'embrouillait dans l'esprit de Blanche.

Elle partit boire un verre d'eau à la cuisine. La maison en pierre restait agréable par ces hautes températures de fin juillet. Elle regarda par la fenêtre. Dans le jardin, Pastis guettait les lézards endormis au soleil, patiemment, se pourléchant à l'avance de ces mets raffinés. Les fleurs jaunes du millepertuis brillaient de mille feux. Au-dessus, les trompettes orangées de la bignone s'étiraient vers les rayons brûlants. Tout était paisible.

Blanche s'assit dans le salon, la photographie à la main, dans son vieux fauteuil de paille, pour réfléchir. Rassemblant ses idées, elle repensa à la découverte du mazet perdu dans la garrigue. Elle se souvint de la commode. La photo des enfants datée de 1973 était posée dessus. Puis elle avait vu l'esquisse au fusain dans l'encoignure du grand miroir. Blanche savait aujourd'hui qu'elle avait été réalisée par Nathalie petite. Odile l'avait dit dans son journal : la petite fille avait dessiné sa maman pour ses vingt-cinq ans... Elle se concentra encore pour se remémorer l'intérieur du mazet. Blanche se souvint de la poterie d'enfant, une poterie mal vernie. Il y avait aussi une petite boîte en carton contenant la mèche de cheveux. La boîte offerte par J restait un mystère, tant que Blanche n'aurait pas découvert qui était J, si elle le découvrait un jour... Elle repensa aussi aux cocottes en papier découvertes sous le lit. Sûrement l'œuvre de quelque enfant...

Blanche avait l'impression de détenir une clé de l'histoire d'Odile, au moins un début... Spontanément, elle aurait voulu poser des questions à Armelle, mais elle était partie au Salon de l'artisanat à Paris, pour une dizaine de jours. Elle y présentait ses dernières créations vernissées, « les terres brunes ». Armelle, à vingt-cinq ans, était en train de se faire un nom dans son domaine. Il est vrai que ses poteries ne laissaient jamais indifférent.

Soudain, Blanche eut une révélation... La poterie d'enfant, sur la commode d'Odile Coste... Si elle datait du même moment que la photo, 1973, Armelle avait... sept ans. À sept ans, Blanche se souvenait bien qu'Armelle avait reçu en cadeau d'anniversaire un jeu « le tour de potier ». C'était de là qu'était venue sa passion pour la poterie. Elle palpait la terre rousse sans arrêt pour la modeler. Elle y passait ses mercredis après-midi, seule, à s'entraîner encore et encore, au grand désespoir des deux autres copines. La poterie d'enfant sur la commode, c'était peut-être une des premières poteries d'Armelle... ? Armelle avait-elle connu Odile Coste ? Blanche était stupéfaite.

C'était fou, l'histoire d'Odile se rapprochait de Blanche petit à petit...

Cherchant des réponses aux nombreuses questions qu'elle se posait, Blanche reprit le carnet d'Odile Coste. Après avoir découvert la photo dans le livre en début d'après-midi, c'est à la douceur du soir qu'elle continua sa lecture. Enveloppée dans son grand tee-shirt blanc, les cheveux attachés avec désinvolture par une large pince, elle se lova dans le grand fauteuil en osier. Il était à Marie. Sans s'en rendre compte, c'était souvent à cet endroit qu'elle s'installait quand elle voulait s'enfermer dans un cocon rassurant. La mère de Blanche était toujours présente, d'une façon ou d'une autre, dans les moments importants. Alors qu'elle ouvrait le petit carnet, Pastis se mit à miauler avec insistance dans l'allée. Il était évident que quelque chose le tracassait. Intriguée par l'attitude de son chat, Blanche s'approcha de lui et murmura quelques mots pour le rassurer :

— Qu'y a-t-il, mon Pastissou... ?

La petite bête se terra au sol, les yeux écarquillés de frayeur. Blanche ne bougea pas et attendit que ses pupilles s'habituent à la noirceur de l'allée. Petit à petit, elle aperçut une forme rousse tapie près du portail ouvert et soudain deux yeux qui brillaient dans le soir. C'était un renard. Blanche avança de plusieurs mètres en sa direction, tapant volontairement des pieds sur le gravier. La bête sauvage prit peur et rebroussa chemin, sûrement en quête de quelques volailles surprises dans leur sommeil. Elle prit son chat dans ses bras, impatiente de le réconforter.

— Ne t'inquiète pas, Pastis, il est parti.

Ce dernier resta blotti contre elle. Blanche pensa que si elle fermait son portail la nuit, ce genre de mésaventure n'arriverait plus. Elle s'exécuta et remonta vers la terrasse. Elle avait remarqué que les renards erraient de plus en plus autour des maisons, de jour comme de nuit. Ils semblaient s'accommoder facilement de la présence humaine, qui investissait d'année en année toujours plus les campagnes.

Sous la tonnelle, Pastis couché sur ses genoux, Blanche se rassit dans son fauteuil. Le carnet d'Odile entre les mains, elle reprit sa lecture.

Je ne sais pas pourquoi j'écris aujourd'hui. Je n'ai rien à raconter. Il ne s'est rien passé, pas plus que les autres jours. Mes amis sont partis en vacances. Ils reviennent dans un mois. J'ai des provisions, mais leurs visites me manquent. Depuis quatre jours il pleut. Je tourne en rond dans le mazet. Je range et je dérange et je range encore ! Une vraie cinglée ! Ma mère le disait : « Je t'enfermerai, espèce de folle ! » Elle avait raison. Hier, j'ai mis ma belle robe bleue. Elle m'allait encore après toutes ces années. Son velours est si doux... Cette couleur que j'aime tant... Je l'ai mise et je suis sortie sous la pluie. Je ne sentais pas assez l'odeur de la terre mouillée, alors je me suis allongée sur le ventre pour être en elle. Comme quand j'étais petite. Je suis restée comme ça longtemps, très long-temps. Jusqu'à la nuit. C'est le froid sur mes os qui m'a fait rentrer. J'étais bien avec elle. Quand je me suis relevée, ma belle robe bleue était toute salie. Je l'ai fait tremper dans la grande bassine, mais je crois qu'elle va rester tachée ! Je suis une bonne à rien ! Je ne sais pas pourquoi j'écris tout ça. Ça sert à quoi d'écrire ? Je n'écrirai plus. Je n'aime plus écrire.

C'était la dégringolade. Les pages suivantes étaient froissées, souillées de larmes. Le petit carnet avait bien mauvaise allure. Blanche aurait tellement voulu tendre la main à cette femme perdue. Penser que tout cela s'était passé tout près d'elle, à Saint-Antonin... Comment rester indifférente à sa détresse ? Elle aurait voulu la soulager, la réconforter, la prendre contre son cœur pour lui donner de l'amitié...

Après les pages froissées, Odile avait écrit quelques lignes seulement...

Mars 1995 : je pars. Je quitte le mazet. Ma gre-nouille vient me chercher. Elle dit que je ne peux plus rester ici. Elle a raison. Je crie, je gémis, je pleure tous les jours sans pouvoir m'arrêter. Comme quand j'étais petite, devant les yeux noirs. Je me sens folle. Ma mère avait raison ! Je ne suis qu'une pauvre fille ! J ne vient plus. Je ne lui en veux pas. C'est trop dur pour lui. Je pars chez elle. Elle va s'occuper de moi, comme avant. Je quitte Saint-Antonin pour la dernière fois. Je n'ai jamais revu mon père, ni ma petite sœur. J'aurais aimé les prendre dans mes bras et leur dire

*qu'on est vivantes, ma grenouille et moi. Ils m'ont
beaucoup manqué tous les deux. Je ne les reverrai
jamais. Je sais que je ne reviendrai plus.*

Le carnet se finissait par des feuilles vierges de toute
écriture. Plus rien ! C'était fini. Le journal d'Odile Coste
était fini ! Blanche n'en revenait pas. Elle sentait un vide
monter en elle, comme si elle perdait une amie proche…
Elle n'avait pas le droit de la laisser seule comme ça !
Depuis plus d'un mois, elle faisait partie de sa vie et
puis, plus rien… Finie l'histoire d'Odile !

Blanche avait beaucoup de mal à calmer sa déception. En même temps, elle avait conscience de détenir un document précieux, mais précieux pour qui ?
Que pouvait-elle en faire ? Bouleversée, elle tournait
en rond dans le jardin, n'arrivait pas à se calmer.
Les larmes coulèrent sur ses joues. Des larmes de
déception sûrement. Le fil était coupé entre Odile et
elle… Inadmissible ! Anéantie, elle s'assit sur le banc
en pierre du jardin, pour réfléchir. Comment allait-elle
faire pour avoir des nouvelles d'Odile ? Où était-
elle aujourd'hui ? Pourquoi était-elle partie sans son
journal ? L'avait-elle oublié lors d'une énième crise ?
Nathalie connaissait-elle l'existence du journal de sa
mère ? Pourquoi n'avait-elle pas emporté ses effets
personnels en quittant le mazet ? Tout était resté tel
quel ! Qui lui avait conseillé d'écrire ?

Il restait encore tellement de points obscurs à éluci-
der… Triste que l'étonnante histoire s'arrête, Blanche,
dépitée, alla se coucher. Ce soir-là, elle n'écouta pas
les oiseaux dans la nuit. Elle ne regarda pas le ciel
étoilé comme à son habitude. Elle ne parla pas à Pastis
qui était resté tout seul dans la cuisine.

Allongée sur son lit, Blanche pensait. Elle était de

plus en plus persuadée qu'elle n'avait pas trouvé ce journal par hasard. Elle devait en faire quelque chose, sinon autant le remettre dans sa cachette et oublier Odile Coste ! Elle décida que le moment était venu de parler d'*elle* à quelqu'un. Elle ne pouvait plus porter ce lourd secret, seule. Blanche avait besoin de se confier, de raconter l'étrange histoire d'Odile Coste, enfant de Saint-Antonin, à quelqu'un de confiance. De toute évidence, c'était à Mathilde, son amie de toujours qu'elle en parlerait. Oui, c'était décidé, elle parlerait d'Odile Coste à Mathilde dès qu'elle rentrerait de vacances, dans deux jours.

Cette décision l'apaisa. Elle s'endormit plus sereine et moins triste.

9

Lorsque Blanche se réveilla le lendemain matin, elle réalisa la date du jour : 25 juillet 2001. Malgré la nuit courte et tourmentée, elle se leva d'un bond. En fin d'après-midi avait lieu le concert de Marceau Conti à Nîmes. Blanche allait revoir celui qui lui avait fait tourner la tête un mois auparavant. Ils devaient souper ensemble après le concert...

Blanche se mit à douter : peut-être aurait-il oublié ? Il avait l'air sincère pourtant. Marie, sa mère, disait toujours que « les yeux sont le miroir de l'âme ». Blanche aimait bien cette expression. Ceux de Marceau lui avaient inspiré confiance et loyauté, elle devait se fier à son instinct. Et puis, elle verrait bien !

En attendant, elle devait travailler. Au milieu de ses herbes séchées, elle pensa à la tenue qu'elle allait mettre le soir même. Une robe ou bien un pantalon ? Un chemisier ou un simple tee-shirt ? Les cheveux longs ou les cheveux relevés ? Bref, mille questions qu'elle ne se posait pas habituellement. Elle ne pouvait quand même pas se rendre au concert de Marceau Conti débraillée !

Elle avait envie d'être la plus belle pour qu'il ne

puisse plus détacher son regard d'elle. Tout en emballant ses plantes, elle revoyait les yeux azur qui l'avaient tant troublée. Elle n'aurait jamais pensé qu'une telle couleur puisse exister. Et cette musique, si légère, si passionnée qu'elle faisait chavirer le cœur des plus sceptiques ! Blanche eut un sourire radieux. C'était décidé, elle mettrait la robe fleurie que Marie lui avait faite. Cette robe qu'auparavant elle trouvait trop chic et féminine... Pour ce soir elle serait parfaite.

Après s'être préparé une salade de tomates, Blanche ne put s'empêcher d'aller fouiller dans la penderie. D'une housse, elle sortit la robe toute neuve et fraîche comme la rosée du matin. Elle pensa à sa mère qui savait si bien coudre. Lorsque Blanche était enfant, Marie lui cousait des poupées en chiffon, plus originales les unes que les autres. Ses deux préférées s'appelaient Lili et Frisette. Blanche fouilla dans une boîte à chaussures rangée sur l'étagère et l'ouvrit. Les cheveux bleus de Frisette et les rastas de Lili dépassèrent. Blanche les embrassa tendrement.

— Que je vous ai aimés, mes doudous !

Blanche décida de les remettre un peu dans sa chambre, juste un peu. Pourquoi grandissait-on si vite ? L'enfance si douce ne pouvait-elle pas durer plus longtemps ? Blanche espérait bien garder son âme d'enfant toute sa vie. Elle espérait devenir très vieille d'ailleurs ! Elle s'imaginait le visage sillonné de rides, les mains tachées par l'âge, entourée de gamins bondissants et criants d'enthousiasme. L'âge ne lui faisait pas peur. Tant de gens n'avaient pas eu la chance de vieillir... Blanche serra la robe contre elle.

— Ah ! ma petite mère, j'aimerais tellement que tu sois encore là !

Dans l'après-midi, Blanche prit du temps pour se préparer à sa soirée. Elle manucura ses mains, mit un baume sur ses beaux cheveux noirs et s'enduit les jambes d'huile d'amande douce. Elle était prête, se regarda dans le miroir et annonça :

— À nous deux, Marceau Conti !

À dix-huit heures trente, quand Blanche passa le monumental portail des Jardins de la Fontaine, son cœur battait plus fort que de raison. La robe fleurie au tissu vaporeux lui allait à ravir. Ses cheveux noirs étaient lâchés sur ses épaules et tombaient en cascade dans son dos, souples et légers. Pour l'occasion, elle s'était très légèrement maquillée, ce qui faisait ressortir le vert de ses yeux et l'éclat de son sourire. Son charme naturel et innocent la rendait attirante. Elle n'en tirait aucune vanité, elle pensait juste que ça facilitait son contact avec les autres.

Ce rendez-vous tant attendu dans de si beaux jardins, que rêver de mieux ? Classés par le ministère de la Culture sur la liste des « Jardins remarquables de France », ils mettaient en valeur des monuments antiques comme le temple de Diane et la tour Magne.

D'un magnifique nymphée central jaillissaient des jets d'eau qui offraient leur pureté aux statues de muses dévêtues. Tout y était poésie. Blanche s'engagea dans les allées plantées de pins, de cèdres et de marronniers d'Inde. Tout au bout, elle apercevait l'installation du concert. Beaucoup de monde était déjà installé, devant la scène. L'effervescence régnait.

Debout, elle cherchait du regard ce virtuose qui avait enflammé son cœur. Elle l'aperçut soudain au milieu des musiciens prêts à monter sur le plateau. Donnant les dernières recommandations à ses amis en scrutant l'assistance, Marceau Conti aperçut enfin Blanche. Un large sourire illumina son visage. Après lui avoir fait un petit signe de la main, il glissa quelques mots à l'oreille d'un assistant. Celui-ci hocha la tête et se dirigea vers la jeune fille.

— Excusez-moi, mademoiselle, vous êtes bien Blanche Bruguière ?

La jeune fille acquiesça, étonnée.

— M. Conti vous a réservé une place au premier rang. Venez, je vous y conduis.

Surprise, Blanche le suivit jusqu'à un fauteuil idéalement placé. Un carton blanc était scotché sur son dossier. On pouvait y lire « Blanche Bruguière ». La jeune fille fut flattée par cette attention. Le musicien ne l'avait donc pas oubliée… Heureuse, elle lança un sourire reconnaissant à Marceau.

Sur le programme qu'on lui tendit, elle lut que l'orchestre symphonique et les solistes professionnels allaient interpréter Beethoven, Mozart, Schubert, Strauss, Tchaïkovski… Malgré sa mauvaise connaissance de la musique classique, ces grands musiciens ne lui étaient pas inconnus. Par contre, elle allait découvrir Paganini, Sarasate, Bazzini, Saint-Saëns et Bartók ! De toute façon ils pouvaient jouer ce qu'ils voulaient, elle était venue pour le voir.

Il était là, devant elle, concentré devant l'orchestre symphonique pour le plus grand bonheur du public. Dans un silence quasi religieux, les musiciens commencèrent à jouer. Un air doux et léger enveloppa les moindres recoins des Jardins de la Fontaine. L'auditoire attentif semblait conquis par la qualité de l'interprétation. Lorsque le soliste fit vibrer les cordes de son violon, Blanche n'eut d'yeux que pour lui.

Marceau rayonnait au milieu de tous. Ses doigts dansaient sur son instrument à une vitesse vertigineuse. Des notes pures et enchantées grisant les spectateurs s'envolaient dans le ciel étoilé de Nîmes. Magnifiée par le bel orchestre, sa musique enthousiasma un public averti. Blanche le trouva aussi beau qu'à leur première rencontre. Il portait à merveille un costume clair, rehaussé d'une chemise turquoise. Son élégance se remarquait. Cet homme-là, devant elle, l'émouvait au plus haut point. À son souvenir, elle n'avait jamais ressenti de sentiment aussi violent que celui-là. Elle sentait que le trouble l'emportait sur la raison, sans qu'elle n'y puisse rien. C'était si bon à vivre ! Elle n'avait pas envie de résister.

Bien que le concert ait duré une heure et demie, Blanche ne s'était pas rendu compte du temps passé. Elle était radieuse. Après de très longs applaudissements, les musiciens se dispersèrent dans de petits chapiteaux qui leur servaient de vestiaire. Marceau fit signe à Blanche de l'attendre. Pas de danger qu'elle parte ! Lorsqu'il réapparut, il était un autre homme. Sur son jean délavé tombait une chemisette en lin d'un rouge profond. Blanche pensa qu'il était aussi beau au naturel. Il s'avança vers elle, souriant et visiblement heureux.

— Bonsoir, Blanche.

La jeune fille s'approcha de lui.

— Bonsoir, Marceau.

Ils se regardèrent comme s'ils étaient seuls au monde, au milieu de cette foule qui se pressait autour d'eux. Les yeux brillants de Blanche trahissaient son trouble.

— C'était très beau. J'ai beaucoup aimé…

La jeune fille n'eut pas le temps de finir sa phrase.

Un couple d'admirateurs se planta devant elle et félicita le musicien. Marceau leur répondit avec amabilité, tout en se penchant pour ne pas perdre Blanche de vue. Écourtant la conversation qui n'en finissait plus, il s'apprêtait à prendre la main de la jeune fille lorsqu'une dame lui barra le passage.

— Monsieur Conti, s'il vous plaît ! Pouvez-vous me donner des conseils pour mon petit-fils qui apprend le violon ?

Le jeune homme visiblement agacé resta tout de même aimable.

— Oui... Que voulez-vous savoir... ?

La dame commença ses explications ponctuées de gestes maniérés.

— Il débute, mais il a sûrement un grand avenir ! Peut-être pas comme le vôtre mais enfin...

Blanche observait la mine de Marceau qui commençait à s'impatienter.

— Oui, et alors ?

— Alors, il vient s'exercer deux fois par semaine chez moi. Vous comprenez, c'est moi qui le garde après l'école. Ses parents travaillent tous les deux, mon fils est directeur de...

Marceau, agacé, lui coupa la parole.

— Venez-en au fait, s'il vous plaît, je dois partir.

La jeune femme assistait à la scène, amusée par la situation.

— Oui, excusez-moi. En fait, le problème est que pour le moment... il joue horriblement mal. Vous pensez que ça peut s'améliorer ? Parce que ça importune beaucoup Mme Brun qui est ma voisine...

Blanche ne réussit pas à cacher un sourire. Marceau saisit la main de Blanche et abrégea la conversation.

— Mais bien sûr, qu'il continue ! Il doit s'exercer tous les soirs, c'est primordial. Et puis, soit il progresse soit vous déménagez.

La dame fit une moue douloureuse.

— Tous les soirs…

— Tous les soirs. Bonsoir madame.

Il se faufila avec habileté, laissant l'importune à sa méditation, et entraîna Blanche dans son élan.

— Venez.

En quelques pas, ils s'éloignèrent de l'attroupement qui s'était formé autour d'eux. Soulagés, ils s'amusèrent de la situation.

— Ces gens voulaient encore vous parler…

Marceau secoua la tête.

— Pas ce soir. D'habitude je leur accorde tout mon temps, mais ce soir, ma soirée est pour vous, Blanche.

Il l'emmena vers le fond du jardin, à l'abri des regards indiscrets. Blanche se laissa enlever le cœur battant. La grande main de Marceau enveloppait la sienne. Ils s'arrêtèrent près d'un petit bassin entouré de buis. Dans la demi-pénombre, la jeune fille apercevait le profil régulier du musicien.

— Je suis tellement content que tu sois venue ! J'ai eu peur un moment que tu me prennes pour un dragueur, un gars qui court les filles à chaque concert…

Blanche sourit.

— J'y ai pensé, mais j'ai vu la vérité au fond de tes yeux.

Elle contempla ce visage tout proche du sien.

— Je suis heureuse d'être là moi aussi.

Appuyé contre un marronnier, il l'enlaça tendrement.

— Est-ce que je peux t'embrasser, belle brune ?

Blanche ne chercha pas à répondre et l'embrassa

elle-même. Son cœur allait exploser de bonheur. Elle était dans les bras de Marceau ! Les lèvres du jeune homme avaient un goût de miel. Il sentait bon, c'en était enivrant. L'humidité de sa bouche enflammait le corps de Blanche tout entier. Elle voulut que cet instant durât toujours. Ils restèrent longtemps l'un contre l'autre, se refusant à interrompre ce moment de félicité.

Puis, ils se promenèrent dans les allées éclairées par le clair de lune, main dans la main. Ils parlèrent peu, pour ne pas interrompre le charme ambiant avec des paroles inutiles. Marceau l'étreignit avec douceur.

— Belle Blanche, n'as-tu pas faim ?

— Si, un peu.

— Viens, je t'emmène dans un de mes endroits favoris. Tu me parleras de toi, je veux tout savoir, ce que tu fais, ce que tu aimes, qui tu es !

Blanche lui répondit d'un grand sourire qui fit tressaillir Marceau. « Dieu que cette fille est belle ! Je voudrais passer ma vie devant son sourire… »

Ils quittèrent les Jardins de la Fontaine en douce. Ils marchèrent le long du grand bassin où nageaient quelques cygnes altiers. Sur un parking, Marceau désigna sa voiture. À peine rentrés à l'intérieur, ils s'embrassèrent avec beaucoup de ferveur. Puis le jeune homme se reprit.

— Excuse-moi, je m'emballe. Mais tu es tellement belle !

Blanche l'embrassa encore. La voiture démarra, laissant derrière elle la beauté des Jardins de la Fontaine. Ils roulèrent à travers la ville, passant devant la Maison carrée et les arènes illuminées. La jeune fille se laissa aller à quelques déclarations.

— Je ne me lasse jamais de les voir, elles sont

impressionnantes. Tu te rends compte, Marceau, tous les gens que ces arènes ont vu vivre depuis qu'elles existent… J'aimerais qu'elles me parlent à l'oreille et qu'elles me racontent !

Le jeune homme rit.

— Elles ne te raconteraient pas que des jolis récits…

— Les horreurs, ça fait partie de l'histoire aussi.

Le véhicule du jeune homme passa plusieurs petites rues, puis ils se garèrent dans une ruelle que Blanche ne connaissait pas. Le calme régnait sur Nîmes ce soir-là. Après avoir entraîné la jeune fille deux rues plus loin, Marceau sonna à une imposante porte en bois. Ils entrèrent dans une cour pavée qui s'ouvrait sur un patio verdoyant. Là, ils furent accueillis chaleureusement par la maîtresse de maison, une petite femme brune au fort accent italien.

— Bonsoir ! Ça fait plaisir de vous accueillir de nouveau, Marceau. Comment allez-vous ? Mademoiselle, bienvenue.

— Bonsoir Antonietta. Je vais très bien. Je vous amène une amie. Blanche, voilà « La casa allegra », le meilleur restaurant italien de la région.

— Bonsoir.

S'approchant de Marceau, la jeune fille lui parla plus doucement.

— J'adore la cuisine italienne !

Marceau l'embrassa sur le front, très tendrement.

— J'en suis content.

Il avait réservé une table sous la pergola, face à un petit jardin fleuri. Blanche aima tout de suite cet endroit.

— Et si je n'étais pas venue… ?

— Je serais venu tout seul.

— Vraiment ? Avec toutes les admiratrices que tu as...

Marceau prit la main de Blanche.

— Les admiratrices, quand j'étais plus jeune, je ne me suis pas privé de les fréquenter. Mais aujourd'hui, c'est différent. J'ai besoin que mon cœur s'emballe pour une femme. J'ai besoin d'être attiré par autre chose que sa beauté, pour avoir envie de la revoir.

— Qu'est-ce qui t'a attiré chez moi ?

Il baissa les yeux, puis les replongea dans ceux de la jeune fille.

— Quand je t'ai découvert parmi le public, j'ai tout de suite vu ton émotion, tes yeux brillants et la chair de poule sur tes bras. Je n'ai vu que toi.

Blanche sentit la chaleur lui monter aux joues. Aurait-elle pu imaginer entendre de si belles paroles ce soir ? Par pudeur, elle décida de taquiner Marceau.

— Et sinon, physiquement, je ne te plais pas plus que ça... ?

Il s'approcha tout près d'elle.

— Et en plus, tu es merveilleuse.

Le large sourire de Blanche valait une réponse. Éclatant et spontané, il ravit le jeune homme et l'enflamma un peu plus.

— Toi aussi, tu n'es pas mal du tout...

Ils furent interrompus par Antonietta qui servit l'apéritif accompagné de quelques amuse-bouches. Lorsqu'elle se fut éloignée, ils reprirent leur conversation.

— Alors, parle-moi de toi maintenant. Qui es-tu, belle Blanche ?

Après un silence, Blanche commença à se raconter.

— Tu ne pouvais pas mieux choisir, pour un premier

rendez-vous avec moi. Ce lieu me correspond tout à fait. Je suis une fille de la nature, une gamine de la garrigue. J'y vis, j'y travaille... Je suis cultivatrice de plantes aromatiques et médicinales.

— C'est un métier étonnant ! Tu connais les plantes qui soignent ?

— Oui, je les connais. C'est un métier riche, complexe et fascinant. J'ai un petit local attenant à ma maison, qui me sert d'atelier. J'y transforme mes cultures sous diverses formes, pour l'expédition.

— Et elles partent où, tes plantes ?

— Dans plusieurs laboratoires de phytothérapie de la région.

— C'est très intéressant. Où vis-tu ?

— Dans un très beau village, Saint-Antonin. J'y suis née et je ne m'en lasse pas.

Blanche avait dit cette dernière phrase avec une passion que l'on devinait venue du fond du cœur.

— J'aime comme tu parles de ton métier et de ton village. Tu es une passionnée, comme moi. J'aimerais beaucoup connaître Saint-Antonin...

— Tu seras le bienvenu chez moi quand tu voudras. Viens, je te ferai découvrir l'endroit où je vis, la Genestière...

Marceau réfléchit. Lundi prochain était jour de relâche pour lui et l'ensemble philharmonique. Dans cinq jours, il pourrait la retrouver. Avec un grand sourire, il acquiesça.

— Lundi prochain, ce sera un plaisir de passer la journée avec toi, Blanche, si tu es libre...

— Je me libérerai.

Il l'embrassa avec beaucoup de douceur. Le souper fut un régal de saveurs. Le fromage blanc à la sicilienne enrobé de basilic, accompagné de croûtons grillés tartinés de tapenade verte, était un délice ! Les plats qui suivirent étaient tout aussi savoureux. Un chianti rouge du meilleur goût émoustilla leurs papilles. Le repas se termina par une coupe glacée au citron vert arrosée d'un limoncello maison. C'était évident, Marceau appréciait autant la bonne cuisine que Blanche. Voilà un plaisir qu'ils avaient en commun, le plaisir du partage et de la découverte.

Après le souper, ils marchèrent un moment, étreints dans les ruelles désertes. Puis, il la raccompagna jusqu'à sa 4L, laissée à une rue des Jardins de la Fontaine. Ils s'embrassèrent avec gourmandise et passion. Marceau et Blanche restèrent blottis l'un contre l'autre de longues minutes.

— Merci pour cette belle soirée.

— Merci à toi d'être venue, Blanche. Je pensais que j'étais fou de t'attendre, que tu aurais oublié notre rencontre à Montpellier...

Elle sourit tendrement.

— Je pensais la même chose ! Tu t'es même souvenu de mon nom.

Il lui sourit.

— Blanche Bruguière... Ça sonne comme une petite musique légère. Je ne pouvais pas oublier. Et puis, tu m'as plu dès le premier regard. J'attendais cette date avec impatience.

Elle n'en croyait pas ses oreilles. Il avait ressenti les mêmes sentiments qu'elle à leur première rencontre. C'était formidable. Blanche rayonnait de joie.

— Moi aussi. Ça m'a semblé une éternité.

Émus de ces confidences offertes à l'autre, ils s'embrassèrent une dernière fois. C'est avec beaucoup de mal qu'ils se quittèrent. Marceau attendit que la 4L de Blanche ait disparu au bout du boulevard, et rejoignit à pied son hôtel. Il était pensif, encore sous le charme de Blanche, lorsqu'il entra dans le hall. Le réceptionniste lui dit quelques mots en lui tendant sa clé.

— Bonsoir monsieur. Vous avez la chambre numéro 23. Avez-vous passé une belle soirée ?

Marceau pensa à celle qu'il venait de quitter.

— Une merveilleuse soirée.

Et il monta à sa chambre, le sourire aux lèvres. Dans cinq jours il reverrait Blanche et ils passeraient toute une journée ensemble... Le second rendez-vous était donné : neuf heures devant la mairie de Saint-Antonin, lundi 30 juillet.

10

Cette nuit-là fut la plus belle de Blanche depuis bien longtemps. Il lui sembla l'avoir passée dans les bras de Marceau. L'odeur de sa peau, le goût de sa bouche était sur elle. Les cheveux du jeune homme mêlés aux siens, leurs doigts entrelacés, leurs corps si proches, donnaient à Blanche l'envie de mieux le connaître. Elle n'avait qu'une envie, celle de découvrir son corps nu, son torse, ses fesses rondes, encore et encore. Elle se sentait belle, forte et invincible !

Pastis sauta sur le lit et la tira de ses rêveries érotiques. À contrecœur, elle se leva. Aujourd'hui au programme, l'envoi de colis par la poste, pas mal de paperasse, faire les comptes, etc. Rien de bien intéressant, mais tout était indispensable. Après avoir pianoté une petite heure sur son ordinateur, elle se décida à préparer ses envois. Si elle voulait avoir sa journée libre le lundi 30, il fallait qu'elle s'avance dans son travail. Peu de temps après, ses deux colis sous le bras, Blanche entra dans la vieille poste de Saint-Antonin. La bâtisse était ancienne. Les plafonds hauts et voûtés dataient du dix-huitième siècle. Attenante à l'hôtel de ville, elle en avait été une dépendance. L'endroit était presque froid. C'était certainement la seule poste en France dont les usagers ne râlaient pas dans la file d'attente.

Quelques pipelettes du village racontaient les derniers ragots du jour. L'une d'elles parlait des vacances auxquelles avait participé sa vieille voisine. Il s'agissait en fait de celles offertes par l'association de Mathilde. Ils étaient tous revenus hier après-midi, fatigués mais heureux. La personne devant Blanche énumérait les accompagnateurs. Un bénévole de dernière minute s'était ajouté à la liste. Un jeune homme de Montpellier qui avait pour particularité d'être… noir ! « Mais très noir ! » insistait la commère. La jeune fille pouffa de rire. Décidément, la couleur de peau ferait toujours parler les imbéciles, partout dans le monde.

Elle avait compris qu'il s'agissait d'Adrien, son ami de fac. Il était donc parti avec Mathilde… Elle avait vu à Montpellier que les deux jeunes gens avaient des affinités. Elle souriait, contente que son amie pense un peu à elle.

Au guichet, Paul l'attendait.

— Tu es bien belle, aujourd'hui, ma Blanche !

— Ah bon, je suis habillée comme d'habitude pourtant.

Elle détailla son jean découpé à hauteur des genoux et son débardeur orange.

— Tes yeux pétillent encore plus aujourd'hui.

— Peut-être bien… Voilà des colis à envoyer.

Elle n'avait aucune intention de parler de Marceau devant les pipelettes du village. Autant écrire sa vie amoureuse sur le journal local. Elle avait horreur des gens qui parlaient à tort et à travers. Ils finissaient toujours par nuire aux autres, volontairement ou involontairement. Paul attendrait pour en savoir plus. Elle sentait qu'il ne la quittait pas des yeux… Il s'approcha de Blanche et lui parla à l'oreille.

— Toi, tu as un amoureux…

La jeune fille fit mine d'être étonnée, mais Paul ne s'y laissa pas prendre. Il la connaissait trop, sa Blanche, pour ne pas comprendre.

— Mais dis donc, tu es bien curieux, Paul ?

— Je ne suis pas curieux, je veille sur toi.

Blanche lui sourit avec tendresse.

— Ne t'inquiète pas, tout va pour le mieux.

Elle l'embrassa sur la joue et tourna les talons. Lorsque la porte de la poste se fut refermée sur elle, le beau sourire de Paul s'effaça et laissa place à une moue boudeuse. Il lui était encore difficile d'imaginer la jeune fille dans les bras d'un autre. Pourtant, il faudrait bien qu'il s'y fasse un jour…

Il grogna d'une voix inaudible.

— Au suivant !

Rentrée chez elle, Blanche se plongea dans ses papiers. Décidément, elle n'avait pas la tête à ça. Le visage de Marceau flottait devant ses yeux. Elle se surprit à rêver, le nez en l'air, mâchouillant son crayon… La soirée avait été merveilleuse, elle n'aurait pas pu espérer mieux. Un doux sourire s'affichait sur ses lèvres. C'était si bon d'être sous le charme de Marceau ! Puis, apercevant sa mine réjouie dans le miroir en face, elle se demanda si elle n'était pas devenue une midinette…

La sonnerie de son portable retentit et tira Blanche de ses pensées. Mathilde appelait pour dire qu'elle était rentrée de vacances. Elle était tout excitée de raconter sa semaine à sa meilleure amie.

— Viens, moi aussi, j'ai des choses à te raconter…

— J'arrive.

Blanche fit un peu plus de café, qu'elle installa sur la table du jardin. Connaissant Mathilde, elle serait là dans cinq minutes. Le temps de sortir le sucre et deux tasses, son amie était dans l'allée. Sa chevelure d'un roux flamboyant jaillissait du foulard coloré qui entourait sa tête. Son sarouel bleu flottait autour de sa taille fine. Mathilde avait toujours été menue, malgré son bel appétit. Son visage était illuminé de taches de rousseur. Ses yeux marron en amande s'harmonisaient parfaitement avec ses traits. Blanche aimait le style baba cool de son amie, il lui rappelait celui de Marie sa mère. Les amies se serrèrent fort, heureuses de se retrouver.

— C'est chouette de te voir, Mathilde ! Tu es resplendissante.

— Je suis très contente de ces vacances. Elles se sont formidablement passées.

— Tant mieux, avec tout le mal que tu t'es donné pour qu'elles aient lieu, ce n'est que justice ! Viens boire un café.

Les deux jeunes femmes s'installèrent au jardin. Mathilde releva le visage, humant les parfums environnants.

— Qu'est-ce que j'aime cet endroit ! Ça sent toujours bon ici…

Blanche sourit.

— Ce sont les églantiers sauvages qui grimpent le long du puits… ou peut-être le chèvrefeuille qui a fait sa place sur la treille.

Mathilde ferma les yeux.

— C'est enveloppant, c'est… magique !

Son amie rit.

— Je ne veux pas te décevoir, mais ça n'a rien de magique. Ce sont des plantes odorantes. Si tu en plantes chez toi, tu auras le même parfum, ma copinette !

— Je suis sûre que non. Tu les aimes tellement tes plantes, qu'elles te le rendent au centuple. Chez moi, je les apprécierais dix minutes et je les oublierais, trop pressée à courir à droite et à gauche...

Blanche sourit. Mathilde avait raison, elle les aimait ses plantes.

— Tu sais, on les dorlote depuis plusieurs générations à la Genestière. Ce jardin, c'était aussi celui de Marcel et de Marie.

Après avoir bu le café, les deux jeunes femmes reprirent leur conversation.

— Alors, raconte-moi tes belles vacances !

— Tu sais que l'on partait au Grau-du-Roi ?

— Oui.

— On a eu un temps superbe. Pas un jour de pluie. Nous avons pu faire toutes les sorties que nous avions prévues, c'était génial !

— Combien étiez-vous ?

— Nous avions dix-sept adultes de vingt-sept à soixante-douze ans. L'ambiance a été bonne, personne n'a été malade, tout s'est super bien passé. Je pense que plusieurs participants continueront à se voir, des amitiés se sont créées. Et même, une jolie histoire d'amour entre deux retraités... Ça, ça me rend heureuse.

— Je te comprends, y a de quoi ! C'est grâce à l'association.

— Oui. L'année prochaine, on repartira au même endroit. Nous avons été bien logés, tous à côté les uns des autres, comme une petite famille. L'ambiance était très agréable au camping.

Mathilde semblait heureuse. Blanche ne put s'empêcher de la taquiner.

— Je suis contente pour toi. Et au fait, Adrien va bien ?

— Ben… comment tu es au courant ?

— Tu sais, un accompagnateur congolais ne passe pas inaperçu dans les rues d'un petit village…

— Oui, j'imagine. Il est formidable, Blanche. Il n'est pas que beau, mais il est intéressant, il est dynamique et très simple de caractère. En plus, il a plein d'idées pour l'association. Adrien propose de créer un jardin solidaire qui profiterait aux plus démunis. Il fournirait les plants de légumes qu'il a gratuitement grâce à son métier d'agronome. Génial, non ? Je n'y avais jamais pensé. Ce potager serait un lien de plus entre les gens, je trouve cette idée formidable.

— C'est sûr, chouette projet.

— En vacances, il nous a appris des chants, des jeux, des histoires de son pays. Tous ont été conquis par sa gentillesse.

— On dirait que toi aussi, tu as été conquise…

— Je crois que oui.

Blanche embrassa son amie sur la joue. Mathilde continua son récit.

— C'est la première fois que je ne trouve pas un garçon encombrant. Ses idées vont dans le même sens que les miennes. Il aime les gens. Il est en empathie avec ceux qui souffrent. Il ne compte pas le temps qu'il donne aux autres… et en plus, il a un charme fou ! Nous avons vécu une semaine exceptionnelle. Oui, je crois qu'il me plaît.

— Vous allez très bien ensemble.

— C'est grâce à toi que je l'ai rencontré, c'est toi qui nous as présentés.

— Je suis sûre que si vous deviez vous rencontrer, vous vous seriez tout de même trouvés, avec ou sans moi.

Les deux amies étaient heureuses. Blanche raconta son premier rendez-vous avec Marceau, les émotions et l'enthousiasme partagés, le second rendez-vous programmé. Le jardin de la Genestière respirait le bonheur. Pastis grimpa sur les genoux de Mathilde qui l'accueillit avec tendresse.

— Ah ! tu es là, petit fripon !

Le chat ronronna bruyamment, ce qui fit rire les filles.

Puis, comme elle l'avait décidé quelques jours auparavant, Blanche entreprit de raconter pour la première fois la découverte du carnet d'Odile Coste. Avec gravité, elle commença à en parler à son amie.

— J'ai besoin de me confier à toi, Mathilde.

— Oui, je t'écoute.

— Une drôle d'histoire m'est tombée dessus il y a quelques semaines…

— Tu n'es pas malade au moins ?

— Non, ne t'inquiète pas, je vais très bien. Une personne très mystérieuse a surgi dans ma vie… Il faut que je te parle d'Odile Coste.

Intriguée par ce ton inhabituel, Mathilde resta très attentive tout au long du récit de son amie.

Blanche raconta la découverte du mazet dans la petite clairière par hasard un jour de cueillette, puis celle du carnet d'Odile Coste. Elle expliqua ce qu'Odile y relatait, qui elle semblait être, sa fille Nathalie, leurs fausses identités, leurs vies passées à se cacher. Blanche parla de « J », cet homme marié amoureux d'Odile, qu'elle avait toujours aimé et qui était le père de Nathalie. Elle détailla la vie de la mère et de la fille à Grand Bastide. Ensuite la vie d'Odile seule, dans ce mazet caché derrière l'abîme du Diable. Elle révéla aussi la présence de personnes inconnues qui venaient lui rendre visite et la ravitailler. Vint l'instant émouvant de raconter à Mathilde la fin du carnet, l'éloignement d'Odile de sa garrigue, de ses racines. Puis plus rien.

Mathilde était abasourdie.

— Mais elle est incroyable, cette histoire ! Pourquoi ne m'en as-tu pas parlé avant ?

— J'ai eu très envie mais lorsque j'ai découvert le mazet d'Odile, tu étais soucieuse à cause de l'hospitalisation de ta grand-mère Liora. Ce n'était pas le moment. Ensuite se sont enchaînés le vide-grenier, l'organisation des vacances de l'association et ton départ...

— Oui, c'est vrai que je n'étais pas très disponible pour mes amis, j'en suis désolée...

— Mais ne le sois pas ! Je ne me doutais pas de l'importance que prendrait Odile dans ma vie. C'est seulement au fur et à mesure que j'ai lu son journal, qu'elle a pris tant de place dans ma tête. Tu comprends, c'est comme si je la connaissais. Toutes ces confidences lues, sa vie au fil des années dans la garrigue de Saint-Antonin en plus. Elle est là, elle est avec moi dans mes pensées tous les jours...

Mathilde regardait son amie. Elle comprenait son trouble.

— Comment une histoire pareille peut-elle arriver ?

Pourquoi vivre dans la clandestinité toute une vie ? Elle était française. Peut-être était-elle une meurtrière... ?

— Non, impossible. Son cœur est bon, je le sais.

— A-t-elle fui quelqu'un qui lui voulait du mal ?

— C'est possible. Elle a passé sa vie à protéger sa fille et son amour pour qu'ils ne soient pas séparés...

— On n'a jamais entendu parler d'un fait divers extraordinaire à Saint-Antonin...

— Non, rien qui puisse justifier une telle fuite.

Les deux jeunes femmes restèrent un instant sans parler, puis Mathilde brisa le silence.

— Une question me taraude quand même ! Comment cette femme a-t-elle pu franchir l'abîme du Diable sans se tuer ? Et ces gens qui venaient l'aider, comment faisaient-ils pour passer par là ?

Blanche, qui avait déposé le carnet d'Odile devant elles, le feuilleta.

— Justement, à la fin de son journal, Odile parle d'un passage que « J » aurait construit il y a onze ans entre la petite clairière et la Cadière.

— Comment tu dis ?

— La Cadière. Je voulais aller voir au cadastre où était ce lieu-dit, mais comme tu le sais la mairie est fermée en ce moment.

Mathilde pâlit.

— La Cadière, tu es sûre ?

— Oui, tout à fait sûre, pourquoi ?

Les pensées allaient très vite dans la tête de Mathilde. Ses yeux cherchaient un point pour se fixer.

— Ce n'est pas la peine d'aller au cadastre. La Cadière n'est pas un lieu-dit. C'est un grand terrain en haut de la combe.

— Comment tu sais ça ?

Mathilde regarda Blanche et lui répondit dans un murmure.

— Ce terrain... il est à mon grand-père.

Les deux amies restèrent sans voix un moment, incapables d'ajouter un mot.

Puis, hésitante, Blanche osa en demander plus :

— Ton grand-père paternel ou ton grand-père maternel ?

— Mon grand-père maternel, le mari de Liora, Jeannot Comte.

Dans l'esprit de Blanche, les idées se précipitèrent. Jeannot Comte... Pourrait-il être « J », l'homme marié amoureux d'Odile durant toutes ces années ? Le mari de Liora Berr... L'exceptionnelle Liora Berr ! En regardant Mathilde, Blanche s'aperçut que son raisonnement avait fait le même chemin que le sien.

— Non, ça ne peut pas être lui, « J » ! Je sais que mon grand-père aime ma grand-mère. Depuis leur enfance à l'école primaire, ils sont amoureux l'un de l'autre. Quand elle a été recueillie par les Vézon, les gamins ne lui parlaient pas. Elle était choquée, seule, perdue et malheureuse comme les pierres. C'est Jeannot qui s'est pris d'affection pour elle, l'a défendue et protégée. Depuis, il l'a toujours soutenue dans tout ce qu'elle entreprenait. Il est fier de sa réussite. Il est malheureux lorsqu'elle est malade... Je ne comprends pas... Tout ça ne serait que mensonge ? Est-ce qu'il aurait pu la trahir durant toutes ces années ?

— Peut-être que « J » a aimé très sincèrement deux femmes à la fois... Qu'il lui a été impossible de choisir, de peur de faire trop de mal...

— Peut-être mais si Liora l'apprenait, ça la tuerait !

— Attends, ne te formalise pas. Ce n'est peut-être

pas lui, « J », on ne sait pas. Qu'y a-t-il sur ce grand terrain de la Cadière ?

— Rien de plus, un vieux hangar, beaucoup de friches… Je me souviens que mon oncle aurait voulu l'entretenir pour en faire un terrain de loisirs, il y a quelques années…

— Et alors ?

— Mon grand-père s'y est opposé farouchement, prétextant qu'il y avait bien d'autres endroits à Saint-Antonin plus beaux que celui-là. Personne n'avait compris son refus, à l'époque.

Blanche lui raconta l'histoire des deux photos, celle du mazet et de sa copie retrouvée dans un livre de Brigitte Vézon, représentant Nathalie et Yann.

— Tu penses que le gamin pourrait être le frère d'Armelle ?

— J'ai rapproché leurs dates de naissance, ça concorde bien avec l'âge qu'ils ont sur la photo…

— Quelle histoire ! Mais qui est cette bonne femme à la fin ? Il faut que je pense à tout ça à tête reposée.

— Je regrette de t'avoir entraînée là-dedans, je suis désolée, Mathilde.

Blanche la prit dans ses bras.

— Tu ne pouvais pas savoir que ça aurait un lien avec mon grand-père ! Tu aurais dû m'en parler avant, ça a dû être pesant de garder ça pour toi… Pour le moment, on n'en parle à personne, avant d'en savoir plus. On se tient au courant dès qu'il y a un élément nouveau, d'accord ?

— Bien sûr.

— Je dois retourner à l'association pour faire mon compte rendu sur la semaine de vacances. Je t'appelle plus tard. Merci pour le café.

Mathilde s'élançait déjà dans l'allée.

Blanche était soudain soucieuse. Il ne faudrait pas que les révélations d'Odile bouleversent la vie d'autres personnes... Peut-être aurait-elle dû ignorer ce journal et ne pas en parler... Blanche ne savait plus. Elle se plongea dans son travail avec frénésie.

Sur le soir, alors qu'elle était encore dans son atelier, Mathilde revint à la Genestière. Elles s'assirent toutes les deux sur les marches de la terrasse. Blanche contempla son amie.

— Tu as l'air soucieux...

— Oui. J'ai du nouveau.

— Raconte...

Mathilde respira un bon coup et commença son récit.

— Quand je suis partie de chez toi ce matin, je suis passée à la Cadière. Il fallait que je voie si je trouvais ce passage.

Blanche n'était pas étonnée. Elle savait son amie obstinée.

— Alors ?

— Il n'y a qu'un endroit possible où le passage a pu être fait, c'est derrière le grand hangar. On n'y accède que par l'intérieur, et il est fermement cadenassé depuis des années. Cet après-midi, je suis allée dire un bonjour à mes grands-parents au mas des Perdrix...

— Non ? Tu n'as rien dit au moins ?

— Bien sûr que non. J'ai passé un moment avec eux, on a discuté des vacances de l'association. Puis, l'air de rien, j'ai parlé d'une personne qui nous a accueillis sur place, très impliquée et sympathique... Odile Coste.

Blanche buvait les paroles de Mathilde.

— À ce nom, mon grand-père est devenu tout pâle.

Il s'est affairé plus loin, juste pour cacher son trouble. Je ne l'avais jamais vu aussi bouleversé. L'évocation de ce nom est très douloureuse pour lui, c'est évident.

— Et ta grand-mère, elle s'en est aperçue ?

— Non, pas du tout. Maintenant, j'en suis certaine. C'est lui le « J » du journal d'Odile Coste.

Mathilde était convaincue de ce qu'elle avançait.

— Surtout ne le juge pas. On ne sait pas grand-chose de ce qu'ils ont vécu… Peut-on se fier au journal… ?

— Non, ne t'inquiète pas. Je suis trop attachée à lui pour le regarder différemment aujourd'hui ! Pourvu qu'il ne fasse pas de mal à Liora, elle a tellement souffert dans sa vie… Et puis, elle est fragile…

Blanche pensait que son amie avait raison. Tout correspondait, les âges, les situations, les lieux… Elle se souvint de l'homme qui s'était enfui chez Boubou, en entendant le nom d'Odile Coste, Blanche ne l'avait vu que de dos. Maintenant elle en était sûre, c'était bien Jeannot Comte. Elles parlèrent longtemps, sur les marches de la terrasse, analysant la situation. L'instant était grave. Des personnes qu'elles aimaient pouvaient souffrir de ces surprenantes révélations. Pourtant, elles devaient en apprendre plus. Les deux amies se mirent d'accord. Lorsque Armelle rentrerait de Paris, elles essaieraient discrètement d'en savoir plus sur son lien et celui de sa famille avec Odile et Nathalie Coste. Elles ne lui parleraient pas de Jeannot Comte, pour protéger Liora et sa famille. Cette histoire était apparemment douloureuse. Les filles devraient rester discrètes.

Pendant les deux jours suivants, Blanche travailla dur dans ses champs. Les récoltes s'enchaînaient.

Elle y restait seule, durant dix à douze heures d'affilée lorsqu'il le fallait.

Elle ne vit pas Marcel qui passa à la Genestière, avant d'aller au cimetière. Il n'y allait pas souvent. Il était homme à penser que l'amour se mesure à ce que l'on a dans le cœur, et non au nombre de visites que l'on fait au cimetière. Mais aujourd'hui était un jour anniversaire. Il y avait quatre ans, le 28 juillet 1997, il avait reçu un coup de téléphone des gendarmes des Bouches-du-Rhône. Il n'oublierait jamais les quelques mots qui avaient résonné dans le combiné ce jour-là.

— Monsieur Marcel Bruguière ?

— Oui.

— Gendarmerie nationale des Bouches-du-Rhône. Êtes-vous bien apparenté avec Mlle Marie Bruguière ?

— Oui, pourquoi ?

Marcel fut inquiet tout à coup.

— Je suis vraiment désolé de vous l'annoncer, mais cette dame a eu un grave accident de la circulation sur la route nationale 568 avant Martigues.

Ces mots lui coupèrent les jambes. Marcel, qui était pourtant un homme robuste, se sentit liquéfié.

— Mais qu'est-ce que vous racontez, ma fille ne va jamais à Martigues. Vous devez vous tromper, une fois de plus !

Il râla plus pour se persuader que pour blâmer le pauvre gendarme.

— Il s'agit bien de Mlle Marie Bruguière, née à Nîmes le 5 mai 1952 ?

— ... Oui, c'est elle... Elle est blessée ?

— Oui, monsieur, son état est très grave. Nous vous

attendons dans le hall de l'hôpital central à Marseille. Pouvez-vous vous faire accompagner ?

— Oui… sûrement. Je viens…

— Ne vous précipitez pas, votre fille est entre de bonnes mains.

Il balbutia ses derniers mots et raccrocha.

Marcel s'était assis, les jambes coupées. Marie était gravement blessée. Blanche était partie à la mer avec ses amis, pour la journée. Il ne fallait rien lui dire avant d'en savoir plus. François ! Son fils devait l'amener à Marseille. Lui, il était trop vieux pour conduire dans cette fourmilière.

François était sorti qui sait où ? Comment allait-il le prévenir ? Marcel commença à tourner en rond dans la maison. Il prit Titine et après avoir laissé un mot sur la table, il partit en direction de la place des Marronniers. Plusieurs fois par semaine, son fils y jouait aux boules. Peut-être y était-il ? La petite chienne gémit en le suivant. Elle comprenait sûrement que quelque chose d'anormal se passait. Son maître ne la rassura pas. Il emprunta d'un pas rapide les ruelles étroites qui descendaient aux marronniers. Il croisa des connaissances qu'il ne vit pas. Les ruelles n'avaient plus de couleurs, les gens plus de visage. Marcel ne pensait qu'à Marie qui devait souffrir et qu'il voulait rejoindre à tout prix. Son cœur tapait fort dans sa poitrine lorsqu'il arriva enfin devant le jeu de boules.

François vit son père planté là, livide, cherchant sa respiration, incapable de parler, les yeux vidés de toute expression. Il l'avait rarement vu ainsi.

— Ça ne va pas, papa ?

Marcel le regarda, incrédule.

— Faites-le asseoir, il n'est pas bien.

133

Les boulistes trouvèrent vite un pliant au vieil homme. François, de plus en plus inquiet, lui prit la main et le questionna.

— Qu'est-ce qu'il se passe ? C'est maman ?

Marcel fit signe que non. François fut soulagé.

— J'ai besoin… de toi. C'est Marie.

— Marie ? Qu'a-t-elle fait encore ?

Son père le regarda si gravement que François fut gêné de sa réflexion.

— Elle a eu un accident grave. Elle est à l'hôpital de Marseille. Il faut que tu m'y emmènes.

— Un accident grave ! Reste là, je vais chercher la voiture et je te prends en passant.

Le vieil homme hocha la tête, il n'avait plus la force de remonter jusqu'à la maison avec son fils. Cinq minutes après, François garait son véhicule au bord de l'avenue. Marcel pensa qu'il avait dû courir pour faire si vite. Il savait que ce n'était pas un mauvais gars.

Durant le long trajet, les deux hommes n'avaient presque pas parlé. Marcel en était incapable, la boule qu'il avait dans la gorge l'en empêchait. François était plus touché qu'il ne l'aurait pensé. Il est vrai qu'il n'avait jamais eu beaucoup d'affinités avec cette sœur fantasque. Dans sa jeunesse, elle avait bien souvent miné l'ambiance de Costebelle, qui n'en avait pas besoin… Il s'était souvent posé la question, se demandant comment des parents peuvent enfanter des êtres si différents… François et Marie n'avaient jamais rien eu en commun, ni goût ni idée ni physique, tout était opposé chez eux. Mis à part leur amour de la nature, que là encore ils vivaient différemment. François était chasseur, Marie était anti-chasse. Ils se voyaient peu et avaient appris à accepter la personnalité de l'autre, simplement pour vivre en paix. Elle leur était si chère à tous les deux, la paix...

François savait que sa petite sœur avait bon cœur. Elle vivait sans rancune ni remords. Il aurait aimé avoir cette force de caractère, mais il ne l'avait pas. En repensant à tout cela, il se dit qu'il admirait Marie, et qu'il l'aimait plus qu'il ne pensait. Ce jour-là, bien qu'il n'en laissât rien paraître, son chagrin était réel.

Titine gémit, assise entre les jambes de Marcel, mais celui-ci ne l'entendit pas.

Arrivés deux heures plus tard dans le hall de l'hôpital, ils se dirigèrent vers l'accueil. La réceptionniste les fit entrer dans la salle d'attente. Marcel râla et dit qu'il ne voulait pas s'asseoir. Il voulait juste le numéro de chambre de sa fille. La jeune femme insista gentiment, en disant qu'elle exécutait simplement les consignes du médecin-chef de l'hôpital. François raisonna son père qui ne décolérait pas.

— Mais elle est gourde, cette gamine ! Ça fait deux heures que l'on roule pour venir ici, on ne va pas encore attendre pour la voir...

— Calme-toi, papa, ils savent ce qu'ils font.

— Tu crois ?

— Mais oui. Dès qu'un médecin passera dans le couloir, j'irai lui parler.

Marcel se fit une raison. Ils s'assirent à côté d'une dame qui portait une petite fille blonde sur ses genoux. Le vieil homme sentait la fatigue monter en lui. L'enfant questionna sa maman à voix haute.

— Dis maman, pourquoi il a l'air triste, le papé ?

La dame ne lui répondit pas et lui fit signe de se taire. Marcel regarda cette petite fille qui lui rappela Marie enfant. Elle avait la même petite bouille, coquine et souriante, les mêmes cheveux blonds qui lui tombaient sur les épaules...

Il fut tiré de ses souvenirs par François.

— papa, c'est sûrement pour nous.

Ils se levèrent. Un médecin, accompagné d'un gendarme, les rejoignit, et les fit entrer dans un petit bureau jaune. Marcel n'oublierait jamais.

— Pourquoi allons-nous dans ce bureau, docteur ? On a beaucoup roulé, vous savez. Vous m'expliquerez après, je voudrais voir ma fille. Dans quelle chambre est-elle ?

Le médecin posa sa main sur l'épaule du vieil homme.

— S'il vous plaît, asseyez-vous, monsieur.

François comprit.

— papa, calme-toi.

Qu'est-ce qu'ils avaient tous à lui parler comme à un impotent ! Il voulait juste voir Marie...

— Dites-moi au moins comment elle va, docteur !

Le médecin, un homme dégarni d'une cinquantaine d'années, prit un ton grave.

— Justement... Je suis désolé, monsieur. Votre fille est décédée en arrivant à l'hôpital. Son état était trop sérieux, nous n'avons rien pu faire.

Tout s'était brouillé dans la tête de Marcel. Il était fou ce type de lui dire ça ! « Rien pu faire », à quoi ils servent alors ! « Désolé », qu'est-ce qu'il en avait à foutre qu'il soit désolé ! Il ne la connaissait même pas, sa Marie ! Il ne savait pas comme elle était belle quand elle chantait dans son jardin. Il ne savait pas comme ses yeux brillaient quand elle regardait sa petite Blanche. Il ne savait pas non plus qu'elle était libre comme l'air, comme un oiseau qui va au gré de ses envies. C'était son petit oiseau à lui. Non, il ne pouvait pas savoir, ce docteur, car il n'avait pas eu la chance de la connaître, sa Marie à lui. En deux phrases, il détruisait sa vie. Comme ça, simplement ! Marcel refusait et bouillonnait. François le soutenait, les larmes aux yeux.

Lorsque la tension fut un peu retombée dans le bureau du médecin, le gendarme présent expliqua les circonstances de l'accident.

— D'après les témoins présents sur les lieux, la voiture de la victime a brusquement dévié vers la voie de gauche, où les autres véhicules roulaient en sens inverse. Un poids lourd n'a pu l'éviter. Le choc a été très violent.

Le brigadier lui tendit les effets personnels de Marie, retrouvés par les gendarmes dans sa voiture : son grand sac, son chapeau de paille, son gilet bleu...

Voilà tout ce qui restait de sa fille ! Il avait envie de hurler ! Comment était-ce possible ? Son rayon de soleil ! Il l'avait vue la veille et puis, quelques heures après... fini, plus personne, elle n'existait plus ! L'idée lui était insupportable. Il y avait trente et un ans, Berthe et lui avaient perdu Isabelle. Maintenant Marie ! Marie la vie, la gaieté, l'optimisme. Il fallait l'annoncer à Blanche, en aurait-il le courage ? Il aurait voulu être mort pour ne plus éprouver de nouveau cette souffrance.

Marie Bruguière fut enterrée à Saint-Antonin, quelques jours plus tard. Blanche, ravagée de douleur, tourna une page heureuse de sa vie.

L'absence devint si pesante. Elle ne pourrait plus jamais la toucher, se blottir contre elle les jours de chagrin. La Genestière n'était plus la même sans Marie.

À tout instant, il lui semblait que sa mère allait surgir d'une pièce, le sourire aux lèvres… Mais rien ne se passait. Le silence. Marie n'était plus là. Pour toujours.

Après l'horrible chagrin des premiers mois, Blanche fut plus sereine. Marie était toujours dans ses pensées, mais autrement. Lorsqu'elle entreprenait quelque chose, Blanche se demandait si Marie aurait apprécié… Leurs discussions à bâtons rompus lui manquaient. Blanche réalisa toute la richesse que sa mère lui avait laissée. Aucun bien mobilier ou immobilier, mais beaucoup plus : une philosophie de vie, une éducation tournée vers la tolérance, la générosité, le non-jugement, le positivisme… Marie n'aurait pas pu davantage transmettre à sa fille. Blanche s'était sentie aimée, soutenue par cette mère courageuse, tout au long de sa vie. C'était ce qu'elle voulait garder en mémoire pour toujours.

Aujourd'hui, devant le tombeau familial, Marcel regardait les photos de Marie et de Berthe, sa mère. Il avait déposé un bouquet de fleurs des champs, celles que sa fille aimait. Perdu dans ses pensées, Marcel resta là une heure durant. Il pensait à Blanche. Il faudrait qu'il la mette au courant de l'existence de la lettre… Celle qu'il avait lui-même découverte dans le sac de Marie, le lendemain de sa mort.

Cette lettre qui demandait à Marie de venir de toute urgence à Marseille, pour voir Odile. C'était sa fille Nathalie qui l'écrivait.

11

En ce dimanche après-midi, sous le vieux platane, Blanche pouvait enfin s'accorder quelques instants de repos. Elle était venue à bout de la récolte de fleurs de camomille romaine et avait commencé celle de feuilles de menthe. Ses commandes seraient honorées à temps, c'était très important pour l'équilibre de sa petite entreprise. L'argent devait y rentrer régulièrement, pour en assurer la continuité. Elle devait encore faire ses preuves, travailler et bien gérer pour continuer à faire ce qu'elle aimait. Blanche n'aurait pas voulu échouer et décevoir son grand-père. Elle savait qu'il était très fier d'elle, du choix qu'elle avait fait pour faire vivre autrement les terres de la Genestière. Elle en était heureuse, bien que le métier de cultivatrice restât difficile pour une fille de son âge. Elle ne prenait pas de vacances durant toute la belle saison, comme toutes ses amies le faisaient. Ses cultures demandaient beaucoup de soin et d'attention. Blanche ne le regrettait pas, car elle mesurait la chance qu'elle avait de vivre de ce métier, même modestement, dans ce magnifique environnement.

Le lendemain matin, Marceau serait là. Cette pensée

l'emplit de bonheur. Elle allait pouvoir l'étreindre, embrasser sa belle bouche aux lèvres gourmandes, se perdre dans ses yeux si limpides… Quel plaisir de lui faire découvrir la Genestière, la garrigue, les arceaux de la place aux Herbes, les calades du centre historique, la vallée de l'Aucre, bref tout Saint-Antonin qu'elle aimait tant ! Cette journée s'annonçait importante pour ces deux amoureux qui allaient se découvrir.

Blanche quitta son fauteuil en osier et mit un peu d'ordre dans sa maison. Il était bon de marcher pieds nus sur les dalles de pierre claire. Après avoir ciré la vieille table de chêne, la jeune fille rangea les étagères de sa bibliothèque. De la fenêtre, elle apercevait Pastis qui bondissait, essayant d'attraper une sauterelle verte. Malgré sa vivacité, il ne réussit pas à atteindre l'insecte, réfugié dans le pommeau du vieil arrosoir. Le chat bredouille s'étala finalement au soleil pour se remettre de ses ultimes efforts. Blanche descendit dans son petit potager, où elle fureta afin d'y cueillir les légumes de la ratatouille qu'elle allait cuisiner. Toutes ces saveurs entremêlées, mijotées lentement au creux d'une vieille cocotte en fonte, c'était une débauche d'amour ! Elle la servirait froide le lendemain, pour que ses saveurs exaltent les palais.

Alors qu'elle cuisinait, Laurie appela sur le portable de Blanche.

— Coucou, ma jolie ! Qu'est-ce que tu deviens ?

— Salut, Laurie. Je vais bien. Et toi ?

— Super ! On est chez Boubou avec Paul et Christophe. Tu viens ?

— Pourquoi pas ?

— On va manger un morceau et après, on ira aux Saintes-Maries-de-la-Mer…

— Génial ! Je n'avais rien prévu de spécial. Je vous rejoins.

— Yes ! On t'attend.

Une journée avec les amis, ça allait être sympa. Blanche réfléchit. Tout était prêt pour le lendemain. Il était temps de profiter de son dimanche. Elle monta à sa chambre et se changea. Elle enfila son maillot sous sa robe légère, brossa ses cheveux, vissa son chapeau de paille sur sa tête. Elle prépara son petit sac de toile, avec un drap de bain, la crème solaire et une bouteille d'eau. Puis elle redescendit. Quand elle ferma sa porte, Pastis miaula. Sa maîtresse se baissa pour le caresser.

— Tu gardes la maison, mon Pastissou. Et si quelqu'un vient, tu fais le tigre, d'accord ?

Le chat fit le dos rond. La 4L démarra et disparut en direction du village. Au café de la place aux Herbes, l'ambiance battait son plein. Sous les larges parasols, les clients se détendaient entre amis. Les voix se mélangeaient dans un brouhaha d'accents de toutes sortes. D'ici ou d'ailleurs, l'amitié était bien présente. Des morceaux de conversations montaient aux oreilles des passants amusés.

— Vé, c'est le Martin qui arrive.

— Boudiou, tu as vu les yeux qu'il a… Il n'a pas dû sucer que des glaçons hier soir !

Lorsque Blanche arriva sur la place, elle vit ses amis confortablement installés en terrasse. C'est Christophe qui l'aperçut le premier.

— Voilà notre jolie Blanche.

Paul, assis à ses côtés, paraissait de son avis.

— Elle est toujours aussi belle…

Laurie se leva pour accueillir sa copine.

— Ça fait plaisir que tu sois venue. J'ai appelé aussi Mathilde mais elle était à Montpellier chez son copain.

Blanche, souriante, les embrassa. Paul la questionna.

— Tu es seule, ma Blanche ?

— Oui.

Le jeune homme eut un sourire jusqu'aux oreilles, content de ne pas avoir de rival sous les yeux. Blanche s'assit à côté de Christophe.

— Et toi, tu n'es pas avec ton amie ?

— Non... Elle n'avait pas envie de bouger de chez elle.

Laurie se pencha vers lui.

— Tu es sûr que tu lui as proposé de venir avec nous ?

— Euh, oui...

Ils se regardèrent tous d'un air entendu, devinant que Paul avait préféré passer son dimanche avec ses copains. Blanche s'assit à côté de Christophe.

— Alors, quel est le programme ?

Ce dernier lui annonça ce qu'ils avaient prévu.

— On mange un bout ici ou en route, comme vous voulez et... à nous la mer !

— Excellent ! Je ne suis pas encore allée aux Saintes cette année. On mangera en route, non ? Comme ça, on y sera plus vite...

Tous étaient d'accord. Ils prirent le temps de se désaltérer, avant de s'engouffrer dans la décapotable de Laurie. Ils étaient joyeux de se retrouver, et de passer la journée ensemble.

— On aurait pu prendre ma voiture...

— Ta 4L... On serait arrivés ce soir !

Blanche rit de bon cœur. Il était vrai qu'à quatre dans sa vieille voiture, ils auraient eu du mal à doubler les véhicules lents. Avant de quitter Saint-Antonin, ils firent une provision de sandwichs.

Lorsqu'ils eurent dépassé Nîmes, ils prirent la direction de la Camargue. La route des canaux, étroite et sinueuse, bordée par un long chenal où de nombreux pêcheurs venaient taquiner le goujon, avait déjà un goût de vacances. Ils ralentirent en passant devant un élevage de taureaux espagnols. Dans les prés, derrière un large fossé, des bêtes majestueuses de cinq cents kilos paissaient tranquillement. Quelques-unes d'entre elles connaîtraient sûrement les projecteurs des grandes arènes pour y être admirées, pour y combattre vaillamment et pour y pousser leur dernier soupir. Plus loin, perchées sur un château d'eau, Blanche montra à ses amis un énorme nid de cigogne.

— Elles viennent nicher là chaque année.

Enfin ils aperçurent la route des Saintes-Marie-de-la-Mer, entourée de rizières et de champs à perte de vue où vivent en liberté les chevaux blancs de Camargue. Galopant au gré de leurs envies, ils secouaient leurs crinières immaculées avec insouciance, comme des danseuses de flamenco jettent leurs chevelures en arrière. Non loin d'eux, des troupeaux de taureaux camarguais se promenaient dans des prés sommairement clôturés. Ce taureau leste, tout en finesse, n'avait rien à voir physiquement avec le puissant taureau espagnol. Vif et élancé, il suivait volontiers les gardians dans les rues des villages où il était chéri et respecté. Les plus combatifs découvraient aussi les arènes, à l'occasion des courses libres, où des raseteurs de blanc vêtu dansaient autour d'eux afin de décrocher des attributs solidement noués à leurs cornes. Là aussi, c'étaient eux les rois de la piste.

Christophe montra le clocher de l'église des Saintes.

— Ça y est, on arrive.

Quelques maisons de gardians aux toits de chaume firent leur apparition. Le village blanc avait réussi à garder son authenticité au fil des ans, malgré le flot de touristes qui y séjournaient l'été. Laurie se gara et ils s'avancèrent vers la plage de sable fin. Les affaires déposées, Blanche quitta sa robe et courut vers les vagues. Elle se retourna vers ses amis.

— Elle est délicieuse, venez !

Les garçons ne se firent pas prier mais Laurie n'avait pas fini de se préparer.

— Je ne me suis pas attaché les cheveux encore…

Christophe cria en faisant un grand geste.

— Ce n'est pas grave, viens vite.

La jeune fille laissa tomber ses pinces et courut rejoindre ses amis. Ils nagèrent, rirent et ne parvenaient plus à sortir de l'eau.

— C'est du bouillon.

— Oui, elle est délicieuse. Quelle bonne idée vous avez eue !

— C'est Paul qui y a pensé. Il a dit : « Si on va à la mer, c'est sûr que Blanche viendra… »

Paul, tout gêné, secoua la tête d'un air innocent.

— Moi ? Je n'ai jamais dit ça…

Laurie et Christophe le chahutèrent ensemble. Blanche sourit.

— Je serais quand même venue si vous n'étiez pas allés à la mer. Mais c'est vrai que ça fait plaisir d'être là !

Douce après-midi que celle-là. Couchés sur le sable à écouter le bruit des vagues, ils papotèrent, somnolèrent, se laissèrent aller au bien-être qu'offrait le lieu. Laurie raconta les dernières mésaventures qui lui étaient arrivées dans son salon d'esthétique. Elle fit rire une fois de plus ses amis. Paul parla de bicross, de marathon et de handball. Le sport lui avait sculpté un corps en béton, qui faisait rêver beaucoup de filles. Quand Laurie lui passa de la crème solaire dans le dos, elle ne put s'empêcher de s'en extasier.

— Il est magnifique ton dos, Paul. Tu es super bien bâti. Pourquoi ne ferais-tu pas des photos ou des défilés ? Je connais du monde à qui je pourrais te présenter…

Le jeune homme éclata de rire.

— Des photos. Mais elle est folle, cette fille ! Pour quoi faire ?

— Pour te faire des sous, nigaud !

— Des sous, j'en ai assez. Tant que je peux acheter mon matériel, je suis bien heureux comme ça.

— Tu es bien le premier gars que je rencontre qui dit qu'il a assez d'argent ! Tu n'as pas de rêves ?

Paul regarda Blanche.

— Mes rêves sont ailleurs.

Elle comprit que Paul espérait encore que leur ancienne relation renaisse. Ça la chagrinait, car elle l'aimait réellement comme un ami. Il faudrait qu'elle lui dise, un jour où ils seraient seuls, avec beaucoup de délicatesse, pour ne pas trop le blesser.

Christophe parla de musique avec enthousiasme, des quelques concerts de rock auxquels il avait assisté récemment et de ceux à venir. Ce passionné pouvait faire des centaines de kilomètres pour écouter un groupe qui l'intéressait. Blanche ne dit rien et pensa à son musicien à elle, au lendemain matin où ils allaient se retrouver enfin. Elle se remémora ses bras autour d'elle et le goût de sa bouche. Elle ne voulait pas penser à autre chose. Dans une béatitude délicieuse, elle s'endormit. C'est un brouhaha autour de sa serviette qui la tira de son sommeil. Les yeux à demi ouverts, elle vit ses amis rire d'elle. Se demandant pourquoi ils rigolaient, Laurie lui donna des explications.

— Tu as appelé quelqu'un en dormant ! Un certain Arnaud ou Renaud, on n'a pas bien compris... C'est qui ?

— Ben je ne sais pas moi...

Visiblement personne ne la croyait. Elle avoua les yeux brillants ce qu'elle gardait pour elle jusqu'à présent.

— C'est Marceau. Mais vous n'en saurez pas plus pour le moment.

Laurie râla.

— Oh ! tu n'es pas rigolote...

Christophe qui était plus intuitif comprit que Blanche était amoureuse. Paul resta silencieux. Un vol de flamants roses s'étira en file indienne au-dessus des dunes. La jeune fille essaya de faire diversion.

— Regardez les flamants !

Christophe rit et se pencha vers Blanche.

— Bien essayé.

Mais Laurie continua à ronchonner.

— Ben quoi ? On les connaît les flamants, on n'est pas des touristes.

Christophe et Blanche rirent devant sa moue boudeuse et la taquinèrent. Paul suggéra qu'il était temps de rentrer. Ils ramassèrent leurs serviettes et leurs sacs, et s'avancèrent lentement vers la voiture. La journée avait été agréable pour tous. Les amis s'étaient retrouvés avec toujours autant de plaisir. De retour à la Genestière, après avoir arrosé son potager, Blanche se mit au lit pour que le lendemain arrive plus vite. Elle rêva des vagues des Saintes-Maries-de-la-Mer et d'un regard si bleu...

Marceau se promenait dans les ruelles de Saint-Antonin. Il était en avance à leur rendez-vous, impatient de revoir cette belle brune à laquelle il pensait sans cesse. Elle était présente dans ses notes de musique, comme s'il jouait constamment pour elle. Lors de ses concerts, il fermait les yeux et la voyait là, au premier rang, souriante dans sa robe fleurie. Marceau n'avait jamais aussi bien joué que depuis qu'il s'était enflammé un soir de fête de la Musique. Ses émotions vibraient dans ses doigts, enfantant de sublimes mélodies, fragiles et fortes à la fois. Plus que jamais, il jouait avec son cœur. Aujourd'hui enfin, il allait la serrer tout contre lui. Un état de bien-être l'envahissait ce matin.

Saint-Antonin le séduisit immédiatement. Les bâtisses moyenâgeuses se refermaient sur des petites places au pavage usé. En leurs centres trônaient des fontaines toutes différentes les unes des autres. La fontaine du Cygne était le territoire de jeu des enfants sur la place du marché aux cochons. La fontaine des Trois Grâces donnait un peu de fraîcheur aux joueurs de boules de la promenade des marronniers. Celle de la Dame, dont la nymphe était finement sculptée, offrait son eau limpide à une multitude de poissons rouges. Marceau comprenait l'engouement de Blanche pour son village. Il y régnait une atmosphère émouvante, tant ces murs chargés d'histoire ne pouvaient laisser indifférent. Avec un peu d'imagination, on aurait pu voir surgir d'un porche un cavalier pressé faisant claquer les sabots de son cheval sur les pavés, ou encore une charrette remplie de ballots de chanvre s'activer pour rejoindre la place du marché... Combien de lavandières avaient foulé le sol de la rue du lavoir, portant leur charge de linge immaculé ? Combien de gamins avaient fait de ces ruelles étroites leur terrain de jeu préféré, écrivant la petite histoire de leurs vies sur les vieux murs de pierre ? Les images d'un temps révolu fourmillaient dans l'esprit de Marceau, comme envoûté par ce que les lieux voulaient bien dévoiler de leur passé tumultueux. C'était fait, lui aussi était sous le charme de Saint-Antonin.

Marceau atteignit l'hôtel de ville. Ce lieu était remarquable et imposant avec sa grande cour intérieure entourée de colonnes et son premier étage fleurissant de hautes fenêtres. Il inspirait le musicien qu'il était. Qu'il devait être agréable de jouer ici, de faire vibrer ces murs qui avaient vu défiler tellement de gens au travers des siècles... Plongé dans sa rêverie, il ne vit pas arriver Blanche. Une main posée sur son bras le fit se retourner. Elle était là, radieuse devant lui, comme dans ses pensées. Ils s'étreignirent longuement, heureux de se retrouver, sans dissimuler leur joie.

— Viens, je t'emmène à la maison.

Le jeune homme ne se fit pas prier pour la suivre. Elle était belle comme un soleil dans sa robe fluide en lin. Ses cheveux attachés par une pince laissaient apercevoir sa nuque brune. Elle lui sourit.

— Ça fait longtemps que tu es là ?

— Il y a une heure. J'étais trop impatient de te rejoindre, alors j'ai visité le centre de Saint-Antonin.

— Pourquoi ne m'as-tu pas appelée sur mon portable, je serai venue plus tôt !

— Non, j'avais envie de voir où tu vivais.

— Alors ?

— Alors… C'est…

— … ?

Marceau sourit en voyant les yeux ronds de Blanche.

— C'est très beau, vraiment très beau.

La jeune femme se blottit contre lui.

— Je savais que tu aimerais Saint-Antonin. Comment peut-on ne pas l'aimer ?

Ils s'avancèrent sur la place pour rejoindre le véhicule de Marceau. À leur passage, deux commères parlèrent à voix basse, voyant Blanche avec un jeune homme inconnu. La jeune fille se retourna vers lui.

— Désolée, c'est la vie de petit village. Rien ne passe inaperçu.

— Ce n'est pas grave.

Décochant un large sourire, il fit face aux deux femmes et les salua largement.

— Bonjour mesdames ! Belle journée, n'est-ce pas ?

Les commères surprises répondirent à son salut timidement et tournèrent les talons. Blanche rit en montant dans la voiture.

— Séducteur !

— Je n'ai pas pu m'en empêcher. J'adore les pipelettes.

Le véhicule démarra en direction de la garrigue. Ils arrivèrent très vite devant le portail de la maison de Blanche. Le jeune homme contempla admiratif la nature alentour. Ils montèrent l'allée ensoleillée jusqu'à la vieille bâtisse de pierres sèches. Dès qu'il la vit, il ressentit l'âme de la Genestière, des générations qu'elle avait protégées des siècles durant, tous aïeux de cette femme à qui il donnait la main. Il comprit la vérité de Blanche. Sa maison représentait la simplicité, l'authenticité et la sérénité.

— Ta maison a presque autant de charme que toi.

— Je m'y sens tellement bien, si tu savais…

Ils s'avancèrent sur la terrasse. Blanche ouvrit la porte. Ils entrèrent impatients de savourer leurs baisers. Alors que la passion les envahissait, la jeune fille se dégagea.

— Viens.

Elle guida Marceau jusqu'à sa chambre, cocon soyeux et tiède. Leurs corps, leurs âmes, leurs cœurs les imploraient de s'unir et de se découvrir enfin. Les yeux dans les yeux, empreints d'émotions, ils se dévoilèrent l'un à l'autre. Debout, ils se caressèrent avec délicatesse, comme pour se persuader que ce qu'ils vivaient était bien réel. Leurs bouches ne se séparaient plus, leurs peaux s'exhalaient, se trouvant avec certitude. Tous deux avaient conscience de vivre un instant important, celui qu'ils n'oublieraient pas. Ils firent l'amour avec passion et douceur, sans assouvir la faim qu'ils avaient l'un de l'autre. Ils restèrent longtemps blottis sur les draps, leurs corps entremêlés, à se regarder. Ils parlèrent longuement.

Marceau était né trente et un ans auparavant d'une mère basque et d'un père italien. Il avait trois frères plus âgés que lui et une demi-sœur. Ses parents avaient divorcé alors qu'il n'avait que huit ans. Vivant quelques années avec sa mère à Saint-Jean-de-Luz puis à Bayonne, il partit à quatorze ans en pension à Paris étudier la musique. Il resta quinze ans dans cette capitale qui regorge de lieux plus passionnants à découvrir les uns que les autres. Marceau avait vécu sa vie étudiante avec intensité, mais aussi avec beaucoup de travail. La musique demande de la rigueur et de la passion. Il n'en manquait pas. Actuellement, il avait laissé son studio parisien pour vivre à Lyon, berceau de l'ensemble philharmonique dont il faisait partie. Avec ses amis musiciens, ils logeaient souvent dans les hôtels, car les concerts les entraînaient à voyager à travers la France. Il aimait cette vie sans attache. Malgré tout, il partait un mois par an en Italie rejoindre son père dans la vallée d'Aoste. Il avait gardé avec lui et ses frères de belles relations. Bien que la famille de Marceau fût disloquée depuis de longues années, elle n'en restait pas moins unie.

Blanche lui raconta l'histoire de sa vie, parla de Marie, de Marcel, de François cet oncle si distant. Sans le lui dire, elle enviait la famille nombreuse de Marceau. Elle aurait adoré avoir des frères et sœurs à chérir toute une vie. Le destin en avait décidé autrement, c'était tout.

Elle le regarda avec intensité. Il était beau. Blanche lui caressa la joue en pensant qu'il ressemblait à un apollon. Son torse viril était doux comme de la soie. Ses longues jambes s'enroulaient autour d'elle, la retenant comme si elle risquait de s'enfuir. Aucun danger ! Elle était tellement bien auprès de lui… Elle lui offrit son plus beau sourire. Marceau avait le cœur chaviré devant cette jolie fille qui respirait la sincérité. Il aimait sa nuque délicate, dorée par le soleil. Les seins de Blanche étaient ronds et généreux, auréolant une taille fine et des hanches harmonieusement courbées. Elle était belle à croquer. D'ailleurs il la croqua avec plus d'ardeur qu'auparavant. Ils firent ensemble un premier pas vers le plaisir découvert.

Après le repas, les amoureux passèrent un moment à l'ombre du vieux platane. Le programme chargé que Blanche avait prévu pour la journée était compromis par la chaleur qui s'abattait sur Saint-Antonin et sa région, cette fin juillet. Ils décidèrent de rester à la Genestière, à peine contraints par la météo. Dans le grand hamac, Pastis à leurs pieds, ils s'enlacèrent pour une sieste réparatrice. À l'ombre des chênes verts, la toile rayée tanguait langoureusement. Le soleil ardent enthousiasmait les cigales à peine cachées dans les branches des grands pins. Leur chant résonnait comme un concerto assourdissant, poussant à l'endormissement les amoureux fatigués. Le feuillage fin du vieil olivier frémissait sous une légère brise. Tout était paisible aux alentours de la Genestière. Le bien-être ambiant semblait avoir envahi la campagne environnante, d'où ne frémissait que le chant de quelques oiseaux bavards. Un lézard vert se lova sur la terrasse, profitant d'un rayon de soleil qui transperçait la vigne vierge. Pastis, à l'œil aguerri, le toisa et bondit immédiatement à sa poursuite. Même ce mouvement inattendu dans le hamac ne perturba pas la quiétude des deux jeunes gens.

Plus tard, lorsque le soleil brûla moins, ils décidèrent de bouger de leur nid douillet. Blanche voulait faire découvrir à Marceau un endroit qui lui était cher. Alors ils montèrent dans la 4L et partirent vers le lieu-dit de Bornègre. Traversant chaotiquement les chemins à travers la garrigue, ils arrivèrent sur un lieu connu seulement des gens de la région. Dans un écrin de verdure, une source sortie des entrailles de la terre jaillissait bruyamment dans de grandes marmites creusées dans le rocher. L'eau claire serpentait entre les cailloux blancs, offrant une fraîcheur inopinée aux promeneurs ravis. Du haut d'un rocher, Blanche s'adressa à Marceau mais le bruit de l'eau couvrit sa voix. Il n'entendit pas ce qu'elle lui disait en riant. Après un bref coup d'œil aux alentours, elle se dévêtit entièrement et entra dans l'eau sans hésitation. Le jeune homme amusé par l'audace de Blanche en fit de même. Quelle surprise eut-il en plongeant dans une eau de source à quatorze degrés ! Ses yeux s'agrandirent jusqu'à son front et ses joues se gonflèrent avec frénésie. La scène fut tellement comique que Blanche s'écroula de rire !

— Mais pourquoi tu es rentré d'un seul coup ? Je t'ai averti qu'elle était froide !

Marceau, le corps tétanisé, eut du mal à articuler.

— Je n'ai rien entendu de ce que tu disais…

Blanche le trouva attendrissant, comme un enfant surpris à faire une bêtise. Après une courte baignade, ils se rhabillèrent et restèrent à discuter allongés sur l'herbe. Marceau avait encore les lèvres violettes.

— Tu as pu te réchauffer un peu ?

— Oui, ça va mieux. C'est tonifiant au moins !

— C'est de l'eau de source. Elle jaillit depuis toujours entre les rochers blancs. C'est joli, non ?

Marceau souleva les sourcils, l'air peu convaincu.

— C'est joli, mais c'est froid !

Blanche l'embrassa tendrement.

— Il y a un autre endroit que je voulais te montrer, viens.

Ils partirent en direction de la vallée de l'Aucre. Marceau aima cette vallée bordée de falaises. Ce paysage avait du caractère. Apercevant la rivière, il se renseigna.

— Ici aussi, tu vas te baigner nue ?

— Non, ici, il y a toujours des promeneurs.

En effet, un groupe d'adolescents descendait par le chemin empierré donnant sur les berges. Chahutant, ils s'élancèrent vers le camping situé en amont. Blanche prit Marceau par la main et l'entraîna plus loin. Ils s'approchèrent d'un terrain balisé au fond de la vallée, une zone de fouilles archéologiques.

— Ce sont les vestiges de l'aqueduc romain. Tu vois ici la partie enterrée qui a été construite en voûtes recouvertes de dalles, mais plus loin tu dois connaître la partie visible de l'aqueduc… le pont du Gard. Il est magnifique.

Blanche était triomphante au milieu de ces vieilles pierres.

— Oui. Je l'ai vu il y a quelques années. Mais je ne savais pas que l'ouvrage des Romains était si important… On dirait que ça te passionne.

— J'adore l'histoire. Te rends-tu compte que les Romains ont construit ce chef-d'œuvre de savoir-faire entre 50 et 40 avant Jésus-Christ ?

Marceau la regarda. Ses yeux clairs semblaient lire en elle.

— J'aime ta passion, elle me ressource.

Les jeunes gens se promenèrent longtemps dans la belle vallée, profitant de chaque minute passée ensemble.

— À quelle heure dois-tu partir ?

— Le plus tard possible, vers vingt-deux heures si ça te va ?

Blanche lui sauta au cou.

— Bien sûr que ça me va.

Ils marchèrent le long de la rivière, admirant les canards qui filaient au fil de l'eau, suivis de leurs petits.

— Ici, il y a souvent des enfants qui viennent leur donner du pain sec. Quand j'étais petite, ma mère m'emmenait souvent ici. On goûtait sur l'herbe et on rencontrait des amis du village. Les mères papotaient et les enfants jouaient ou pêchaient.

— Il y a du poisson ?

— Oui, des gardons, des vairons, des carpes… La rivière n'est pas polluée, elle est alimentée par des sources.

Ils s'assirent encore un instant dans l'herbe pour admirer la beauté de la vallée de l'Aucre. Dans les bras de Marceau, elle observait les enfants jouer au ballon et profiter du moment présent. Elle entendait battre son cœur au rythme du sien. Elle sentait la chaleur de sa grande main sur son épaule, c'était agréable. Ils étaient bien.

De retour à la Genestière, Blanche sortit du petit bois de son cabanon en bambou.

— Je vais faire des grillades, ça te dit ?

— Oui. Tu veux que j'allume le feu ?

— Volontiers.

Par terre, entre les grosses pierres noircies, Marceau fit prendre le bois. Bientôt, une braise incandescente réchauffa la petite grille. Il y plaça les saucisses de Toulouse avec précaution. Blanche l'observait en arrosant ses légumes.

— Pour un garçon de la ville, tu ne te débrouilles pas mal…

— Dans le Val d'Aoste, mon père cuisine beaucoup

avec la cheminée. Mes frères et moi, nous avons toujours été habitués à une vie rustique et simple. C'est ressourçant après le tumulte de la ville... C'est à la campagne que j'ai commencé à composer. Elle me donne l'inspiration.

Blanche l'avait rejoint.

— Je comprends.

Près du feu, le jeune homme se livra.

— Je suis bien ici avec toi. Je me sens serein moi-même, loin de l'apparat des grandes villes et des salles de concerts. Ici, tout est vrai, il n'y a pas de place pour les manières et le superflu.

— Tu as raison, ici, la vie est paisible. J'ai aimé te voir chez moi. On dirait que tu y es à ta place... Reviens-y vite.

— Dès que possible, ma belle brune.

Il quitta la Genestière à la nuit. Le concert du lendemain avait lieu à Manosque, en Haute-Provence. Ils se reverraient dix jours plus tard seulement. Bien entendu, ils ne manqueraient pas de se téléphoner.

Tristes de se séparer mais heureux de cette belle journée passée ensemble, Blanche et Marceau se quittèrent le cœur plein de promesses.

12

Blanche n'avait pas vu Mathilde depuis cinq jours. Elle avait tellement à lui raconter… La journée de la veille avait été si riche en émotions, qu'il fallait que Blanche partage son bonheur avec son amie de toujours. Le soleil était déjà chaud ce matin. Sous le grand platane, elle remplit d'eau le seau qui servait d'abreuvoir à Pastis et à une multitude d'oiseaux. Ils venaient très souvent s'y baigner, sous l'œil goguenard du chat. Un couple de tourterelles roucoulait plus loin, leur plumage cendré contrastant avec l'herbe bien verte. Un petit lézard gris escaladait déjà une façade de la maison à la recherche d'un puissant rayon de soleil. Pastis regarda d'un œil étonné cette profusion de proies qui se mouvaient sous son nez. Un instant aux aguets, il décida finalement de s'étirer langoureusement sur le dallage de la terrasse.

Alors qu'elle préparait son café, Blanche entendit qu'un SMS venait d'arriver sur son portable. Il était envoyé par Marceau. Le sourire aux lèvres, elle lut. « La journée d'hier était magnifique. Merci, ma belle brune. Je t'embrasse. » Elle répondit aussitôt. Pour elle aussi, la journée de la veille avait été particulière. Elle avait tant aimé être avec lui, partager leurs moments d'intimité et les autres... La main dans la main, ils auraient pu aller jusqu'au bout du monde. Un sentiment d'invincibilité l'envahit. C'était très agréable.

Après son petit déjeuner, elle enfourcha son vieux vélo et partit en direction du village. Mathilde habitait une maison située dans un ancien quartier de Saint-Antonin. Ses ruelles médiévales étaient très prisées par les touristes alanguis. Des groupes se promenaient le nez en l'air, écoutant avec attention le guide de l'office du tourisme conter le séjour de Richelieu dans une des grandes demeures de la rue. Un porche appelé « le coupe-gorge » donnait matière à éveiller leur imagination.

En arrivant devant chez Mathilde, Blanche reconnut la voiture de Liora, sa grand-mère. Elle poussa la lourde porte en bois et laissa son vélo dans la cour intérieure. Cet immeuble Renaissance du seizième siècle était articulé autour d'un magistral escalier de pierre, admirablement beau. Les pavés usés par les siècles donnaient un charme certain à l'ancienne demeure. Mathilde logeait au rez-de-chaussée. Son appartement disposait d'une large terrasse donnant sur des petits jardins particuliers. Il était petit mais chaleureux et accueillant comme sa locataire.

Alors qu'elle s'apprêtait à sonner, la porte s'ouvrit sur des voix familières. Son amie raccompagnait sa visiteuse. Apercevant Blanche, Liora l'embrassa de bon cœur. Après quelques mots échangés, elle laissa les deux amies à leurs bavardages. Elle se dit qu'elle avait toujours aimé cette petite Blanche, si spontanée. Elle était heureuse que Mathilde l'ait pour meilleure amie. À son avis, ces deux-là étaient liées pour de longues années.

Liora s'avança vers son véhicule. Le soleil brûlait déjà. Attendue par son éditeur à Montpellier, elle avait finalement reçu un coup de fil annulant leur rendez-vous alors qu'elle était déjà en route. Par chance, elle n'avait roulé qu'une dizaine de kilomètres. Par ce temps, elle préférait rester dans sa campagne plutôt que courir la ville dans les embouteillages. Elle n'en voulait tout de même pas à Raymond qui, au fil des années, était devenu un ami. Il devait avoir une bonne raison. Se trouvant avec du temps devant elle, Liora avait eu envie de passer chez Mathilde pour l'embrasser. Elle avait trouvé sa petite-fille rayonnante. L'amour n'y était pas pour rien, à son avis de femme d'expérience. Ce bel Adrien était sur la même longueur d'onde que Mathilde. Ils avaient des projets ensemble pour « La Main sur le cœur ». Ils partageaient avec enthousiasme les valeurs de l'association fondée par la jeune fille. C'étaient des bases essentielles à une très bonne entente, d'après sa grand-mère.

Les cheveux blancs de Liora, précautionneusement peignés, tombaient sur ses épaules. Elle était de taille moyenne, vêtue avec simplicité et soin. Son visage était toujours délicatement maquillé, pour ajouter quelques couleurs à ses joues. Elle disait des petites rides qui sillonnaient sa peau fine qu'elles représentaient son histoire. Elles les aimaient ces marques du temps, gravées en elle comme des mots sur une page de vie. Liora savait la chance qu'elle avait de vieillir.

En s'installant dans sa voiture, elle pensa que cet imprévu allait lui donner un temps supplémentaire pour se replonger dans l'écriture de son dernier roman. Cet instant lui était cher. Assise devant son ordinateur, elle créait des personnages à qui elle offrait une histoire, un vécu, et les accompagnait pour une tranche de vie ou bien jusqu'au bout de la route. Leurs destins étaient entre ses mains. Liora avait imaginé leurs traits de caractère, leurs aventures, leurs trajectoires, en bon chef d'orchestre qu'elle était. Elle aurait pu dessiner le visage de chacun d'entre eux les yeux fermés, telle une génitrice attentive. Elle les aimait tous, avec leurs défauts et leurs qualités. À cette étape de la création, ils étaient réels. Elle rentrait beaucoup plus tôt que prévu chez elle et elle en était satisfaite.

La petite voiture rouge démarra et s'engagea dans la bourgade. À cette heure-ci, la ruelle était très fréquentée par les piétons, qui s'activaient à faire des courses avant la grosse chaleur de l'après-midi. Liora roulait au pas, échangeant des bonjours avec quelques connaissances. Elle aimait cette saison qui attirait au village une multitude de nouvelles têtes, curieuses de découvrir sa beauté. Une fois le centre-ville passé, Liora se dirigea vers la plaine de Saint-Antonin. De larges parcelles encadrées de murs en pierres se dessinaient en contrebas. Leurs couleurs se mêlaient telles des peintures sur une palette. Quelques capitelles d'un autre temps se dressaient au milieu des champs, témoins d'un passé cher aux Languedociens.

On distinguait de loin l'allée bordée de pins qui menait au mas des Perdrix. C'était une belle propriété couronnée d'une pinède, qu'entourait une grande quantité de terres agricoles. Elle appartenait à la famille Comte depuis des générations. Jeannot et Liora s'y étaient installés à leur mariage. À l'époque, les parents de Jeannot occupaient une partie du mas. Puis, à la mort de sa femme, son père était venu vivre avec eux. Liora l'avait soigné avec affection, consciente du bien précieux qu'est la famille, elle qui l'avait perdue si tôt. Ce papé l'avait aimée comme sa propre fille, avant de s'éteindre à l'aube de ses cent ans.

C'est là-bas, au mas, qu'elle avait pu se reconstruire de la tragédie qu'elle avait vécue. Jeannot l'avait aidée, aimée de toutes ses forces. Liora le lui rendait bien. Elle mesurait la chance qu'elle avait eue de l'avoir connu. Beaucoup de personnes ne rencontrent jamais l'âme sœur. Eux s'étaient trouvés à l'école communale. Il était devenu un homme fort, rassurant, discret. Elle aimait à dire qu'il avait une grande part de féminité en lui, car il était intuitif et attentif. L'homme de sa vie était aussi son meilleur ami, son confident. Elle avait conscience que leur relation était exceptionnelle. Leurs enfants Corinne et Yvon étaient nés ici, y avaient grandi puis étaient partis vivre leurs vies ailleurs. Le mas des Perdrix représentait pour Liora l'image d'une vie familiale heureuse et sereine.

Cette sérénité l'avait poussée vers l'écriture, de longues années auparavant. Elle s'y était épanouie, exorcisant les horreurs de la guerre, l'abomination du racisme et de l'épouvantable sort réservé à des milliers d'innocents. Après son premier roman, elle avait rencontré des gens qui avaient vécu les mêmes choses qu'elle. Ça lui avait fait du bien. Ensemble ils avaient compris la nécessité de continuer à raconter, pour éviter que tout ça ne se reproduise. Depuis, elle ne s'était jamais arrêtée d'écrire.

Sa voiture pénétra sur la grande propriété par le chemin de terre à l'opposé de la grande entrée. Liora aimait ce passage discret qui donnait aussi vers le jardin potager. Elle se gara à l'arrière du mas, afin de profiter de l'ombre de la pinède.

En descendant de son véhicule, elle entendit des voix masculines, celles de Jeannot et d'un autre homme. Comme elle tendait l'oreille, elle comprit que le ton montait entre eux. Ils se disputaient. Inquiète, Liora s'avança vers la cour. Des bribes de conversations lui parvinrent. Elle entendit son mari.

— Tu sais que je ne peux pas faire ça ! Elle pourrait en mourir...

— Pense un peu à ta fille, bon Dieu ! dit l'autre homme.

— Mais je ne pense qu'à elle, Marcel, depuis toujours. Je l'aime de toutes mes tripes, tu le sais bien !

— Malheureusement pour moi...

Puis, le ton de l'homme devint plus ferme.

— Écoute, Jeannot, je suis vieux, je vais bientôt crever. Si tu ne dis rien à ta femme, c'est moi qui lui parlerai ! Je te donne quinze jours.

La porte d'entrée claqua et Liora reconnut Marcel Bruguière qui s'en allait furieux vers sa voiture. Il ne la vit pas.

Mais qu'est-ce qu'il se passait ? Pourquoi Marcel qu'elle connaissait très bien était si remonté contre Jeannot ? Pourquoi parlait-il de Corinne, leur fille ? Qu'est-ce que Jeannot devait lui dire, à elle, sa femme ? Elle s'adossa un instant au mur, le temps de reprendre ses esprits. Elle avait les jambes ramollies, comme si elle pressentait un malheur. Depuis deux ou trois ans, Jeannot avait changé. Il était triste, parlait peu et restait souvent plongé dans ses pensées. Elle avait cru un moment qu'il faisait un début de dépression, puis avait mis ça sur le compte de son arthrose qui l'empêchait de se déplacer comme avant. Maintenant elle savait qu'il y avait autre chose…

Il lui fallut plusieurs minutes pour se décider à entrer. Quand elle franchit silencieusement le seuil de la porte, elle trouva Jeannot affalé dans son fauteuil, le teint livide. Du haut de ses soixante et onze ans, il ressemblait plus que jamais à un vieillard. Liora resta là à le regarder sans rien dire. Lorsqu'il s'aperçut de sa présence, il tourna vers elle des yeux incrédules. Il la dévisagea. Il comprit à l'air inquiet de sa femme qu'elle avait assisté à la scène. Mais qu'avait-elle entendu ? Mon Dieu, ce n'était pas possible ! Ce qu'il avait voulu éviter pendant trente-cinq ans allait arriver aujourd'hui ! Il n'en avait pas la force ! Il la regarda paniqué puis… le trou noir.

Jeannot Comte fut hospitalisé rapidement à la suite d'un malaise cardiaque. Après plusieurs jours passés en réanimation, son pronostic vital n'était plus engagé. Il devait se reposer. Liora avait eu très peur. Elle avait cru le perdre. Quand il rentra au mas, elle décida de ne pas lui poser de questions. Les mains dans les siennes, le regardant dans les yeux, elle lui avait juste parlé avec douceur.

— Ce qui est important pour moi, c'est que tu ailles mieux. Tu es la meilleure chose qu'il me soit arrivée dans ma vie, avec nos enfants. Quoi que tu aies fait, cela ne m'empêchera pas de t'aimer. Je sais qui tu es. Je voudrais que tu me fasses confiance, et qu'un jour, quand tu seras prêt, tu me révèles toi-même ce secret si lourd à porter. Cela ne peut pas se passer autrement entre nous.

Jeannot regarda cette femme qu'il aimait depuis ses douze ans. Elle avait encore aujourd'hui cette bonté dans les yeux. Elle avait toujours gardé cette capacité d'aimer à tout prix, comme si rien n'était plus urgent. Il la regarda, elle à qui il allait faire tant de mal. Il eut envie de hurler mais il pleura comme un enfant. Il pleura à chaudes larmes, comme il ne l'avait jamais fait. Puis, lorsque son corps fut vidé de son désarroi, il s'essuya le visage et dit à Liora : « Je ne te mérite pas. » Elle le prit dans ses bras et ils restèrent comme ça longtemps, sans parler, l'un contre l'autre.

Le lendemain, en se réveillant, Liora trouva une lettre sur la table. La place du lit à côté d'elle était vide. Jeannot n'était pas là. Tout à coup elle eut peur, pensa au pire. Mais les premiers mots de la lettre la rassurèrent.

« Ne t'inquiète pas, je vais bien. Je pars pour deux ou trois jours, j'ai quelqu'un à voir. Fais-moi confiance, s'il te plaît. À mon retour, je te dirai tout. Je t'aime de tout mon cœur. Jeannot »

Il laissa sa voiture à Saint-Antonin, se sentant incapable de conduire plus loin. Puis il continua sa route en taxi. Il allait retrouver sa fille Nathalie. Quand il lui avait téléphoné la veille, il avait pu la réconforter sur son état de santé. Elle l'attendait. Il fallait qu'il parle avec elle, qu'il sache si elle était prête à ce que son identité éclate au grand jour. Car avouer la vérité à Liora, c'était annoncer l'existence de Nathalie... Jeannot avait besoin de son consentement, car les prochains jours allaient certainement bousculer leurs vies à tous. Quand dans le passé ils avaient abordé le sujet, la jeune femme lui avait toujours répondu qu'elle était Nathalie Coste, éperdument aimée par ses parents, et que c'était l'essentiel pour elle. Mais aujourd'hui tout était différent. Il ne pouvait plus cacher cette partie de sa vie à Liora, ça aurait été l'insulter. À l'hôpital, la proximité de la mort l'avait fait réagir. S'il était décédé, personne n'aurait su la vérité sur son histoire avec Odile. Personne n'aurait reconnu Nathalie comme leur fille… Marcel aurait sûrement parlé mais qui l'aurait cru ? On aurait pensé que le vieil homme perdait la tête, vu son âge avancé… Il était temps. Il en était presque soulagé. Tout son entourage risquait de le mépriser, mais il était soulagé. Ce secret qui l'étouffait allait enfin éclater au grand jour.

Après avoir vu Nathalie, il dirait tout à Liora, puis il irait à la gendarmerie raconter son histoire et se livrer.

13

Alors que Blanche revenait de la poste, elle aperçut le camion rouge d'Armelle qui s'engageait sur la place du village. Il était facilement reconnaissable aux poteries qu'elle avait peintes sur les côtés, faisant la publicité des « poteries de St-Anto ».

Elle attendit qu'il se rapproche d'elle, pour lui faire de grands signes de la main. Armelle la vit et se gara sous les platanes. Blanche s'avança au-devant de son amie.

— Salut, ma copine préférée !

Armelle serra Blanche dans ses bras.

— Je suis contente de te voir. Dis donc, tu as l'air fatiguée...

— Je rentre à l'instant de Paris, la route était interminable ! Je suis épuisée. J'ai dû faire la route en plusieurs fois avec mon tacot rempli de matériel...

— Tu as dormi où ?

— Dans mon camion. Je ne pouvais pas laisser toute ma marchandise sans surveillance. Il y a plusieurs années de travail à l'arrière...

— Je comprends que tu sois fatiguée ! Dis-moi, ça a marché ton salon ?

— Ah oui, je suis aux anges. J'ai fait de bonnes ventes et puis j'ai décroché plusieurs commandes de l'étranger, tu te rends compte ?

— Non ! Tes poteries à l'étranger ? C'est génial. Où ça ?

— En Allemagne et en Hollande.

— Waouh ! Je suis tellement contente pour toi.

— J'ai encore beaucoup de mal à réaliser, tu sais.

Le sourire d'Armelle faisait plaisir à voir.

— Et si vous veniez manger des grillades, ce soir, avec Mathilde ? J'ai tellement de choses à vous raconter…

— Volontiers. Tu veux que je la prévienne ?

— Oh oui, merci. Là, je vais poser mon camion, prendre une douche et vite dormir, dormir, dormir !

— Ne prépare rien, on apportera tout.

— Merci. Tu es un amour.

Armelle remonta au volant de son camion.

— À ce soir, fais de beaux rêves.

— Je crois que je n'aurai pas le temps.

Blanche regarda le véhicule s'élancer vers l'esplanade et disparaître. Elle était pensive. Le talent et le courage d'Armelle étaient enfin récompensés, ce n'était que justice.

Elle devait passer à Costebelle. Marcel le lui avait demandé, elle ignorait pourquoi. Elle emprunta la rue de l'école et remonta par la rue des Capucins. Blanche aimait bien cette ruelle constituée de très anciennes maisons. Devant l'une d'elles, un escalier double invitait à la visite. Il donnait sur une large porte vitrée, ornée de feuilles de vigne joliment ciselées en fer forgé. L'originalité de l'entrée plaisait aux enfants du quartier, qui en avaient fait leur point de chute. À toute heure de la journée, on pouvait y voir quelques gamins assis sur les marches à discuter. Ce n'était pas pour déplaire à la famille nombreuse qui occupait la vieille bâtisse. Ils donnaient de la vie et de l'animation à la petite ruelle.

À deux cents mètres de là, on apercevait les grilles du manoir. En arrivant devant le domaine, Blanche découvrit une agitation inhabituelle dans ce lieu d'ordinaire endormi. Plusieurs camionnettes d'artisans occupaient la grande cour. Les portes et les fenêtres de Costebelle étaient toutes grandes ouvertes. Une grande échelle avait été déployée jusqu'au toit. Blanche vit deux hommes qui l'inspectaient rigoureusement. Blanche s'avança dans l'allée, joyeusement accueillie par une Titine plus affectueuse que jamais. Marcel, debout devant les escaliers, l'appela.

— Viens, ma petite. Titine, laisse-la tranquille…

La petite chienne jappa et partit courir dans le parc après une pie qui venait de s'y poser.

En regardant les maçons sur la toiture, Blanche questionna son grand-père.

— Que se passe-t-il ici ?

— Rien, juste une précaution. Je voulais faire vérifier l'état de la toiture avant de commencer quelques rénovations. Mais apparemment tout va bien. Cette vieille baraque est solide. Ce n'est pas de sitôt qu'elle quittera le paysage.

Le vieil homme resta pensif devant le manoir dans lequel il avait vécu de nombreuses années.

— Tu vas le rénover ?

Marcel s'avança vers l'ombre.

— Oui, mais asseyons-nous sur le banc, on sera mieux à l'ombre pour discuter.

Ils se dirigèrent vers les grands cèdres. Un large banc en bois foncé sculpté de scènes religieuses accaparait l'ombre. Cette relique pompeuse avait été un caprice de Berthe trente ans auparavant. Ils s'y installèrent. Le soleil était brûlant, ce qui incommodait beaucoup Marcel. Il poussa sa casquette en arrière et s'essuya le front avec son grand mouchoir à carreaux.

— Dire que dans ma jeunesse, je ne craignais pas du tout la chaleur. Il ne fait pas bon vieillir, ma petite. Tout fout le camp !

— J'espère que j'aurai ta santé et ta vivacité à ton âge, papé...

Marcel sourit. Elle avait raison, la petite. Il n'avait pas à se plaindre. Tant qu'il pouvait courir la garrigue à la fraîche, aller et venir à sa guise, tout allait bien.

— Je voulais ton avis. Tu sais que Costebelle sera loué dès septembre. Les peintures sont vieilles et moches. J'ai pensé qu'un petit coup de neuf ne ferait pas de mal à cette bicoque.

— Tu as bien raison, papé, ça l'égayera un peu !

— Je suis sûr que tu choisirais mieux que moi les nouvelles couleurs... Si tu as un peu de temps, prends ce nuancier et ce cahier. Note ce que tu voudrais changer. Bien sûr, on garde les murs, il ne s'agit que de rénovation. Mes finances ont des limites. Décide toi-même, tu me rendras service. Ça n'a jamais été mon fort, ce genre de chose. Vas-y, fais ce que tu veux.

Blanche fut surprise. Elle n'aurait jamais imaginé s'occuper de la décoration de Costebelle...

— Mais peut-être que ça ne sera pas du goût des nouveaux locataires...

Le vieil homme hocha la tête avec un sourire empli de douceur.

— Ne t'inquiète pas, ma petite, ça plaira.

Changer Costebelle... Blanche était plutôt flattée de cette mission. Elle avait souvent rêvé de transformer cette maison. Elle comprenait facilement pourquoi sa mère et son grand-père ne s'y étaient jamais sentis à l'aise ! Tout y était pompeux et sentencieux. D'un air malicieux, Blanche fit face au « manoir des peigne-culs ». À voix haute, elle lui lança comme un défi.

— À nous deux, Satanas !

Blanche monta le large escalier blanc encadré par des piliers en pierre où trônaient deux énormes lions rugissants. Elle les regarda attentivement, ne les avait jamais aimées, ces deux bestioles agressives. Hésitant un instant, elle s'adressa à Marcel qui était resté à l'ombre.

— Tu y tiens à ces deux lions ?

— Pas du tout !

— Tu crois qu'on peut les enlever ?

— Avec plaisir. Je proposerai au brocanteur de venir les récupérer...

— Chouette ! Qu'ils aillent rugir ailleurs ! De belles potées de fleurs seront plus agréables, qu'en dis-tu, papé ?

— Très belle idée !

Blanche, satisfaite de ce premier changement, fut encore plus motivée lorsqu'elle pénétra dans la grande maison. Elle, Blanche Bruguière, avait carte blanche pour transformer Costebelle en un lieu accueillant. Qui l'eût cru ? Il y avait du travail...

L'entrée se faisait par un immense hall aux murs gris surmontés d'une large frise à damiers noir et blanc. Le sol était couvert de vieilles tomettes, que Blanche aimait bien. « Les murs repeints d'un blanc lumineux, sans cette horrible frise et avec les tomettes restaurées, rendraient l'entrée plus accueillante », pensa Blanche. Elle nota tout sur le cahier que lui avait donné son grand-père.

Continuant sa déambulation, elle arriva dans le grand salon. La couleur dominante était le vert foncé. Des traces de grands cadres et miroirs subsistaient aux murs. Une cheminée en bois de style Louis XV, rehaussée de dorures, donnait à la pièce un aspect désuet. La salle à manger en enfilade, ouverte sur le salon, était tapissée d'un papier peint à grosses chamarrures du même vert foncé que le salon. Une lourdeur oppressante s'en dégageait. C'était un endroit que Blanche n'aimait pas, il la rendait mal à l'aise. Elle imagina ces pièces badigeonnées de chaux d'une ocre douce, au plafond blanchi. Et pourquoi ne pas poncer le bois de la cheminée pour lui rendre son apparence naturelle ? Satisfaite de cette idée, elle se dirigea vers la cuisine.

Sacrilège des sacrilèges ! Ce lieu qui se devait d'être convivial, car on y préparait les repas, on y mangeait, on y échangeait, était affublé d'une tapisserie à grosses fleurs qui le rendait très déplaisant. Du blanc, de la clarté pour une pièce si importante dans une maison, seraient les bienvenus ! Elle ôta le gros rideau épais qui cachait la fenêtre. Le soleil jaillit comme un pantin hors de sa boîte. Elle se demanda depuis combien de temps cette cuisine n'avait été baignée de clarté. Elle se souvint que Berthe n'aimait pas le soleil et avait fait coudre des lainages épais dans chaque pièce de la demeure.

À l'étage, les six chambres seraient elles aussi déta-pissées et se vêtiraient de couleurs pastel. Blanche choisit celle qu'elle préférait. Le vieux plancher en chêne était très beau mais devait être ciré. Blanche prit le temps de regarder par les fenêtres du premier étage. Elle pénétra pour la première fois dans la chambre de Marcel et de Berthe. Sombre et triste, elle se demanda comment son grand-père avait pu vivre dans un endroit aussi déprimant. Fallait-il qu'il soit amoureux ! Elle redescendit, affichant un grand sourire et donna son avis à son grand-père qui discutait avec des peintres du village. Les choix de Blanche furent pris en compte consciencieusement par les artisans, qui semblaient les approuver.

— Merci, ma petite, il y aura un peu de toi dans cette maison maintenant.

Blanche sourit. Un peu d'elle à Costebelle, c'était étonnant. Elle pensa à l'homme attachant qu'était Marcel... Les artisans s'accordèrent pour les dates d'intervention sur la grande bâtisse. Tout semblait se mettre en route pour le plus grand plaisir du vieil homme. Le peintre en bâtiment, natif du village, rassura Marcel.

— Ne vous inquiétez pas, monsieur Bruguière, nous sommes une bonne équipe. Dans quinze jours au plus tard, le chantier sera fini.

— Je te fais confiance, mon gars. Si tu travailles aussi bien que ton père, ça sera parfait. Il allait à l'école avec mon fils, le Jacques. C'était un bon garçon.

— Merci monsieur. On a tout fermé. À lundi.

Les artisans prirent congé. La cour se vida de ses occupants petit à petit.

Marcel raccompagna sa petite-fille jusqu'au portail.

— Voilà, c'est fait. À eux de jouer maintenant.

— Tu parais soulagé, papé...

— C'est vrai. C'est une page tournée et il était temps.

Il la remercia pour son aide et l'embrassa une dernière fois.

Toute fière de cette aventure, Blanche repartit à vélo vers la Genestière. L'air qu'elle brassa lui fit du bien. Un frisson courut sur ses bras nus. C'était presque du bien-être. Dès qu'elle eut posé sa vieille bicyclette, elle rentra à l'intérieur de la maison et ouvrit les volets.

À peine assise devant sa citronnade, le téléphone sonna.

— Bonjour Blanche, c'est Charly le brocanteur.

— Ah ! bonjour Charly. Tu vas bien ?

— Oui, je ferme ma boutique et je rentre chez moi. J'ai fini ma journée. Dis-moi, tu es seule ?

— Oui.

— Je voudrais te parler de quelque chose. Peux-tu passer demain à la brocante ?

— Oui, je devrais trouver le temps. Qu'est-ce qu'il y a ?

— Rien de grave, mais je ne peux pas te dire maintenant. Je te demanderai de ne pas parler de mon coup de fil à Marcel. Tu lui raconteras plus tard, si tu juges utile…

La jeune fille était très surprise. Charly n'avait pas l'habitude de téléphoner à la Genestière…

— D'accord, je n'en parle à personne. Tu m'intrigues, Charly…

— Oui, je comprends. Mais en même temps, tu saisiras mieux ma prudence plus tard…

— D'accord, je viendrai te voir demain après-midi. Tu sais que tes verres vont très bien dans ma cuisine… ?

— Tant mieux, l'idée que tu en profites me plaît bien. À demain, Blanche.

— À demain, Charly.

La jeune fille raccrocha. Elle eut beau y réfléchir, elle ne voyait pas de quoi Charly voulait lui parler… De Marie peut-être… Mais alors pourquoi tant de cachotteries ? Ce n'était pas le genre du brocanteur, au caractère franc et direct… Elle devrait attendre jusqu'au lendemain pour savoir.

Le soleil était devenu moins chaud. Blanche décida d'arroser son jardin. Les plantes profiteraient mieux de l'arrosage à cette heure. Pastis l'accompagna pas à pas, se penchant sous le tuyau pour boire l'eau fraîche du puits en essayant de ne pas se mouiller. C'était peine perdue. À chaque essai, il s'éclaboussait un peu plus, bondissait plus loin, prenait un air renfrogné et recommençait. L'obstination du chat amusa la jeune fille.

— Tu finiras par aimer l'eau un jour…

À l'air boudeur de son chat, elle comprit qu'il y avait peu de chance.

En fin de journée, Mathilde et Blanche se rendirent chez Armelle. Celle-ci habitait un petit village à sept kilomètres de Saint-Antonin. Depuis seulement un an, son activité lui permettait de louer une petite maison avec un jardin et un grand hangar. Elle pouvait travailler chez elle, bien qu'elle fût obligée de se rendre au four communal pour cuire ses créations.

Elles la retrouvèrent dans le jardin, crayonnant sur un coin de table. Absorbée par son dessin, la tête penchée sur son carton, elle n'avait pas entendu arriver ses amies. Elles l'observèrent. Elle ressemblait toujours à la fille qui passait son temps, assise par terre, dans la cour du lycée. Adolescente, elle dessinait à la craie des scènes fantastiques qui faisaient l'admiration de ses copains. Se retrouvant régulièrement dans le bureau de la directrice, une demoiselle stricte et inflexible, Armelle recommençait dès le lendemain. Elle était l'artiste du lycée. La coopérative des lycéens avait fini par demander à la direction qu'elle installe un grand panneau contre les murs de la cour, destiné aux dessinateurs en herbe. Mlle Buller, femme intelligente qui eut vite fait de mesurer l'impact que ce projet aurait sur les élèves, accepta. L'immense panneau de deux mètres sur douze fut peint en noir, le soir à la fin des cours. Des craies de couleur furent mises à disposition de tous. Pendant les récréations ou les interclasses, sous l'impulsion d'Armelle, de nombreux élèves s'essayaient à exprimer leur imagination, se côtoyant tous, sous les yeux satisfaits de leurs professeurs. Cet espace et quelques craies de couleur avaient suffi pour créer un peu plus de lien entre les jeunes, grâce à la passion d'Armelle.

Aujourd'hui, dans son jardin, elle n'avait guère changé. Ses longues boucles châtains envahissaient son visage. Elle était assez maigre en ce moment. Les deux amies se doutaient bien qu'Armelle devait faire très peu de frais pour se nourrir, afin de pouvoir payer son loyer. C'est bien connu que la grande majorité des artistes ne mangent pas tous les jours à leur faim. Malgré tout, elle était heureuse.

Réjouie, elle accueillit ses amies qui arrivaient les bras chargés. Blanche et Mathilde déposèrent les plats et le pain dans la cuisine. Elles admirèrent le travail de restauration que leur amie avait fait dans cette vieille maison restée longtemps inhabitée. D'anciennes faïences vernissées avaient été récupérées à droite et à gauche, et posées contre le mur de l'évier. Le mélange des couleurs, qui aurait pu paraître improbable, donnait du tonus et de la gaieté à cette pièce mal éclairée. Armelle avait troqué un grand évier en pierre contre de la vaisselle de sa création. Une armoire à linge que la jeune fille utilisait pour ranger sa vaisselle trônait en bout de cuisine. Une table ronde et quelques chaises de bistrot avaient été chinées aux puces. L'ensemble avait du caractère et un certain peps.

— Je vois bien que vous aimez ma cuisine, les filles, mais ça ne vous fait rien si on mange dehors ? J'ai installé l'apéro dans la cour. J'ai besoin de soleil en ce moment.

— Tu as eu du mauvais temps à Paris ?

— Non, pas du tout, mais je suis restée enfermée plus que de raison.

— Alors, raconte un peu…

L'enthousiasme anima la jeune fille dès qu'elle commença à évoquer le salon de l'artisanat.

— C'était génial ! Épuisant mais génial. J'ai pu rencontrer des passionnés avec qui j'ai gardé des contacts, des professionnels qui m'ont invitée à plusieurs salons régionaux, des acheteurs qui m'ont donné quelques adresses intéressantes et puis des visiteurs avec qui j'ai échangé simplement sur mon métier. C'était très enrichissant.

Mathilde qui gardait la tête sur les épaules voulut en savoir plus.

— Dans tous les sens du terme, j'espère… ?

— Oui. J'ai fait de belles ventes et j'ai eu plusieurs commandes importantes pour l'étranger. Du coup, mes frais déduits, je suis largement en positif. Ça va mettre du beurre dans les épinards. Peut-être que dans quelques mois, je pourrai investir dans l'achat de mon four personnel… Ce serait magnifique.

Blanche et Mathilde étaient très fières d'Armelle.

— Tes efforts ont été récompensés. C'est très chouette !

La potière sembla émue de partager cet instant avec ses amies d'enfance.

— Merci, les filles. Je suis heureuse parce que ce succès me prouve que je ne me suis pas trompée en m'entêtant à faire ce que j'aime. C'est le plus important pour moi.

— Et puis, tu es lancée maintenant. Tes créations plaisent et se vendent, l'affaire est dans le sac !

Armelle, qui avait toujours été la moins rêveuse des trois, garda la tête froide.

— Ne crois pas ça, Blanche. Rien n'est jamais joué. Il faut toujours travailler, encore et encore. Mais bosser à faire quelque chose qui passionne, ce n'est pas une contrainte, c'est du bonheur.

Mathilde plaisanta.

— Tu es toujours aussi modeste. Pourtant tu livreras bientôt les poteries Armelle Vézon en Allemagne. Tu vas être obligée d'apprendre l'allemand…

— Aucun souci. J'apprendrais même le chinois si ça me permettait de vendre là-bas !

Elles trinquèrent toutes les trois au succès, à l'amitié, à l'amour et… aux saucisses grillées. Elles plaisantèrent, rirent, s'embrassèrent. C'était une soirée entre copines comme beaucoup. Après avoir englouti le gâteau aux carottes et la pizza au fromage de chèvre, les amies rentrèrent dans la maison et s'affalèrent sur le vieux canapé vert. Après s'être tortillée dans tous les sens, Blanche se rendit à l'évidence.

— Le canapé aussi, tu l'as chiné ?

Armelle, amusée, hocha la tête. Mathilde renchérit.

— Là, tu n'as pas fait l'affaire du siècle ! On y est tellement enfoncées que je ne sais pas si on pourra en sortir...

Les copines rigolèrent du mauvais état du canapé.

— C'est vrai qu'il n'est pas confortable mais je l'aime bien. Il y a aussi que l'on a peut-être un peu abusé du côtes-du-rhône...

— Ce n'est pas faux. En y réfléchissant, ça faisait un bon moment que ça ne nous était pas arrivé...

Armelle devint plus sérieuse.

— Que ça fait du bien de rire comme ça avec vous. À Paris, j'avais l'impression que les gens n'avaient pas de zygomatiques. Ils courent tellement, les pauvres, qu'ils n'ont même pas le temps de lever le nez sur les autres... On serait certainement comme eux, si on vivait dans ce rythme effréné.

— Peut-être...

— Après le salon, j'ai passé deux jours chez mon frère. C'était super.

Mathilde et Blanche se regardèrent soudain sérieuses, elles aussi.

— Comment va Yann ?

— Très bien. Il est toujours à fond dans l'informatique, le pépère. Il sort beaucoup et fréquente une nana de son quartier. Elle est sympa.

— Il est devenu un vrai Parisien...

— Oh oui ! Saint-Antonin ne lui manque pas. Il ne vient que pour les vacances et il repart tout content vers la capitale. Il aime tellement bouger, visiter des expos, sortir en concert que là-bas, il est comblé. Sa vie est à Paris.

— Où qu'il vive, l'essentiel est qu'il s'y trouve bien.

— C'est sûr. Et puis ça me permet d'y aller de temps en temps. Un jour, il faudrait que l'on y parte toutes les trois, ce serait génial, les filles…

— Tu as raison. Je me serais volontiers promenée à Montmartre, dans le quartier du Marais qui est si vivant et sur les bords de la Seine. J'ai aussi toujours eu envie de faire le tour de l'île Saint-Louis en bateau-mouche…

Armelle raconta ses habitudes lorsqu'elle allait à Paris.

— À chaque séjour chez mon frère, je pars faire le tour des bouquinistes le long de la Seine. Ils ont parfois des merveilles de gravures. J'en ai quelques-unes dans mon atelier. Et puis les puces de Saint-Ouen, j'adore. Malheureusement, j'y vais souvent en train, je ne peux pas me charger pour le retour…

— Heureusement, sinon qu'est-ce que tu nous ramènerais encore ?

Les amies s'esclaffèrent.

— Tu n'as pas tort.

Mathilde continua sur le ton de la plaisanterie.

— Tu nous vois toutes les trois dans le métro, avec notre accent qui n'en finit pas de traîner ? On nous regarderait avec des yeux de merlan frit !

— Mais non, Mathilde, ils l'aiment bien, les Parisiens, notre accent. On leur apporte le soleil.

— Ah oui ?

Mathilde, songeuse, posa brusquement la question qui lui brûlait les lèvres.

— Tu te souviens si ton frère était ami avec une Nathalie quand il était petit ?

Blanche la regarda, inquiète, car elle trouvait la question trop directe...

Armelle réfléchit.

— ... ? Une amie d'école ?

— Euh non... elle devait être plus âgée que lui...

Armelle se leva du canapé pour se servir un verre d'eau.

— Je ne vois pas. Mis à part Nathalie Coste, je ne vois pas du tout.

Les filles se regardèrent, surprises et ennuyées à la fois de devoir dissimuler une partie de la vérité à leur amie. Blanche sauva la mise à Mathilde qui resta bouche bée.

— Oui, c'est ça, c'est Nathalie Coste ! C'est ce nom dont m'a parlé Nicolas, le cousin de Paul. Il habite à Grand Bastide et il était amoureux d'une Nathalie Coste qui était à l'école là-bas avec lui. Il savait qu'elle connaissait très bien un petit Yann de Saint-Antonin...

Mathilde lança un coup d'œil admiratif à son amie. Armelle continua.

— Oui, on la voyait souvent à la maison, Nathalie. Elle venait passer des vacances.

— Elle était de ta famille ?

— Non, c'était la fille d'une camarade de maman. Sa mère était très malade, alors mes parents prenaient soin d'elle et de Nathalie. Tu sais qu'ils ont toujours eu le cœur sur la main, mes parents...

Blanche insista.

— Une camarade de ta mère ou une camarade de ton père ?

— Une camarade de ma mère, je pense... Enfin aucune importance puisqu'elle était devenue l'amie des deux.

181

Blanche était certaine qu'Odile était l'amie d'école de Serge Vézon car elle était originaire de Saint-Antonin. Brigitte Vézon avait grandi à Brignoles, où elle était restée jusqu'à son mariage. Le couple avait sûrement raconté ce petit mensonge à Armelle afin de brouiller les pistes sur l'identité d'Odile.

C'est Mathilde qui continua d'une voix brusquement enrouée.

— Et qui était son père ?

— Je ne sais pas, je ne l'ai jamais vu en tout cas. Dis donc, il avait du goût, le cousin de Paul ! Elle était belle, Nathalie. Je me souviens de ses grands yeux verts que tout le monde admirait. La dernière fois qu'elle était venue chez mes parents, on lui avait fêté ses seize ans. Yann n'avait que treize ans et une bouille pleine d'acné, le pauvre... Il n'était pas gâté par la nature à cette époque. Heureusement qu'il se rattrape maintenant.

Armelle se mit à rire de bon cœur.

— Qu'est-ce que je disais ?

— Tu disais que ton frère avait treize ans quand vous aviez fêté les seize ans de Nathalie Coste...

— Ah oui. Moi, j'étais petite, je devais avoir... six ans. Mon père avait pris une photo.

— Tu l'as encore cette photo ?

— Non, on a dû lui donner en souvenir. Après elle est partie à Marseille pour poursuivre ses études. Elle était douée, il paraît. Elle travaillait beaucoup et ne sortait presque pas. Mes parents s'en étaient inquiétés d'ailleurs... Ils ne se sont pas fait de souci pour moi, j'étais toujours dehors, vous vous souvenez, les filles ?

— Oh que oui, on se souvient, on était avec toi !

— C'est vrai. Et le soir où on avait décidé de dormir à la belle étoile au bord du Gardon…

— Ouais. On avait juste oublié de prévenir nos parents… C'est le père de Mathilde qui nous a trouvées le premier.

— Il n'a pas eu de mal, avec notre grand feu de camp plus grand que les feux de la Saint-Jean ! Tout ça pour faire griller trois merguez.

— Heureusement que l'on s'est améliorées…

Blanche regarda les grillades qui restaient au fond du plat.

— Je crois que nous pourrions faire encore mieux…

La gaieté était de la partie ce soir chez Armelle. Les amies étaient heureuses de se retrouver comme autrefois, et ça s'entendait.

— Bon, j'en étais où… ?

— Euh… ? Nathalie ne sortait pas.

— Exact. Mes parents sont allés quelquefois la voir à Marseille. Tout allait bien. Ils l'aimaient bien, Nathalie. Ma mère disait en parlant d'elle qu'elle admirait son courage et sa volonté. Il est vrai qu'avec une mère autiste, ça ne devait pas être évident tous les jours pour elle.

— Autiste ?

— Oui, enfin une sorte d'autisme… une maladie d'un nom bizarre… je ne sais plus…

Odile n'était donc pas folle, elle était atteinte d'autisme. Un immense soulagement envahit Blanche, comme si elle apprenait une bonne nouvelle. Elle le sentait qu'elle n'était pas folle.

Mathilde continua à questionner Armelle qui ne s'arrêtait plus de parler ce soir, sûrement sous l'effet de la fatigue et du vin.

— Tu les as revues toutes les deux ?

— Moi non, mais mes parents sont allés à l'enterrement d'Odile, il y a deux ans. Ils ont retrouvé Nathalie du haut de ses trente-trois ans. Je les ai entendus dire que malgré l'enfance qu'elle avait eue, elle était devenue une femme épanouie.

C'était la douche écossaise pour Blanche. Odile était morte. Les larmes lui montèrent aux yeux. Elle avait tant partagé sa souffrance, ses joies, ses craintes, tout au long de son journal…

Mathilde s'aperçut de son trouble.

— Hé les copines, il se fait bien tard, il est trois heures du matin. Faudrait voir à aller se coucher…

— Tu as raison. Merci d'être venues. Elle était sympa cette soirée.

— On n'allait pas te laisser trinquer toute seule… Allez, à bientôt.

— À bientôt, les filles.

Après s'être embrassées une dernière fois, elles laissèrent une Armelle fatiguée mais heureuse des retrouvailles avec ses amies.

En route, Mathilde comprit le silence de son amie. Cette soirée avait été riche en révélations mais le décès d'Odile, elles ne s'y attendaient pas.

— Je ne comprenais pas comment les amis d'Odile avaient pu l'aider, toutes ces années en cachette, sans jamais rien lâcher à leur entourage… Maintenant, je comprends.

Mathilde continua.

— Les amis d'Odile étaient Serge et Brigitte Vézon. Voilà pourquoi ils ont gardé un silence de plomb sur leur amitié avec elle : ce sont les parents de Serge qui ont recueilli Liora, ma grand-mère en 1942. Serge n'était pas né à cette époque. Liora a toujours été la grande sœur de la famille. Elle traînait Serge partout comme une petite mère. Je sais qu'ils s'adorent ces deux-là. Jamais il n'aurait pu lui faire le moindre mal. En plus, imagine sa situation : il découvre que le mari de celle qu'il considère comme sa grande sœur a une fille cachée avec sa camarade d'école ! En fait, Serge devait être très attaché à l'une et à l'autre. Voilà pourquoi il a marché dans la combine et les a aidées en secret...

Blanche pensa que la déduction de son amie était judicieuse. Petit à petit, le rideau se levait sur le mystère de l'inconnue du mazet.

— Je comprends aussi pourquoi mon grand-père Jeannot a tellement changé depuis quelques années. C'est à cause de la mort d'Odile. Il devait vraiment l'aimer, cette femme...

— Oui, je crois aussi. Entre Odile et Jeannot, c'était une véritable et belle histoire d'amour. Leur différence d'âge n'a rien changé à l'authenticité de leurs sentiments. Ils s'aimaient de tout leur cœur, voilà tout. Le genre d'amour à côté duquel on ne peut pas passer. Je l'ai bien senti dans les mots d'Odile...

Blanche se racla la gorge pour chasser cette étrange boule qui l'étreignait, puis elle continua.

— Ils sont trois à connaître la vraie identité d'Odile Coste. Peut-être qu'un jour on saura... Et puis, à quoi bon ! C'est trop tard maintenant.

— Elle commençait à compter pour toi, cette inconnue...

Blanche la regarda tristement, cherchant à justifier sa peine.

— C'est vrai. Je me suis vue comme une confidente

auprès d'elle, pas comme une intruse qui aurait découvert son journal. Parce que je comprenais ses sentiments, je me suis vite sentie très proche d'Odile.
C'était comme si un lien s'était tissé entre nous.

Elle observa son amie qui ne répondit rien.

— C'est ridicule, non ?

Mathilde lui prit la main.

— Non, pas du tout.

Elle savait qu'il ne fallait pas insister. Elle laissa
Blanche à sa tristesse. La pilule était difficile à digérer.
Elle la déposa à la Genestière, l'embrassa tendrement
et rentra chez elle.

14

Les jours suivants, Blanche s'acharna à son travail. Elle prit même de l'avance. C'était le seul moyen qu'elle avait trouvé pour calmer sa déception. Elle ne rencontrerait jamais Odile. À quoi bon avoir trouvé son journal ? Elle aurait mieux fait de le jeter. « Cette histoire finit en queue de poisson », pensa-t-elle. Il était temps d'oublier tout ça et de penser au présent.

La sonnerie du téléphone la tira de sa mélancolie. Une voix grave résonna dans le combiné.

— Comment tu vas, ma belle brune ?

C'était Marceau. Son cœur s'enflamma.

— Je vais bien. Je suis contente de t'entendre ! Où es-tu ?

— Je suis à Ramatuelle. Tu me manques.

— Toi aussi, Marceau. Je pense très souvent à toi…

— Je te retrouve chez toi dans cinq jours, peut-être avant, je vais voir si je peux m'arranger.

— Chouette ! Je languis tellement de me blottir contre toi…

— Bientôt, ma belle brune, bientôt. Je t'embrasse.

— Je t'embrasse très fort.

Ce bref coup de fil lui changea les idées. Le sourire

était revenu sur ses lèvres. La belle voix de Marceau chantait dans sa tête des mots pleins de tendresse. Le cœur plus léger, elle décida de s'aérer. Il faisait moins chaud aujourd'hui. Blanche regarda le ciel et pensa qu'un orage se préparait sûrement pour la soirée. Elle avait besoin de marcher et partit pour Costebelle à pied. Les travaux avaient dû avancer. Elle était curieuse de voir les changements opérés sur le manoir.

Lorsqu'elle entra dans la cour, elle aperçut son oncle François. L'air grincheux, il ne quittait pas le bâtiment des yeux. Blanche s'avança vers lui. Après lui avoir dit bonjour, elle lui demanda où en étaient les travaux. Il la scruta avec son regard sombre si coutumier. Il ne lui répondit pas. Blanche crut qu'il n'avait pas entendu sa question, et la renouvela.

— Où en sont les travaux ?

François répondit à Blanche, les dents serrées par la colère.

— Marcel n'avait pas le droit de toucher à Costebelle ! Il ne respecte rien.

Blanche, étonnée, se demanda quelle mouche l'avait piqué… Son oncle reprit de plus belle.

— D'ailleurs, il n'a même pas été capable de rendre sa femme heureuse…

Blanche dévisagea son oncle. Une colère intérieure le rongeait depuis des années. Il paraissait en vouloir au monde entier, ne supportait plus personne. Sa rancœur était souvent tournée vers son père. Il était vrai que les deux hommes n'avaient guère de points en commun, mais François rendait Marcel fautif de tous les maux. La jeune fille ne supporta pas que l'on parle ainsi de son grand-père.

— Tu ne crois pas que tu es injuste en disant ça ?

— Qu'est-ce que tu en sais, toi ? Tu y as vécu à Costebelle ?

Il dit ça avec tant de rage que Blanche en fut interloquée. Il ne lui avait jamais parlé sur ce ton.

— Non, j'en suis heureuse d'ailleurs. Cette maison est un vrai mausolée.

François entra dans une colère rouge.

— Peut-être, mais justement, ça se respecte un mausolée ! Et toi, tu avais besoin de la faire barbouiller de ces couleurs de mistonne ? Tu aurais aimé que j'aille repeindre la tombe de ta mère en bleu ?

L'homme remarqua que ces dernières paroles avaient fait tressaillir sa nièce. Il la toisa, partit à grands pas vers le portail où il croisa Marcel qui descendait de voiture. Il fila sans adresser un seul mot ni un seul regard à son père. Blanche savait que François n'aimait pas sa famille, mis à part sa chère mère. Pourquoi tant de violence ? Elle se dit que cette rage cachait certainement un grand chagrin, et elle essaya de se convaincre de ne pas lui en vouloir...

Arrivé à la hauteur de sa petite-fille, Marcel la trouva blême et voulut savoir ce qu'il s'était passé. Elle ne parla pas des paroles blessantes de son oncle.

— Ne t'inquiète pas, papé, rien de grave. Simplement François n'était pas content que l'on ait fait des changements à Costebelle.

Le vieil homme s'agita.

— Mais je m'en fous qu'il soit content ou pas ! D'ailleurs tu l'as souvent vu content ? À quatre-vingt-cinq ans, je n'ai pas de permission à lui demander. De toute façon, je me doutais bien qu'il serait contre ces travaux, il ne voulait même pas que je la loue cette baraque ! Il préfère qu'elle tombe en ruine plutôt que d'y voir quelqu'un dedans. Je l'ai écouté pendant des années, il n'a pas été moins aigri pour autant. Il me déteste…

— Tu exagères, papé…

— Non, je t'assure, il me déteste.

— Mais enfin, pourquoi ?

Marcel se dirigea vers le banc, Blanche le suivit. Le vieil homme prit son temps pour répondre, comme agité par de vieux démons. Au bout d'un long silence, il commença à se confier à sa petite-fille.

— Mon fils me hait pour une chose très simple et assez incroyable. J'étais l'homme de sa mère. Celui qui l'a connue jeune fille, celui qu'elle a aimé, à qui elle s'est abandonnée. François n'a toujours eu d'yeux que pour Berthe. Moi, il ne m'a jamais vu comme un père mais comme un rival.

— Marie m'en avait parlé, mais je ne me doutais pas que c'était à ce point…

— C'était un peu la faute de sa mère, aussi. Dès sa naissance, elle l'a couvé, dorloté, porté sans arrêt. Il passait ses jours et ses nuits contre elle, sans qu'elle ne veuille le lâcher. C'était trop. Leur relation était devenue plus que fusionnelle. Puis, Berthe l'a un peu délaissé à l'arrivée d'Isabelle… et complètement les années qui ont suivi. Elle s'est d'ailleurs détournée de nos trois enfants alors qu'ils étaient encore jeunes… François en a été traumatisé, c'est sûr. J'ai essayé de me rapprocher de lui, mais il m'a toujours repoussé. Il ne voulait que sa mère, personne d'autre et surtout pas moi. Il a souffert dès l'enfance et souffre encore aujourd'hui d'une jalousie maladive.

Apparemment, ça faisait du bien à Marcel de parler à Blanche. Il continua.

— Ensuite, quand deux ans après Isabelle ta mère est née, François s'est mis à haïr ses sœurs. Surtout Isabelle, il ne la supportait pas...

Blanche fut étonnée d'entendre ce prénom que personne ne prononçait.

— Isabelle...

— Oui. Ma chère Isabelle.

Marcel ne parla plus. Blanche aurait aimé qu'il lui parle de cette fille disparue, mais se garda bien de lui poser des questions quand elle aperçut des larmes couler sur ses joues.

— Mon Isabelle, j'ai tellement de regrets !

Le vieil homme fondit en larmes. Blanche, le cœur chaviré, le prit dans ses bras. Ils restèrent comme ça longtemps, accrochés l'un à l'autre. Au bout d'un long moment, Blanche fit une proposition à son grand-père.

— papé, viens vivre chez moi. Tu sais que je t'aime, moi !

Marcel émergea de ses pensées. Les yeux ébahis, il regarda cette enfant qui lui disait son amour.

— Je sais, ma Blanche. Mais si je laisse ton oncle seul, ce sera comme si je l'abandonnais. Malgré son caractère, je l'aime mon fils.

Blanche aurait voulu que François entende ces paroles et qu'il ait honte de faire du mal à un homme aussi bon.

Ils restèrent encore un long moment à discuter puis se séparèrent en milieu d'après-midi. Avant de le quitter, elle prit Marcel dans ses bras et n'oublia pas de lui dire à quel point il était important pour elle.

En passant le portail du manoir, Blanche se souvint qu'elle devait passer chez Charly. Elle emprunta alors les ruelles étroites qui donnent sur les boulevards. Le ciel s'était encombré d'épais nuages gris. Un orage allait éclater. L'air était devenu pesant. Dans les rues, les gens se pressaient de rentrer chez eux. Blanche activa son pas. Lorsqu'elle poussa la porte de la brocante, elle trouva Charly affairé à réparer une horloge ancienne.

— Coucou Charly.

L'homme, surpris, se retourna.

— Ah ! Blanche, entre ma jolie.

— Qu'est-ce que tu fais ?

— J'essaie de faire chanter cette antiquité qui a décidé de se mettre à la retraite. Ce n'est pas gagné, elle est têtue, la bougresse !

— Mais toi aussi, je crois savoir…

— Exactement, têtu et curieux. Elle ne sait pas à qui elle a affaire !

Tout en parlant, il s'était levé et avait donné un tour de clé à la porte d'entrée.

— On sera plus tranquilles comme ça. Viens dans mon atelier que je t'explique.

Blanche le suivit. Ça sentait bon l'encaustique. Des outils en tout genre jonchaient une large table de ferme servant d'établi. Une multitude de meubles attendait de retrouver une seconde jeunesse. Une armoire provençale venait de se parer de sa dernière couche de cire, superbe comme une parure dans la vitrine d'un bijoutier. Des bouteilles, des pots contenant des mélanges connus seulement de l'artisan s'alignaient sur les étagères murales. Au milieu de la pièce, elle reconnut l'ancien secrétaire du manoir. Charly s'en approcha.

— C'est le secrétaire que m'a cédé ton grand-père Marcel, tu le reconnais ?

— Oui. Je ne l'aime pas du tout !

— Peut-être mais il s'avère qu'il a de la valeur. Je l'ai dit à Marcel. C'est un secrétaire Renaissance en placage d'acajou. Comme tu le vois, il a besoin d'une bonne restauration.

— C'est sûr.

— Tu verras dans une semaine comme il sera beau...

Blanche restait sceptique. Non pas qu'elle doutât du travail de Charly qui restaurait les meubles depuis des années avec talent, mais elle avait du mal à imaginer ce secrétaire, fierté de Berthe, devenir beau un jour à ses yeux.

L'homme ouvrit la porte du meuble qui laissa apparaître neuf tiroirs.

— Tu vois, j'ai commencé à le démonter. J'ai retiré son caisson et certains casiers.

Effectivement, Charly avait commencé à en nettoyer quelques-uns. Ils étaient posés sur des journaux, sur la grande table. Blanche dut reconnaître le remarquable travail de marqueterie effectué sur le secrétaire. Charly se pencha sur le meuble.

— Regarde sur le côté gauche, sous la colonne galbée. Que vois-tu ?

Elle se baissa, regarda attentivement.

— Je ne vois rien.

Charly continua ses explications.

— Mais si, observe-le attentivement.

La jeune fille examina l'intérieur du secrétaire de nouveau.

— Ne vois-tu pas un minuscule trou à l'intérieur du montant ?

Les yeux de Blanche scrutèrent le bois à la recherche d'un indice, qu'elle découvrit enfin.

— Oui, maintenant que tu le dis, je vois un tout petit trou !

— C'est ça.

Charly se saisit d'une aiguille à coudre et la tendit à la jeune fille.

— Enfonces-y cette pointe.

Blanche, de plus en plus intriguée, suivit les conseils de son ami brocanteur. À ce moment-là, un cliquetis se fit entendre. À la grande surprise de la jeune fille, un petit tiroir sortit du montant gauche du vieux secrétaire. Charly sourit en voyant ses yeux ronds d'étonnement.

— Ah mince alors !

Charly expliqua l'ancien mécanisme du meuble.

— Voilà. Tu viens d'ouvrir le tiroir secret que dissimulait le meuble de tes ancêtres.

— C'est étonnant ! Il faut le montrer à Marcel.

— Attends que je t'aie dit ce que j'y ai trouvé…

— Il y avait quelque chose dans ce tiroir ?

— Oui.

— Quoi donc ?

Charly se retourna, ouvrit une boîte en bois posée sur son établi et en sortit une enveloppe.

— Une vieille lettre. Cachée là depuis cinquante-deux ans…

— Cinquante-deux ans ! C'est énorme. Une lettre de qui ?

— D'une personne qui écrivait à ta grand-mère Berthe Vernet. C'est sûrement elle qui l'a cachée ici. Elle pensait que personne ne la découvrirait.

Blanche n'en finissait pas d'être surprise.

— Mais qu'est-ce qu'elle dit cette lettre ?

Charly était visiblement embarrassé.

— Tu la liras quand tu seras seule chez toi… Mais

sois prudente. Cette lettre n'est pas anodine. Elle peut bouleverser Marcel, et même lui causer un véritable chagrin.

L'homme prit Blanche par les épaules, sa voix devint rassurante.

— Je sais combien tu es attachée à ton grand-père. C'est pour ça que j'ai pris la décision de te la donner. Tu sauras faire le bon choix.

Blanche regarda cette enveloppe jaunie. En aucun cas, elle ne voulait que Marcel souffre. Il avait déjà bien assez souffert.

— Pourquoi ne pas la brûler tout de suite ?

— Lis-la avant Blanche et détruis-la si tu veux. Il n'y a que toi et moi qui connaissons son existence. Tu peux compter sur mon silence à ce sujet.

Elle la regarda encore sans l'ouvrir.

— Merci Charly. Merci de penser à Marcel avant tout.

Le brocanteur passa sa main dans ses cheveux, et s'assit sur un voltaire restauré. Il fit signe à la jeune fille de s'asseoir à côté de lui.

— Tu sais, j'ai beaucoup de respect pour lui. C'est un grand bonhomme, Marcel. Mon père et lui étaient amis d'enfance. Ils faisaient les quatre cents coups ensemble dans leur jeunesse. Et puis, le temps a passé, ils ont fondé une famille. Quand mon pauvre père est mort d'un accident du travail, moi et mes frères nous étions encore jeunes. Ça a été terrible pour ma mère, perdre son mari et se retrouver sans revenu avec trois enfants à nourrir... En plus, nous avons dû quitter l'appartement que mes parents louaient à la place aux Herbes. Le loyer était devenu impossible à payer. Marcel ne nous a jamais laissés tomber. Il a toujours été là pour apporter des solutions. D'abord, il nous a logés gratuitement dans l'ancienne maison des Vernet, celle qui appartient à ton oncle François maintenant. Nous y sommes restés des années. Nous étions bien là-bas. Et puis, grâce à son poste de conseiller municipal, Marcel est arrivé à faire embaucher ma mère à l'école du village. Elle assistait la maîtresse, faisait le ménage et s'occupait de la cantine. C'était le travail idéal pour elle. Nous partions avec elle à l'école et nous en sortions tous ensemble. C'est grâce à Marcel qu'elle a pu surmonter son chagrin et continuer à s'occuper de nous. Elle nous a toujours répété : « N'oubliez jamais, mes garçons, que cet homme est la bonté même. Soyez reconnaissants toute votre vie du soutien qu'il nous a apporté dans les moments les plus difficiles. Beaucoup ont tourné la tête pour ne pas voir notre misère. Lui, il nous a tendu la main. »

Blanche fut très émue par ce récit. Elle connaissait depuis longtemps la générosité de son grand-père, mais entendre ces mots de la bouche du brocanteur était touchant.

— Voilà pourquoi, Blanche, je tiens à le préserver plus que tout.

— Merci, Charly.

Elle s'approcha et l'embrassa affectueusement sur la joue. L'homme, touché, s'empressa de cacher son émotion.

— Allez, rentre vite. Il tonne. Tu vas te prendre l'orage.

Blanche lui sourit, reconnaissante de son affection. Elle mit la vieille lettre dans sa poche et sortit de la boutique de Charly. La tête emplie d'interrogations, elle s'élança dans les ruelles assombries. Sur le chemin de la Genestière, elle rencontra quelques connaissances qu'elle se contenta de saluer d'un bonjour rapide. Blanche était pressée de lire ce courrier oublié dans un tiroir secret. Elle se questionnait sur son contenu capable de blesser un homme fort comme son grand-père.

Elle arriva enfin dans l'allée de la Genestière. Un éclair transperça le ciel. Un grondement sourd ne tarda pas à se faire entendre. L'orage était là. Pastis tournait en rond sous la tonnelle, les oreilles en arrière, apeuré par le bruit sec qui claqua au-dessus de sa tête. Blanche ouvrit vite la porte de la cuisine pour le laisser entrer.

— Viens vite, mon grand, n'aie pas peur.

Blanche se servit un grand verre d'eau et monta jusqu'à sa chambre. La lettre hors de sa poche, elle s'allongea sur son lit et l'observa. L'enveloppe jaunie était adressée à Mme Berthe Bruguière, Manoir de Costebelle, Saint-Antonin. Elle en sortit délicatement les deux feuilles de papier qu'elle contenait et les déplia. Écrite à l'encre noire, d'une écriture élégante et appliquée, la lettre était datée du 23 août 1949 à Nîmes. Blanche la lut.

Je viens de recevoir le courrier que tu as adressé à mon intention à l'étude notariale de mon père. Fort heureusement pour toi, il n'a pas été ouvert mais on me l'a transmis directement. Cela a évité que tu te ridiculises un peu plus. Comme je vois que tu te fais des idées sur ce que tu appelles « notre relation », je vais t'expliquer la réalité des choses.

Il y a plusieurs années, j'ai consenti à me fiancer avec toi sous la pression de mes parents, qui n'étaient intéressés dans cette affaire (car ça en était une) que par le manoir. Le seul défi que j'y ai vu, c'était de te mettre dans mon lit avant le mariage. J'y suis parvenu, assez brillamment je dois le reconnaître. Je n'ai jamais eu la moindre intention de t'épouser. Que voulais-tu que je fasse d'une petite bourgeoise alors que le Tout-Paris me tendait les bras ? Ma pauvre Berthe, je n'aurais jamais renoncé à ma vie de débauche que j'affectionne particulièrement, pour ton minois si agréable à regarder soit-il !

Lorsque nous nous sommes revus par hasard à Saint-Antonin au mois de mai de l'année dernière, bien que tu te sois mariée entre-temps, j'ai entrevu dans tes yeux le trouble que te causait cette rencontre fortuite. Pour ma part, une nouvelle possibilité de passer du bon temps sous tes jupes s'offrait à moi. J'avais même fait le pari avec mon grand ami Silvère que je parviendrais à te culbuter une nouvelle fois. J'y suis parvenu sans trop de difficulté, grâce à « ton amour encore intact pour moi ». Quelle niaiserie ! Pour être précis jusqu'au bout, afin de valider la véracité de notre pari, mon ami Silvère a assisté à la scène à ton insu, lorsque je t'ai renversée sur les sacs d'engrais, dans l'entrepôt agricole de Costebelle.

Pauvre fille, comment as-tu pu penser que je pouvais avoir quelques sentiments pour toi ? N'as-tu donc jamais compris que je ne suis pas quelqu'un de fréquentable pour la petite bourgeoise que tu es ? Moi, je n'aime que les filles de joie à qui on laisse un billet en partant. Alors quand j'ai eu ta lettre qui m'annonçait que « notre amour avait porté ses fruits », autrement dit que je t'avais engrossée, j'ai bien ri ! Que veux-tu que j'en aie à faire ? Tu es mariée, donc fais endosser la paternité de ton bâtard à ton mari et ne cherche plus à me contacter. Sinon il se pourrait bien que je *ne résiste pas au plaisir de te ridiculiser, auprès de la bonne société, en racontant toute cette histoire... Je laisse cela à ton seul jugement.*

Norbert-Jacques Janin

Blanche fut soufflée par le mépris et la méchanceté avec lesquels ce courrier avait été écrit. Comment pouvait-on mortifier quelqu'un à ce point ? Que de bassesses possibles dans la nature humaine ! Elle regarda plus attentivement la signature de l'expéditeur. *Norbert-Jacques Janin.* Janin... le fils du notaire dont les deux mamés parlaient devant Costebelle.

Bien qu'elle n'ait jamais eu de réelle affection pour sa grand-mère Berthe, Blanche se demanda comment cette dernière avait pu réagir après la réception de cette lettre...

Puis, elle pensa à Marcel. Berthe qu'il avait sincèrement aimée toute sa vie était en fait restée éprise de son premier fiancé. Est-ce qu'elle l'avait épousé par dépit amoureux ? Il semblait que oui. Trompé une première fois, il l'avait été une seconde pendant leur mariage. Sa femme avait conçu avec un autre leur fille Isabelle. Son Isabelle à laquelle il était tant attaché, celle qu'il pleurait encore aujourd'hui... Elle n'était pas sa fille, mais celle d'un vaurien méprisant et hautain.

Blanche se cala la tête dans les oreillers pour mieux réfléchir. C'était évident. Il ne fallait pas qu'il sache. À son âge avancé, Marcel n'aurait pu supporter cette triste réalité. Et puis à quoi bon révéler ces faits ? Isabelle était morte noyée en 1966, Berthe était décédée en 1999, il ne restait que Marcel.

Ce n'était pas dans les habitudes de Blanche de masquer la vérité, mais elle décida de garder ce courrier secret pour protéger celui qu'elle aimait plus que tout, son grand-père.

— Allô Charly, c'est Blanche. Cette lettre n'a jamais existé. Tu as raison, Marcel ne doit pas en entendre parler.

— Tu peux compter sur mon silence, Blanche. Tu as pris la bonne décision.

— Merci Charly, merci pour tout.

Étendue sur son lit, la jeune fille se posa des questions sur la vie, sur l'amour, sur la sincérité. Comment peut-on être sûr des sentiments de l'autre ? Il lui semblait difficile de ne pas voir la fausseté, le mensonge... Si Marceau n'était pas sincère, elle le verrait tout de suite. C'était sûr. Enfin, elle pensait... En même temps, elle avait peu vécu encore. Peut-être que la vie lui jouerait des mauvais tours ou bien qu'elle rencontrerait des personnes perfides... Qui peut prévenir de ça ? Doit-on se méfier de tous pour se protéger ? Non. Blanche ne vivrait jamais ainsi. Elle en était incapable. Le trait principal de son caractère était la générosité. Comment peut-on être généreux loin des autres ?

Elle était en pleine réflexion quand un camion de livraison klaxonna en bas de l'allée. Elle rangea la vieille lettre précipitamment dans sa table de nuit, enfila ses tongs et descendit sous une pluie battante au-devant du livreur.

15

Le lendemain matin, Blanche se leva aux aurores. Elle éprouva le besoin d'aller marcher très tôt, de se vider la tête de toutes ces frustrations emmagasinées depuis quelques jours. Lorsque la nécessité se faisait ressentir, c'était dans la nature qu'elle allait puiser cette force qui la rendait heureuse.

Les baskets aux pieds, elle emprunta le chemin de la combe du loup, celui qui serpentait dans la garrigue caillouteuse. Le jour se levait à peine, le silence était apaisant. Une légère brume s'évaporait au loin, donnant au paysage des allures de campagne mystérieuse. La pluie de la veille avait rafraîchi l'air. La rosée perlait encore sur les feuillages luisants, désaltérant quelques rongeurs de ses gouttes espérées. L'été avait été très chaud jusqu'à maintenant. Bien que la végétation de la garrigue fût constituée d'espèces qui supportaient bien les saisons arides, les grosses averses lui donnèrent une nouvelle vigueur. Les plantes avaient redressé leurs tiges alanguies, les arbres s'étaient coiffés de paillettes brillantes qui s'évanouiraient au premier rayon de soleil. La terre pâle des chemins arborait provisoirement une couleur de pain d'épices. Blanche marchait d'un bon pas dans cette garrigue qui lui emplissait le cœur de bien-être.

Une compagnie de perdrix traversa plus loin sur un sentier en se dandinant. Elle s'arrêta pour ne pas les déranger. Immobile, elle observa leur beau plumage gris et bleu, leur fine tête claire ornée d'un collier noir et leur petit bec rouge carmin. Quel bel oiseau ! Les perdreaux rejoignirent les parents dans un fourré. Quand ils eurent disparu de sa vue, la jeune fille reprit sa balade.

Elle respira goulûment l'air frais qui ne tarderait pas à se réchauffer, avec le lever du soleil. Sur les hauts de Saint-Antonin, les terres cultivées commençaient à montrer le bout de leur nez. En contrebas, plusieurs vignes s'étiraient jusqu'à rejoindre leurs voisines. Les vendanges étaient proches. Les ceps regorgeaient de grappes brunes alourdies par le jus, qui faisaient le régal des oiseaux et d'autres animaux gourmands.

Blanche s'assit un instant sur le banc en bois devant une vieille bergerie abandonnée. La vue des environs était ici magnifique. « Cet endroit aurait mérité d'être habité », pensa-t-elle. Certes très isolée, la bâtisse avait été construite sur le rocher calcaire. Autrefois, un troupeau de moutons et de chèvres animait le lieu de leurs bêlements communicatifs. Le berger et son troupeau ayant quitté la région, les hautes herbes et les ronces avaient recommencé à envahir les terres aux alentours. L'horizon prit une couleur rosée, enveloppant de douceur la campagne à peine réveillée. Rapidement quelques rayons de soleil firent leur apparition, illuminant Saint-Antonin et son terroir. Au loin une cloche tinta, celle de l'église Saint-Jean certainement. Il était temps de continuer la balade matinale. Elle descendit

vers le chemin qui longeait les vignes et les terres cultivées. Blanche, seule dans cette campagne familière, fut
envahie d'une grande sérénité. Sans s'en apercevoir,
elle souriait. Bien qu'elle connaisse ces paysages par
cœur, elle les observait avec toujours autant d'attention, comme si elle les découvrait pour la première
fois. Et elle les aimait comme au premier jour.

En face d'elle, sur le chemin de terre, une 2 CV
bleu ciel arrivait à vive allure. Elle la reconnut, c'était
celle de Lulu. Elle se rendait sûrement à son jardin,
comme tous les jours. Le midi, le café de la place aux
Herbes proposait des salades gourmandes. Les produits
étaient directement cueillis du potager. Les touristes et
les locaux en étaient friands, si bien que les cafetiers
durent produire plus de légumes. Lulu, à qui il en
fallait plus pour se laisser abattre, avait mis les bou-
chées doubles cette année. Très tôt le matin, elle était
déjà à l'œuvre. Le véhicule, qui penchait fortement
dans les virages, s'arrêta dans un amas de poussière
à la hauteur de Blanche. La joyeuse bouille de Lulu
apparut à la fenêtre, un peu échevelée.

— Blanche, j'ai failli t'écraser !

— Bonjour Lulu, tu vas à ton jardin ?

— Oui, c'est le meilleur moment. Je suis bien le
nez dans mes tomates de bonne heure...

— Tu n'as pas trop de travail entre le jardin et le
café ?

— Si, mais j'aime ça. Il faut que je bouge, tu me
connais.

Blanche hocha la tête. Oh oui qu'elle la connaissait,
Lulu l'hyperactive ! Toujours à fond, jamais fatiguée
comme une jeune fille de vingt ans.

— Maintenant il commence à y avoir moins de

monde. Le rythme change. Je vais pouvoir me remettre à ma couture.

Sur ces derniers mots, Lulu laissa éclater un grand sourire écarlate.

— Tu sais, Blanche, en décembre prochain avec quelques amies, on organise un défilé.

— À Saint-Antonin ?

— Oui, à Saint-Antonin même. Nous avons créé une collection un peu extravagante et moderne. Les mémères du village vont être surprises, mais je pense que la jeunesse va aimer.

— C'est une chouette idée. J'ai hâte de voir ça.

— Ben justement… Si tu veux, tu pourras voir ça de très près. On recherche des filles pour défiler. J'aimerais bien que tu fasses partie de l'équipe.

Blanche, très stupéfaite, fit une mimique amusée.

— Moi ?

— Oui, toi. Tu es belle comme un cœur.

— Mais je ne sais pas marcher sur des talons hauts, ni me tortiller des hanches… Je vais marcher comme je marche dans mes terres, avec mes grosses godasses !

— Mais non… Tu apprendras, ce sera rigolo. Ça te fera une expérience, et ça nous rendra service aussi…

Blanche se dit que finalement, Lulu n'avait pas tort, ça pourrait être drôle.

— Pourquoi pas… ?

— Super ! Je vais en parler à Laurie et à Mathilde aussi.

La 2 CV redémarra puis stoppa quelques mètres plus loin. Lulu passa sa tête à la fenêtre.

— Blanche ! Tu te souviens que demain il y a le cinéma de plein air sur la place aux Herbes ?

— Ah oui ! Qu'est-ce que vous passez ?

— *Le Fabuleux Destin d'Amélie Poulain.*

— Super, je viendrai.

— À demain.

La flamboyante Lulu n'attendit pas la réponse de la jeune fille et accéléra de plus belle. La voiture disparut aussi vite qu'elle était arrivée. C'était Lulu et son entrain, toujours surprenante. Blanche avait beaucoup d'affection pour elle. Elle croulait sans cesse sous les projets, une vraie locomotive... Blanche pensa aux chaussures à talons, avec ironie. Elle avait encore le temps pour s'entraîner. Et puis, avec Laurie et Mathilde, ce serait amusant. Elle emprunta un autre chemin de terre, plus étroit que le précédent. Les ronces commençaient à l'envahir. Dans une vigne, un bruit soudain la surprit. Blanche vit en sortir un marcassin encore rayé, à la trajectoire indécise. Le jeune animal, effrayé par la présence de la jeune fille, cherchait à rejoindre sa mère. Il disparut rapidement.

Arrivée devant l'ancien lavoir, Blanche prit le temps de boire l'eau de la fontaine en fonte. Ici l'eau était naturelle et ne contenait que le minimum de traitement. Le vieux lavoir se dressait en bordure du village, témoin d'une époque révolue. Ses murs messagers étaient couverts de graffitis remontant jusqu'à la Première Guerre mondiale. On pouvait lire : « Émile Fournier 1914 », « Pour Yvonne que j'aime. Maurice 1920 », « Jean de Nivelle 1915 », « Nous vaincrons. Raoul Maistre 1914 », etc. Blanche, toujours émue par cette lecture, n'entendit pas des pas tout près d'elle.

— Que fais-tu là, ma Blanche ?

La jeune fille sursauta, se retourna et vit Paul en tenue de cycliste qui s'essuyait la bouche.

— Mais que tu m'as fait peur ! Je ne t'ai pas entendu arriver...

— Je n'ai pas fait de bruit. Je fais juste une pause pour me désaltérer et je rentre. Je travaille à neuf heures.

— Ton dynamisme m'étonnera toujours.

Paul sourit.

— Tu sais bien que j'ai besoin de faire du sport, ça m'est indispensable.

— Oui, je sais. C'est très sain.

— Mais je suis un homme sain, fort et équilibré ! Pourquoi ne m'as-tu pas gardé ?

C'était au tour de Blanche de sourire.

— Paul, entre nous, c'était un amour de jeunesse. C'était très bien, mais c'est du passé...

— Oui, c'était très bien.

Blanche remarqua que les yeux de Paul brillaient. Alors, elle lui prit la main et parla avec beaucoup de tendresse.

— Tu feras toujours partie de ma vie, de mon histoire. Tu es mon premier amour. C'est un amour que l'on n'oublie jamais, Paul. Je voudrais que nous soyons amis toute notre vie. Je t'aime, Paul, très sincèrement mais différemment.

Paul ferma les yeux puis prit Blanche dans ses bras. Elle se laissa aller à cet élan de tendresse. Relâchant son étreinte, il l'embrassa sur la joue.

— Tu viens de dire ce que j'avais besoin d'entendre. Ce n'est pas ce que j'espérais, mais c'est déjà bien de me garder ton affection, ma Blanche.

Elle lui accorda son plus beau sourire, puis l'accompagna jusqu'à la fontaine.

Lorsqu'il eut bu de nouveau, Paul la questionna.

— Tu ne m'as pas dit ce que tu fais ici, de si bonne heure… ?

— J'avais besoin de me ressourcer un peu. J'aime le matin, la campagne s'éveille tout doucement, c'est apaisant.

Il regarda autour de lui, un instant silencieux.

— C'est vrai. On est bien dans cet environnement.

La jeune fille ne put qu'acquiescer. Paul grimpa sur son vélo et roula au pas à côté d'elle.

— Tu remontais au village ?

— Oui, je rentre maintenant.

— Je t'accompagne un bout de chemin, j'ai encore du temps devant moi.

— Volontiers.

Ils empruntèrent le chemin des olivettes, celui qui longeait les grands prés du père Pésenti. Le vieil homme et ses enfants élevaient les dernières vaches de la commune. Elles paissaient là, insouciantes, balayant nonchalamment de leurs queues les insectes importuns.

— Hier, j'ai rencontré Mathilde et son ami. Julien… ?

— Non, Adrien.

— Oui, c'est ça. Il est sympa, ce gars. On est allés boire un coup chez Boubou. Ils m'ont parlé de leur projet de jardin associatif, c'est une bonne idée !

— Je trouve aussi. À se demander comment on n'y a pas pensé avant…

— C'est vrai. Mathilde m'a dit que son grand-père Jeannot avait proposé de lui prêter une petite terre sur le haut du village. Il y a un forage. Il resterait à construire un petit cabanon pour entreposer les outils. En s'y mettant tous, ce serait vite fait…

— Bien sûr. Mathilde met la terre à disposition,

notre bande construit le cabanon, Adrien fournit les graines et moi je montre aux adhérents qui le désirent comment on fait un potager.

— Ah oui, génial ! Qu'est-ce que je pourrais proposer, moi ? Le jardin et moi, ça fait deux...

— Tu as sûrement un savoir-faire que tu peux transmettre aux autres...

Paul se gratta la tête, cherchant une idée qui ne tarda pas à surgir.

— C'est évident, le sport. Je pourrais donner des cours de gym ou organiser des balades à vélo...

— Mais oui ! Ça serait bien pour tous ces gens qui ont juste assez pour se nourrir, de pouvoir se distraire et faire du sport. C'est une merveilleuse idée, Paul ! La mairie prêterait volontiers le foyer pour la gym. Il faudra en parler à Mathilde.

— Quant aux vélos, je suis sûr qu'à Saint-Antonin, nombreux seraient ceux qui nous en confieraient.

— J'ai le vélo de Marie, elle serait la plus heureuse qu'il serve pour cette cause.

— Et moi, celui de mon père qui n'en fait plus depuis longtemps, ça ferait déjà deux.

Paul et Blanche étaient tout contents.

— Si on part du principe que chacun a quelque chose à offrir, pourquoi Armelle ne ferait-elle pas des ateliers de dessin et de peinture, Laurie des soins esthétiques, Christophe des cours de musique... ?

— Waouh, Paul, tu vas trop vite. Ce sera à eux de décider. Et puis, il faudrait trouver des finances pour les fournitures. La peinture et les produits de soin, ça coûte cher.

— Ah oui, c'est vrai. On n'a qu'à organiser un

grand bal au profit de l'association. Les bénéfices seraient réservés à l'achat des fournitures...

Blanche regarda Paul, pensive. Il était d'un enthousiasme hors du commun.

— Tu es assez formidable, Paul.

Le jeune homme décocha à son amie un sourire satisfait.

— Je sais, je sais ça depuis toujours, d'ailleurs !

Blanche rit de bon cœur devant sa mimique.

— Arrête un peu, tu as les chevilles qui gonflent. Déjà qu'à la poste, tu es le chouchou de ces dames...

Paul prit un air dépité qui fit rire Blanche de plus belle.

— Tu parles, le chouchou des mamés du village, quelle affaire ! Remarque que quelquefois, ça a des avantages...

— Ah bon, lesquels ?

— À Noël, j'ai de la bûche, à l'Épiphanie des crêpes, en été des fraises et en automne de la confiture de marrons.

— Ah ! je comprends mieux pourquoi tu dois faire du sport !

— Si je grossis, je ne leur plairai plus.

— Tu as raison, entretiens ton image. Et dis-moi, comment va ta petite amie de Nîmes ?

Paul soupira et leva les sourcils.

— Elle n'est plus ma petite amie.

— Ah bon ? Je croyais que c'était sérieux entre vous...

— Je pensais aussi mais nous n'étions pas sur la même longueur d'onde. Elle avait trop de principes. Elle voulait déjà se fiancer. Au bout de six mois, tu te rends compte ? Et puis, tu connais mon appétit pour la vie…

— Tu veux dire ton appétit pour l'amour ?

— Enfin oui. Avec elle, niet ! Elle se réservait pour le mariage.

Blanche, étonnée, écarquilla les yeux.

— Ça existe encore ?

— Apparemment oui, ou bien je suis tombé sur la seule rétrograde qu'il reste dans le Gard ! Ça ne m'étonnerait pas.

— Mon pauvre Paul…

Les deux amis riaient encore lorsqu'ils passèrent devant la maisonnette du jeune homme. Il regarda sa montre.

— Il faut que je te laisse, j'ai juste le temps de prendre une douche et de filer au boulot. C'était bien agréable ce moment avec toi, ma Blanche…

Ils s'embrassèrent affectueusement.

— C'était agréable pour moi aussi.

Paul entra chez lui avec son vélo, ce qui fit sourire Blanche. Elle se souvint qu'il le garait toujours dans son salon, en bon cycliste qu'il était.

Blanche longea la grand-rue et aperçut la devanture en bois de la boulangerie. Elle y pénétra. Plusieurs personnes discutaient à l'intérieur de l'orage de la veille. Une jeune femme racontait ses mésaventures.

— Notre cave a pris l'eau dans la nuit. Quand nous y sommes descendus ce matin, toutes nos affaires flottaient. Nous avons appelé les pompiers, ils finissent juste de la vider.

Une mamé s'empressa de la questionner.

— Oh ! peuchèrette ! Vous avez beaucoup perdu ?

— Non, rien de grave, mais tout est boueux…

Un papé intervint aussi.

— Il ne reste plus qu'une solution pour tout nettoyer : une bonne huile de coude, y a rien de tel !

Tous rirent de bon cœur, sauf la jeune femme.

— Ah oui ? Ça décape bien ?

— Oh oui alors ! Une bonne dose et tout est nickel.

La jeune femme, qui ne comprenait pas les rires autour d'elle, continua à questionner son interlocuteur.

— Où ça s'achète l'huile de coude ?

C'était l'hilarité générale dans la boulangerie. Blanche se pencha vers la jeune femme et lui expliqua que « l'huile de coude », c'était la force des bras. L'ingénue ouvrit des yeux ronds de surprise et se tourna vers le papé rigolard.

— Vous vous foutiez de moi en fait !

— Oh non, juste un petit peu… Vous savez, à la retraite, il faut bien passer le temps.

La baguette sous le bras, la mamé le réprimanda avant de sortir.

— Tu as toujours fait des farces à tout le monde, même quand tu étais jeune, Fernand. Je me souviens encore des crottes de chiens séchées que tu mettais dans la boîte aux lettres de ma pauvre tante, ta voisine !

La boulangère éberluée intervint à son tour.

— Non ? Fernand, vous faisiez ça ?

La mamé renchérit de plus belle.

— Il a fait mieux, le bougre ! Il a même déposé un crapaud séché dans l'eau du bénitier de l'église Saint-Jean, le jour des Rameaux. Je vous dis pas le bazar que ça a mis pendant la messe…

— Bon, tu as fini, Bernadette ? Il y a prescription maintenant, j'avais dix ans.

— Oui, mais quand on est farceur, on l'est pour la vie. Ça t'apprendra à taquiner les jeunes femmes.

Le papé sortit de la boulangerie en marmonnant. Dans la boulangerie, la bonne humeur était là. Les femmes rirent devant la mine désappointée du farceur. La commerçante, les mains sur les hanches, s'esclaffait entre deux clients.

— Je ne savais pas qu'il était comme ça, le Fernand, quand il était petit !

La mamé qui était encore devant la porte lui répondit, comme si elles étaient seules dans la boutique.

— Il n'était pas méchant, mais ils en faisaient des conneries avec son frère…

— Avec son frère… le maire ?

— Oui, le maire. Il n'était pas endormi lui aussi. Ils en ont fait voir à notre institutrice de l'époque… Mme Ribeyre, oui c'est ça…

La boulangère, qui adorait les potins, gloussa d'impatience.

— Ah oui ? Qu'est-ce qu'ils ont fait ?

La mamé redescendit les trois marches qui donnaient accès à l'intérieur du commerce. Plus près de son interlocutrice, elle raconta ce à quoi elle avait assisté à l'école primaire.

— Cette femme, elle souffrait de calculs aux reins, donc elle devait boire très souvent. Pour ne pas sortir de la classe et laisser les enfants seuls, elle emmenait tous les jours de chez elle une Thermos de tisane… Un jour pendant la récréation, alors que ce couillon de Fernand faisait le guet, son frère a versé du colorant alimentaire vert dans la Thermos de la maîtresse. Il l'avait piqué dans l'épicerie que tenait sa tante, sur la place du marché aux cochons… Quand tout le monde est rentré dans la classe, la maîtresse a bu sa tisane. Sa bouche était toute verte ! Ses lèvres, ses dents sont restées vertes pendant une semaine. Autant dire que les gamins se sont pris une bonne raclée par leur père.

Quand elle eut fini de rire, la boulangère servit Blanche qui attendait. Amusée par le récit, elle pensa que c'était une bêtise qu'aurait pu faire Marcel dans son enfance. Attendrie par cette idée, Blanche prit son pain paillasse et descendit le chemin des charrettes en direction de la Genestière.

Elle était détendue. Ce début de matinée avait bien commencé. La belle campagne de Saint-Antonin et l'amitié fidèle de Paul lui avaient mis du baume au cœur. Elle s'avança dans l'allée de sa maison, légère, et décidée à passer une bonne journée.

16

Lorsque Jeannot Comte emprunta la grande allée du mas des Perdrix, il n'était plus l'homme effondré qu'il était trois jours auparavant. Il savait que Liora l'attendait et il allait tout lui dire. Il se sentait enfin prêt à prendre ses responsabilités. Enfin ! Il se rendait compte que durant des années, il avait été lâche. Non pas parce qu'il craignait pour sa personne mais pour protéger celles qu'il aimait, les femmes de sa vie.

Liora aurait mal, sûrement très mal à cause de lui, il en était conscient. Il espérait qu'elle comprendrait, si c'était possible… Peut-être lui en demandait-il trop… Peut-être le quitterait-elle ? Il comprendrait aussi et assumerait les conséquences de ses mensonges.

Revoir sa douce fille lui avait fait un bien fou. Elle ne l'avait pas encouragé mais sans le savoir, elle avait donné la force nécessaire à son père pour se décharger de son fardeau. Il l'avait regardée et s'était dit qu'il n'avait plus le droit de lui voler son identité. La place de Nathalie était à Saint-Antonin auprès des siens, auprès de lui.

Jeannot Comte descendit de son véhicule. Une dernière fois avant de pénétrer dans le mas, il regarda sa propriété. Sous la pinède épaisse, le soleil avait du mal à percer. Une agréable fraîcheur était prisonnière des larges branches des pins d'Alep. Son regard se posa sur la grande meule qu'avait installée son propre père. Elle était un peu usée à force d'aiguiser toutes les lames de la propriété. Il lui semblait le revoir, l'entraînant avec la manivelle, puis appuyant l'outil d'un geste appliqué. Enfant, il ne perdait pas une miette des gestes d'adulte, les mimant à son tour en espérant grandir plus vite. À côté, il observa la grande auge en pierre et ses trois robinets en laiton. Sa mère y avait passé tant de temps à laver, à rincer, à remplir des seaux d'eau pour les cochons. Lui, assis à l'autre bout, pataugeait les pieds nus dans l'eau savonneuse. Il aimait cet instant où il était avec elle, où il entendait son rire et ses chansons. Entouré de parents aimants et aimés, Jeannot avait eu une enfance heureuse, simple mais heureuse. Il pensa qu'il n'avait jamais eu à se plaindre. S'il l'avait fait, ça aurait été indécent.

Dans quelques minutes, sa vie allait changer. Leurs destins se jouaient maintenant, il ne ferait plus machine arrière. C'était maintenant.

Liora vit Jeannot devant la porte. Son air était grave mais pas triste. Il entra. Après l'avoir embrassée sur la joue, il lui dit de s'asseoir. Un long silence s'installa dans le grand salon. Liora regardait son époux. Il semblait bien aller. Sur son visage, elle reconnut cette petite ride au front qui apparaissait lorsque Jeannot était très déterminé. Elle comprit que l'instant était grave pour eux. Elle observa cet homme qu'elle aimait depuis toutes ces années. Elle aimait sa démarche, le léger tic nerveux qui relevait le coin de sa bouche lorsqu'il était content, sa poitrine rassurante contre laquelle elle venait se blottir quelquefois. Elle aurait voulu repousser cet instant, juste encore un peu... Elle avait peur de la vérité, peur de le perdre. Elle ne parvenait pas à s'imaginer vivre sans lui. Cette idée lui donnait des sueurs froides. Pour ne pas mettre Jeannot plus mal à l'aise, elle lui cacha son angoisse.

Décidé, il commença.

— Je suis bien ici avec toi. J'ai beaucoup à te dire, tu sais...

— Tu n'es pas obligé. Tu me diras plus tard, repose-toi !

— Je me sens bien, c'est le moment. S'il te plaît, écoute-moi. Je vais te faire du mal, beaucoup de mal. Je veux que tu saches que je t'ai toujours énormément aimée...

Liora répondit en toute sincérité.

— Je n'en ai jamais douté, Jeannot.

Il regarda cette femme marquée par la vie, cette femme qu'il avait tant prise dans ses bras, celle qui même aujourd'hui lui disait encore son amour... C'était si difficile de la blesser... Mais sa détermination le guidait. Non, il devait parler.

— Je suis parti plusieurs jours à Aix-en-Provence. Je devais parler à ma fille. Pas à notre fille Corinne, mais à ma fille Nathalie.

Liora le regarda incrédule.

— Ta fille ?

— Oui, ma chère fille.

Jeannot baissa les yeux pour avouer la suite.

— Je t'ai trompée, Liora... et cela pendant trente-cinq ans.

Elle n'en croyait pas ses oreilles... Mais qu'est-ce qu'il disait ? Il était devenu fou... ? Son mari poursuivit.

— Et pourtant je t'ai toujours aimée. Je vous ai

aimées toutes les deux passionnément, sans pouvoir me raisonner. Il m'était impossible de vous faire du mal, ni à l'une ni à l'autre. Je me suis maudit mille fois, j'ai vécu avec la honte au ventre tout ce temps, mais je n'ai pas pu vous laisser.

Trente-cinq ans ! Une aventure, Liora aurait pu le concevoir, ça arrive… mais trente-cinq ans… Incapable de réagir, elle était abasourdie. Elle avala sa salive et réussit à dire quelques mots.

— Explique-moi dès le début, s'il te plaît…

Jeannot s'assit dans son vieux fauteuil et d'une voix éraillée continua son récit.

— Je l'ai rencontrée en mai 1965, alors que j'avais trente-cinq ans. Nous étions mariés depuis une quinzaine d'années, nos enfants avaient treize et neuf ans.

Le cœur de Liora battait la chamade. Mais il ne fallait pas qu'elle craque, elle voulait tout entendre. Elle resta droite dans son fauteuil, prête à subir la suite des révélations. Jeannot eut besoin d'une grande expiration pour avoir le courage d'avouer le plus difficile.

— Quand j'ai fréquenté Odile, elle avait quinze ans.

Quinze ans… Elle avait envie de pleurer… Son esprit bouillonnait…

— Mon Dieu, Jeannot, mais elle aurait pu être ta fille !

Jeannot hocha la tête et accusa le coup. Il s'y était préparé et ne pouvait pas en vouloir à Liora. Elle avait raison. Odile aurait pu être sa fille. Il était l'adulte responsable. Il aurait dû résister… Il était le seul à blâmer. Il hocha la tête lentement, reconnaissant l'évidence.

— Oui, c'est vrai, elle aurait pu être ma fille…

Liora avait les larmes aux yeux mais lui demanda de poursuivre son récit. Jeannot dévisagea le visage bouleversé de sa femme, pensa à Nathalie pour trouver la force et continua.

— Au début, je me suis intéressé à elle comme un père parce qu'elle était différente. Il était évident qu'elle souffrait, on la disait folle. Elle restait isolée sans regarder personne, toujours à l'écart. Ses grands yeux fuyaient tous les regards. Elle était dans son monde. Quelquefois elle pleurait en silence, quelquefois elle criait après des personnages imaginaires, puis quelquefois elle avait un visage illuminé de bonheur. Cette enfant m'a touché.

Il prit le temps d'expirer doucement pour contenir son émotion. Cette période de sa vie avait été si compliquée que son souvenir le troublait encore aujourd'hui.

— Elle se promenait souvent vers les champs de Grange Neuve. Je me souviens de la première fois que je l'ai vue. Je passais le tracteur dans la terre du fond. De loin, j'ai cru qu'un animal gisait au sol. Puis, quand je me suis rapproché, je l'ai aperçue, couchée dans l'herbe, les bras en croix. J'ai accouru à son secours, j'ai cru qu'il lui était arrivé quelque chose, qu'elle était blessée… Mais non, elle regardait simplement le ciel. Je me suis penché sur elle pour la relever et elle a vu mon air inquiet, elle a ri. Puis d'un bond, elle s'est enfuie.

Jeannot avait décidé de ne plus s'arrêter. Liora ne l'interrompit pas.

— Elle prit l'habitude de venir à Grange Neuve. Petit à petit, j'ai pu lui parler. Je l'ai apprivoisée comme un petit animal sauvage. C'était comme un défi que je m'étais lancé. Peut-être pour me prouver que j'étais plus sensible que les autres adultes… ? Plus à l'écoute, c'était certain. Je n'ai jamais eu aucune pensée malsaine à son égard, je te le jure, Liora.

Elle le crut. Elle connaissait son caractère, Jeannot n'était pas vicieux.

— Un jour, j'ai partagé mon casse-croûte avec elle. Puis, nous avons fini par nous retrouver tous les jours à la même heure. Elle me parlait. J'en étais fier. C'était une victoire personnelle pour moi. Nous échangions sur tout. Odile maîtrisait mieux son agitation, elle riait souvent. Elle avait un si joli sourire…

— Pourquoi ne m'en as-tu pas parlé à cette époque ?

— Parce que tu n'étais pas là. Tu étais partie pendant plusieurs mois à Paris, pour la sortie de ton troisième livre, souviens-toi…

C'était vrai. Liora se souvenait. Elle avait mis toute son attention sur sa carrière qui s'annonçait prometteuse. Elle était restée trop longtemps loin de Saint-Antonin et des siens. Si elle avait su…

D'un ton monotone, son mari raconta ses souvenirs, comme enfermé dans une bulle.

— J'étais assez flatté de voir qu'elle me faisait l'honneur de s'ouvrir à moi, elle qui ne parlait que rarement. Ces moments de retrouvailles devinrent précieux, pour elle comme pour moi. Je me surprenais à penser à elle durant la journée. J'en ai eu très honte. J'ai voulu lutter contre ça de toutes mes forces.

Jeannot parlait avec sincérité, Liora le savait. Elle lisait dans ses yeux comme dans ceux d'un enfant, avec autant de facilité. Comment ne s'était-elle aperçue de rien ? Elle avait été aveugle, ne pensant qu'à l'écriture qui lui faisait du bien, négligeant celui qu'elle aimait de tout son cœur. Il n'était peut-être pas le seul fautif… Le visage tourmenté, Jeannot raconta la suite.

— Quand je me suis rendu compte de mon attachement pour cette enfant, j'ai décidé de fuir nos rendez-vous à tout prix. J'ai déserté les champs de Grange Neuve, pour ceux de la plaine du Grès. J'étais sûr que, là-bas, Odile ne me retrouverait pas. C'était trop loin. Les semaines passèrent, ce fut pire. Son absence me rongeait. Je ne pensais qu'à elle ! Je ne savais plus ce que je faisais. C'était l'époque où je me suis blessé avec la charrue. Je n'avais plus toute ma tête…

Les larmes de Liora roulaient sur ses joues sans qu'elle ne s'en aperçoive.

— Un après-midi d'orage, en rentrant au mas plus tôt que prévu, je suis passé près de Grange Neuve. J'y étais obligé car la route de la vieille combe était barrée pour travaux. En longeant le champ du fond avec le tracteur, j'ai entendu des cris. C'étaient des cris de désespoir, des hurlements de douleur. C'était elle. Elle gisait par terre, recroquevillée sur elle-même. C'était insupportable !

Jeannot lâcha ses larmes si longtemps retenues. Il était bouleversé. Il racontait son histoire pour la première fois. L'émotion était si forte… Liora le dévisageait, incapable de faire un geste vers lui. Se reprenant, il acheva son récit.

— J'ai marché vers elle, lentement. Lorsque j'ai caressé ses cheveux mouillés, elle s'est jetée dans mes bras en pleurant. Tout doucement, je suis arrivé à la calmer. Elle était comme un petit oiseau perdu, un être meurtri. Elle a crié que je ne l'aimais pas, que j'étais comme les autres et que j'avais honte d'elle comme sa mère… Je l'ai enveloppée contre moi. On est restés là de longues minutes sans bouger, sous la pluie. L'un contre l'autre, on se rassurait, on se retrouvait. Nous étions soudés. C'est là que l'irréparable est arrivé. Sans que nous l'ayons voulu. C'est arrivé comme ça, naturellement.

Jeannot regarda sa femme avec des yeux ébahis,

sans réponse. Elle ne put rien lui dire. Aucun mot ne venait à sa bouche. Elle se sentait verrouillée.

— Pardon, Liora, pardon de te faire mal, toi qui as déjà tellement souffert ! J'ai honte de moi, mais… je ne regrette rien.

Elle encaissa le coup.

— Continue…

— Je me suis vu monstrueux, profitant de l'innocence d'une enfant fragile. J'ai pensé à mourir. Je pensais à toi, aux enfants, j'ai cru devenir fou. Mais rien à faire, je courais quand même vers Grange Neuve !

La décence et le respect empêchaient Jeannot de parler de l'émotion qu'ils partageaient lors de leurs étreintes. Impossible de raconter le bonheur de tenir Odile dans ses bras, de sentir son ventre chaud sur sa peau… Il repensa à ses longs cheveux noirs qu'il caressait sans cesse, au sourire épanoui qu'elle lui offrait… Et puis ses yeux emplis d'amour qui lui avaient accroché le cœur comme des aimants… Avec lui, Odile n'était plus l'enfant fragile de Saint-Antonin. Elle était une jeune fille aimante, douce et lumineuse. Ils parlaient longtemps. Elle lui racontait ce qu'elle n'avait jamais raconté à personne. Cette complicité les liait fortement. C'était une jeune fille dotée d'une intelligence vive, enfermée dans ses traumatismes d'enfant. Seul Jeannot la connaissait sous ce jour.

Liora écoutait le récit de son mari sans bouger, comme impuissante. Sa tête était vide de tout raisonnement, son cœur de toute réaction. Elle était incapable d'analyser ce qui lui arrivait. Elle était simplement là, assise, à écouter l'homme de sa vie lui révéler qu'il en avait aimé une autre autant qu'elle.

Impossible à Jeannot de s'arrêter. Il voulait tout dire maintenant.

— On se cachait pour se retrouver. C'est comme ça, tout doucement que nous sommes rentrés dans la clandestinité. Nous n'en sommes jamais sortis. En août 1965, Odile est tombée enceinte. Elle était heureuse mais moi, j'étais affolé. Il était hors de question de lui faire subir un avortement, ça aurait été insurmontable pour elle. C'est à cet instant que j'aurais dû t'en parler... Je n'ai pas eu le courage. Je ne voulais pas te perdre, Liora, et je ne voulais pas la perdre non plus ! J'étais incapable de choisir entre vous.

Il regarda sa femme. Les larmes coulaient toutes seules sur ses joues. Elle lui fit signe de poursuivre son récit, il fallait que tout soit dit.

— Odile a caché sa grossesse jusqu'à la naissance de Nathalie, le 21 avril 1966. Personne ne s'est aperçu de rien, elle était restée assez fine. Et puis personne ne pensait qu'Odile pouvait avoir quelqu'un dans sa vie. Elle était si différente avec les autres... Lorsqu'elle a compris qu'elle était en train d'accoucher, sa mère l'a enfermée chez elle, à l'abri des regards. Odile est restée seule dans sa chambre dans une souffrance terrible. Elle a failli en mourir, sous le regard froid de sa mère. Ce n'est que lorsque son père est rentré, qu'il a compris la situation. Il a couru chercher le médecin de famille. Nathalie est née en bonne santé. Durant trois jours, Odile a été harcelée par cette femme afin qu'elle avoue le nom du père de l'enfant. Cette mère sans cœur avait décidé de mettre le bébé à l'assistance publique, tout ça en cachette de son mari. « Pour la punir », comme elle disait ! Elle n'a jamais essayé de la comprendre, simplement...

Liora s'affala dans le fauteuil, les doigts posés sur les tempes. Jeannot se précipita vers elle, inquiet.

— Ça va. Je ne suis pas en sucre ! Laisse-moi respirer. Continue, s'il te plaît.

Son ton était sec mais Jeannot ne put la blâmer. Il lui faisait tellement de mal. Après une longue hésitation, il s'exécuta.

— Moi, je ne savais rien de ce qui se passait. Le frère d'Odile était parvenu à lui arracher l'information sur mon identité, sous certaines conditions. Il est venu me donner une lettre d'Odile. C'était un appel au secours. Elle avait très peur que le bébé lui soit arraché. Avec l'aide de son frère, nous nous sommes organisés pour fuir ensemble. Nous pensions qu'il nous voulait du bien, mais c'était le contraire. Son seul souhait, c'était qu'Odile ne revienne jamais à Saint-Antonin. On est partis en douce tous les trois. Nathalie n'avait que trois jours. Nous n'étions pas au courant du mensonge qu'il allait inventer par la suite…

Liora réfléchissait. Ses yeux froncés cherchaient des réponses à ses questions, en vain. Rapidement, elle interrogea Jeannot.

— Mais où étiez-vous partis ? Pendant combien de temps ? Je ne me souviens pas que tu te sois éloigné du mas…

Son mari la regarda et s'expliqua d'un ton posé.

— Tu n'étais pas là. Tu étais partie avec ton amie en Allemagne, à Auschwitz, en pèlerinage.

Auschwitz. Le pèlerinage. Encore absente.

— Et les enfants ?

— Je les avais confiés à ma sœur pour quatre jours. Elle s'en est occupée au mas. J'ai prétexté que je devais te retrouver à Paris pour une commémoration. Elle ne posait jamais de question, ma sœur, tu sais.

Liora était sidérée. Il lui avait tant menti... Elle voulait tout savoir.

— Où êtes-vous partis ?

Jeannot sembla gêné.

— Chez les Folcher, à Grand Bastide.

— Tes amis de la Résistance ?

— Oui. Ils ne pouvaient rien me refuser. Pour eux, j'étais resté le gamin qui les avait sauvés de la Gestapo en 1944. Ils n'ont jamais oublié.

— Bien sûr...

— Odile et le bébé ont été hébergés chez eux pendant la première année, puis dans une maison mitoyenne pendant quinze ans. J'y montais dès que je pouvais...

Son cœur battait dans ses tempes. Liora sentait la colère la gagner. Elle essaya de la maîtriser du mieux qu'elle pouvait mais Jeannot ne fut pas dupe. Elle le questionna encore :

— Sous quel prétexte partais-tu de la maison cette fois-ci ?

Jeannot respira un bon coup puis avoua la vérité à sa femme.

— Je n'ai jamais fait partie d'aucun syndicat agricole. Il n'y a jamais eu aucune réunion, aucune manifestation, aucune assemblée. Chaque fois, j'allais à Grand Bastide.

Liora se leva lentement. Elle était blême. Il fallait qu'elle prenne l'air ! Jeannot, inquiet, eut peur qu'elle fasse un malaise.

— Pardon !

— Je t'en prie, laisse-moi. J'ai besoin de retrouver mes idées. Il faut que je réfléchisse.

Elle sortit précipitamment du mas, comme pour échapper au malheur qui la poursuivait. Après quelques mètres seulement, la fureur s'échappa d'elle par un cri abominable. Elle se vit hurler comme elle avait hurlé le jour de l'exécution de sa famille, cachée dans un terrain vague. Son corps entier se vida encore aujourd'hui de la peine qui la ravageait. Jeannot la vit partir très vite en voiture. Liora ne savait plus où elle allait. Ça n'avait pas d'importance. Elle avait juste besoin de s'éloigner de lui, de ne plus rien entendre. C'était au-dessus de ses forces. Pourquoi Jeannot ne lui avait-il pas fait confiance ? Elle aurait pu comprendre beaucoup de choses. Toutes ces années à mentir, à mener une double vie, à lui cacher l'existence de cette enfant… La demi-sœur de ses propres enfants ! Elle pleurait tellement qu'elle ne voyait plus la route. Liora arrêta sa voiture au bord d'un chemin et lâcha toutes les larmes de son corps.

Resté seul au mas, Jeannot était anxieux pour sa femme. La désillusion avait dû être rude pour elle. Il s'attendait à ce qu'elle ne veuille plus le voir, c'était bien ce qu'il méritait ! Finir tout seul, pour avoir tout voulu. Ce serait son châtiment, il en était certain. Mais à cet instant, ce n'était pas son sort qui le préoccupait, mais la santé de Liora. Il pensa à sa petite-fille Mathilde. Elle avait tant de complicité avec sa grand-mère, qu'elle seule pourrait la retrouver et prendre soin d'elle.

— Mathilde ? J'ai besoin de toi. J'ai dû faire certaines révélations à Liora, elle est partie du mas en voiture, bouleversée. Je suis très inquiet. Toi, tu sauras la trouver. Prends soin d'elle. S'il te plaît, ne dis rien à personne, je t'expliquerai plus tard…

En raccrochant, Mathilde mesura la gravité de la situation. Elle partit tout de suite à la recherche de sa grand-mère.

17

En cette mi-août, le soleil grillait tout sur son passage. Les cigales s'en donnaient à cœur joie, envahissant le silence qui courait sous les chênes verts, comme des cantatrices survoltées. Seules les bignones tendaient leurs trompettes orange vers les rayons brûlants, telles des jeunes filles en mal de caresses.

Les vignes gaillardes couvaient leurs fruits secrètement cachés sous leurs feuilles frémissantes. Sur le soir, quelques lapins de garenne trottaient dans les rangées, narguant de leurs petites queues blanches les chasseurs qui se préparaient à l'ouverture de la chasse. Les oliviers brillaient plus que jamais de leurs petites feuilles d'un vert-gris luisant qui n'appartient qu'à eux.

Toute la campagne rayonnait, baignée par ce soleil du Sud, si réconfortant et vigoureux.

Blanche ne se lassait pas du spectacle qu'offrait cette nature forte qu'elle aimait tant. Elle pouvait passer des heures à l'observer. À chaque moment de la journée, les couleurs y étaient différentes.

Petite, elle s'amusait à fixer l'herbe du regard, la tête penchée au-dessus. Au début rien ne bougeait, puis petit à petit l'herbe s'animait. Les fourmis couraient dans tous les sens, chargées de leurs trésors qu'elles transportaient dans leur refuge secret. Les fils délicats des toiles d'araignée se dévoilaient dans un rayon de soleil, laissant imaginer le patient labeur de l'insecte créatif. L'abeille venait butiner le cœur des fleurs des champs, préparant un miel au goût de garrigue et de liberté.

Blanche avait besoin de se poser et de ne penser à rien. Sauf à Marceau, bien sûr. Tout était allé très vite depuis quelques semaines dans sa vie. Marie lui avait enseigné l'importance de prendre le temps, quand tout s'agite. C'était apaisant, ressourçant.

Assise sur les hauteurs de Saint-Antonin, Blanche observait quelques randonneurs qui serpentaient le long des chemins cailloux. Ces courageux se remplissaient les poumons des senteurs de la garrigue.

Perdue dans ses pensées, elle remarqua soudain la voiture de Mathilde qui s'engageait dans le chemin menant à la Genestière. La perspective de voir son amie la tira de sa rêverie. Blanche dévala avec plaisir la combe du loup, s'élançant vers elle. Quand elle arriva chez elle, elle aperçut Mathilde assise sur les marches de la terrasse. Elle semblait préoccupée. Lorsqu'elle vit son amie dans l'allée, un tendre sourire s'afficha sur son visage.

— Ah ! tu es là ? J'allais repartir…

Blanche, essoufflée, l'embrassa.

— Tu pouvais entrer, la maison est ouverte. J'étais là-haut sur les rochers. Je t'ai vue arriver.

Elle s'assit sous la tonnelle, recherchant un coin d'ombre. Mathilde la rejoignit.

— Tu veux boire ?

— Oui, volontiers. Il fait si chaud !

Blanche alla chercher de la citronnade bien glacée à la cuisine et revint sous la tonnelle. Elle observa du coin de l'œil son amie. Elle lui trouva un air triste aujourd'hui.

— Dis-moi, que se passe-t-il ?

Mathilde soupira.

— Liora est chez moi depuis deux jours. Mon grand-père lui a parlé d'Odile Coste.

— D'Odile ?

— Oui.

Blanche fut interloquée.

— Comment l'a-t-elle pris ?

— Pas très bien, évidemment ! Difficile d'apprendre que son mari a eu une double vie durant plus de trente ans...

— Oui, ça se comprend. Et sa santé ?

— Je craignais qu'elle fasse une rechute mais non, elle a été solide. Je la garde avec moi pour avoir un œil sur son état de santé et la réconforter.

— Elle est au courant pour Nathalie ?

— Oui.

Mathilde parlait avec beaucoup de gravité.

— Tu te rends compte que Nathalie est la demi-sœur de ma mère... ? Elle est un peu ma tante...

Oui, Blanche y avait déjà pensé. Mathilde continua.

— Liora s'est confiée à moi mais elle ne veut pas que j'en parle pour le moment. Elle ignore que je connaissais déjà l'existence d'Odile. Je ne veux rien lui cacher. Je ne peux pas ! Imagine si elle n'avait plus confiance en moi, ça serait insupportable.

— Tu ne lui as donc pas parlé du carnet ?

— Non, je voulais en discuter avec toi avant. J'ai peur de lui faire encore plus de mal. Lire le bonheur d'Odile avec son mari, ça lui serait trop difficile... Qu'est-ce que tu en penses, toi ?

— Oui, c'est peut-être trop tôt pour qu'elle le lise. Dis-lui ce que tu sais d'Odile et de Nathalie. La confiance de ta grand-mère est plus importante que tout. Dis-lui tout ce que tu sais. Et puis, si un jour elle demande à lire le carnet, elle le lira. Plus tard, ça pourra l'aider à comprendre... Liora est une femme intelligente, elle saura accepter.

— Merci, Blanche. Je vais lui parler.

Mathilde avait les larmes aux yeux. Un silence pesant s'installa entre les deux amies, chacune perdue dans ses pensées.

Blanche hésita à poser la question mais au bout de quelques minutes...

— Est-ce qu'elle connaît la véritable identité d'Odile Coste ?

— Non. Liora est partie avant que mon grand-père lui en dise plus. Elle ne pouvait plus rien entendre. Mais c'est une question de jours, on saura vite.

Blanche prit son amie dans ses bras. Blotties l'une contre l'autre, elles restèrent longtemps silencieuses. Depuis leur enfance, elles avaient pris l'habitude de soulager leurs angoisses et leurs peines ainsi. Sans complexe, sans a priori, juste à écouter battre le cœur de l'autre. Elles se rassuraient, se cajolaient, rechargeaient leurs accus pour être plus fortes encore.

Ce 16 août 2001, sous la tonnelle de la Genestière, deux petites filles regardaient passer la vie, cramponnées l'une à l'autre.

Ce même jour, à vingt-trois heures, Marceau fit une surprise à Blanche. La sonnerie de son téléphone portable retentit sur la table de nuit. La jeune fille à peine endormie répondit rapidement.

— Oui ?

— Bonsoir, ma brune !

À ces mots, la jeune fille s'était assise sur son lit, radieuse.

— Marceau ! Que ça fait du bien de t'entendre ! Quand reviens-tu ?

— Ouvre ta porte, je suis juste derrière…

Il entendit du bruit à l'étage, des pas qui couraient sur le plancher et la porte s'ouvrit très vite. Elle se jeta dans ses bras, le cœur battant, heureuse de se blottir contre lui. Il prit son visage entre ses grandes mains et la regarda. Elle était encore plus belle ce soir. Perdue dans son grand tee-shirt, les cheveux en bataille, Blanche ressemblait à une sauvageonne. Marceau embrassa le bout de son petit nez. Ils s'enlacèrent avec beaucoup de tendresse.

Qu'il fut bon de passer la nuit ensemble ! Leur première nuit, pelotonnés l'un contre l'autre. Même s'il se plaisait à dire qu'il vivait sans attache, Marceau devait bien reconnaître qu'il était chaque fois plus impatient de retrouver Blanche. Cette jeune femme faisait désormais partie de son horizon, c'était certain. Comment imaginer une seconde l'avenir sans elle ? Lui, l'artiste vagabond, aurait signé tout de suite pour rester avec elle à la Genestière. Il n'aurait jamais cru tomber amoureux de la sorte, lui qui contrôlait si bien ses émotions… avant Blanche.

Ils firent l'amour avec gourmandise, recherchant le plaisir de l'autre dans une langoureuse danse qui rythmait leur émoi. Leurs corps brûlants s'avouèrent leur attirance en même temps que leurs esprits s'unirent dans une osmose parfaite. Ils se donnèrent l'un à l'autre sans retenue, avec toute la générosité du cœur. Malgré quelques aventures, Blanche n'avait jamais connu cette entente parfaite, celle qui fait que l'amour devient une évidence et une nécessité. Elle comprit simplement ce matin qu'elle ne pourrait plus se passer de Marceau.

Ils se réveillèrent tôt le lendemain matin, tirés du lit par quelques rayons de soleil déjà brûlants. Lorsqu'il ouvrit les yeux, Blanche était là, tout contre lui à le regarder dormir. Elle aurait voulu que ce moment ne s'échappe jamais.

— Sais-tu que tu parles en dormant ?

Marceau se redressa sur un coude, étonné.

— Ah bon ? Et qu'est-ce que j'ai dit ?

Elle réfléchit un peu, hésitante.

— Tu as parlé d'une certaine Patricia…

Marceau s'assit carrément sur le lit, intrigué.

— Patricia ? Mais je ne connais aucune Patricia…

La jeune fille éclata de rire en voyant son air dépité.

— Mais non, c'est une blague ! Tu as juste dit : « Plus vite, reste en bémol, s'il te plaît ! »

— C'est vrai ? J'ai dit ça ? Ça ne m'étonne pas. En ce moment, on travaille beaucoup sur un nouveau morceau et j'y pense souvent… Désolé.

— Ne sois pas désolé, c'est mignon tout plein. J'ai l'impression de partager un peu plus ta vie…

Il la prit dans ses bras tendrement.

— Tu t'y es fait une belle place, ma brune.

Quelques instants plus tard, Blanche se leva toute souriante et heureuse de cette dernière révélation. Tant mieux si elle avait sa place dans la vie de Marceau parce qu'elle comptait bien la garder ! Elle descendit et prépara un bon petit déjeuner. Elle remonta à la chambre en douce et susurra à l'oreille du jeune homme.

— C'est prêt !

Le jeune homme, qui avait entendu ses pas grincer sur le plancher, l'attrapa par surprise et la fit basculer sur le lit. Surprise, Blanche cria mais se retrouva vite emprisonnée dans les bras de Marceau.

— Mais pourquoi tu me tiens ? Je n'ai aucune intention de partir.

Ils s'embrassèrent encore, puis restèrent étreints.

Ce n'est que plus tard qu'ils déjeunèrent sous la tonnelle, la faim au ventre.

— Des muscats. Quelle bonne idée !

— Pas n'importe lesquels. Ils viennent de ma terre du fond, juste cueillis d'hier.

— Hum... Ils sont presque aussi appétissants que toi.

Blanche vint s'asseoir sur les genoux de Marceau pour mieux le câliner. Elle l'embrassa dans le cou avec tendresse. Ils se lovèrent l'un contre l'autre. Il respira le parfum des cheveux de Blanche. Ils sentaient la verveine. C'était doux et frais. Il s'écarta légèrement pour la regarder. Les yeux de Blanche pétillaient de malice, comme ceux d'une enfant qui a envie de faire une bêtise. Sa peau dorée était veloutée comme celle d'une pêche et ses lèvres... Ses lèvres pulpeuses ne demandaient qu'à être embrassées.

— Ma belle brune...

Elle se colla à lui avec vigueur pour l'étreindre. Brusquement, la vieille chaise en bois sur laquelle le jeune homme était assis craqua.

Ils se retrouvèrent par terre, éclatant de rire. Les morceaux de bois gisaient à leurs côtés.

— C'était la chaise de Marcel !

Marceau, faussement désolé, pouffa.

— On pourra dire qu'elle a eu une belle fin.

— C'est vrai.

Après avoir ramassé les débris, les amoureux rentrèrent se doucher. L'eau froide coulait sur leurs corps, plus salvatrice que jamais. Il faisait déjà chaud ce matin. Ils s'essuyèrent à peine, profitant au maximum de cette fraîcheur inespérée.

— Aujourd'hui, je te présenterai à Marcel.

Marceau, flatté, embrassa Blanche.

— Avec plaisir, ma belle brune. On ne va peut-être pas lui parler de sa chaise… ?

Blanche rit.

— Mais si, il fallait bien qu'elle craque un jour.

— Je serai très heureux de le connaître, tu l'aimes tellement. Ce matin, je dois faire un saut à Nîmes. Je n'en aurai pas pour longtemps mais c'est important.

— Ah oui ? Rien de grave… ?

— Non, juste une histoire de contrat à signer. Et pourquoi ne viendrais-tu pas avec moi ?

Blanche réfléchit à l'avancée de son travail.

— Si tu n'en as pas pour toute la journée, c'est d'accord, je viens avec toi.

— Génial !

— Je vais me changer, attends-moi.

Alors qu'il allait lui dire qu'elle était très bien comme ça, Marceau n'en eut pas le temps. Blanche était déjà à l'étage. Lorsqu'elle en redescendit cinq minutes plus tard, elle portait la robe fleurie de leur premier rendez-vous. Elle put voir l'effet que sa tenue faisait sur le jeune homme.

— Que tu es belle !

— J'ai envie que tu sois fier de moi.

Marceau embrassa son front.

— Mais je suis toujours fier de toi, quoi que tu portes. Ce n'est pas ta tenue qui changera mes sentiments.

Blanche pensa qu'elle avait bien de la chance.

La voiture de Marceau s'élança sur la nationale, laissant Saint-Antonin derrière eux. Bordée de platanes de chaque côté, la route offrait un ombrage appréciable en cette saison. Des petits villages étaient parsemés sur les collines, jusqu'aux gorges du Gardon. Ils passèrent sur le pont Saint-Nicolas, aux hautes arches enjambant la rivière, pour rejoindre l'étroite route en lacets taillée dans les falaises calcaires.

— Cet endroit est exceptionnel de beauté.

— Je l'adore. Un autre jour, quand nous aurons plus de temps, nous descendrons en bas à la rivière.

— On peut y descendre ?

— Oui, avec de bonnes baskets et de l'endurance. Le chemin est long mais au bout, il y a un petit paradis…

Devant les yeux étonnés de Marceau, Blanche expliqua.

— Au milieu des rochers, une source à l'eau transparente s'écoule dans le Gardon. C'est magnifique, et en plus il y a peu de monde.

— Hum… Je sens que nous serons vite de retour ici.

La petite route serpentait encore sur plusieurs kilomètres puis s'élargissait sur de grandes plaines réservées à l'entraînement militaire. La garrigue y était préservée mais l'accès était interdit. Enfin la ville romaine se montra au détour d'une colline.

— Où va-t-on exactement ?

— À côté du tribunal.

La voiture de Marceau perdue dans la circulation des boulevards passa devant la Maison carrée, puis les arènes, avant de se garer non loin de l'esplanade. Les amoureux la traversèrent, s'arrêtèrent un instant devant la grande fontaine Pradier, majestueusement sculptée dans le marbre blanc. Ils se faufilèrent dans une ruelle bordée d'hôtels particuliers plus beaux les uns que les autres. Marceau poussa une grosse porte en bois et ils pénétrèrent dans une cour intérieure agrémentée d'un large escalier en pierre.

— Un de nos producteurs habite dans cet immeuble. Suite au concert des Jardins de la Fontaine, il nous a engagés pour jouer dans trois mois au théâtre municipal.

— Ah ! chouette ! Ça veut dire que dans trois mois, tu seras encore dans la région ?

— Oui. Je pense que je vais avoir du mal à m'en éloigner.

Sa main se posa sur la nuque de Blanche, qu'il caressa avec son pouce. À l'étage, ils entrèrent dans un cabinet austère. La secrétaire répondait au téléphone. Marceau s'avança et avant qu'il ait le temps d'ouvrir la bouche, elle raccrocha et annonça qu'elle allait prévenir son patron de sa présence.

— Je t'attends ici.

— D'accord, ce sera rapide.

Une porte s'ouvrit et un quinquagénaire élégamment vêtu accueillit chaleureusement le jeune homme dans son bureau. La porte se referma sur eux.

Blanche regarda par la porte-fenêtre ouverte sur une large terrasse. On y apercevait le jardin public et les va-et-vient incessants de ses promeneurs. Un carrousel faisait danser ses chevaux de bois pour la plus grande joie des petits et des grands. Plus loin, la grande avenue de la Préfecture accueillait des voyageurs pressés d'arriver jusqu'à la gare, d'autres ravis de rentrer à la maison. Sur le boulevard face au tribunal, une classe de primaire s'agglutinait autour de son maître qui contait son histoire et ses fonctions.

La secrétaire réapparut dans la pièce. Elle tira Blanche de sa contemplation.

— Excusez-moi, mademoiselle. Je ne voudrais pas être indiscrète mais…

Blanche la regarda.

— Oui ?

— Est-ce que vous êtes l'amie de M. Conti ?

— Oui.

— Oh là ! là ! la chance que vous avez ! Il joue si bien et en plus… qu'est-ce qu'il est beau !

Blanche sourit devant l'enthousiasme de la dame. Celle-ci, faussement gênée, s'excusa.

— Oh ! pardon, je sais que ça ne se dit pas, mais moi vous savez, je suis nature !

— Mais vous avez bien raison.

— Vous pensez qu'il accepterait de me signer l'affiche de son dernier concert ?

— Mais bien sûr.

La dame piaffa de joie.

— Oh merci, mademoiselle ! Vous êtes bien jolie aussi. Quand je vais raconter à ma copine que j'ai vu Marceau Conti et sa femme, elle va être folle de jalousie.

— Euh… je ne suis pas sa femme…

— C'est pareil ! De notre temps, on ne fait plus de chichi avec ça.

Blanche sourit, un peu embarrassée. Il est vrai que l'idée du mariage ne l'avait jamais emballée. Elle pensait qu'un amour n'avait nullement besoin d'être officialisé pour exister, ça lui enlevait toute sa poésie. La porte du bureau s'ouvrit et Marceau en sortit, des documents à la main. Il s'empressa de rejoindre Blanche et se prépara à sortir.

— Marceau, attends. Cette dame aimerait beaucoup que tu lui dédicaces son affiche.

La secrétaire regardait le jeune homme avec des yeux ronds, la bouche bée, puis soudain se reprit.

— Ah oui, oui...

Elle déroula l'affiche que Blanche avait vue chez Boubou. Marceau s'avança vers elle.

— Comment vous appelez-vous ?

La secrétaire balbutia, rouge d'émotion.

— Euh... Janine, oui Janine.

Le jeune homme la regarda, amusé.

— Vous êtes sûre ?

— Oui.

Le jeune musicien écrivit quelques mots au feutre noir.

— Mon Dieu, quand ma copine va voir ça, elle va être folle ! Merci beaucoup.

Blanche et Marceau sortirent en souriant.

— Mais tu as de vraies groupies...

— Mais oui, madame, qu'est-ce que tu crois ! Et si on allait manger quelque chose, je meurs de faim !

— Est-ce que tu es prêt à découvrir les meilleurs sandwichs de Nîmes ?

— Je te fais confiance.

Blanche prit la main de Marceau.

— Viens, suis-moi.

Ils descendirent les escaliers et s'élancèrent vers l'esplanade. Sous les grands platanes, un Point Chaud tenu par un couple souriant proposait une multitude de formules rapides. Blanche, après quelques mots sympathiques, commanda deux sandwichs brochettes-oignons et des Coca-Cola. Puis elle invita Marceau à s'asseoir à la terrasse mise à disposition par les commerçants. Dès qu'ils furent installés, des dizaines de pigeons vinrent quémander quelques éventuelles miettes de pain. Très vite, le cuisinier leur apporta les sandwichs et les boissons commandés.

— Vas-y, il faut le manger bien chaud.

Il ne se fit pas prier et mordit goulûment dans le pain bien cuit. La bouche pleine, il tenta d'articuler une phrase pratiquement incompréhensible.

— Mé ché rai en on...

— Hi ! hi ! hi ! Tu es trop drôle. Bien sûr que c'est vraiment bon. Tu veux des frites avec ?

Marceau hocha la tête. Blanche se leva et revint avec une grande barquette de frites.

— Les patrons sont belges. Ils font des frites déli-cieuses, tu vas voir...

Le jeune homme était bien décidé à la croire. Il plongea aussitôt ses doigts dans le récipient.

Des gamins passèrent rapidement devant eux, des rollers aux pieds, faisant envoler un nuage de pigeons.

— Tu penses que nous serons rentrés en milieu d'après-midi ? J'ai un colis à préparer pour demain matin impérativement...

— Oui, si tu veux, on rentre à Saint-Antonin dès que l'on a fini de manger...

— Ça marche.

À l'ombre des vieux platanes, sur cette belle

esplanade, Blanche et Marceau profitaient l'un de l'autre. Le temps semblait suspendu. Ils étaient heureux d'être ensemble, tout simplement. Sous les rayons du soleil nîmois, entourés de rires et de cris, ils commençaient leur chemin, main dans la main.

L'après-midi et la soirée se passèrent dans la gaieté et la douceur. La présence de Marceau était apaisante pour la jeune fille et faisait passer les problèmes à l'arrière-plan. Elle était joyeuse. Il restait à Saint-Antonin pendant deux jours. C'était inespéré. Lorsque dehors le soleil brûlait, ils s'enfermaient dans le salon à la fraîcheur des murs épais. Ils se racontèrent leurs souvenirs d'enfance, leurs vacances les plus mémorables et les quelques bêtises faites en compagnie des copains. Ils rirent beaucoup. Insensiblement, ces confidences les rapprochaient.

Sur le soir, Blanche rejoignit son atelier afin de terminer la préparation du colis commandé par un client régulier. Puis, elle rejoignit le jeune homme qui travaillait dans le salon. Lorsqu'elle entendit vibrer le violon de Marceau, elle entra dans la maison sur la pointe des pieds. Se penchant à l'encadrement de la porte, elle l'aperçut de dos, concentré sur sa partition. Ses doigts dansaient à toute allure sur les quatre cordes de son instrument, laissant échapper un son fluide et léger.

Blanche se souvint de la première fois qu'elle l'avait vu à Montpellier. Son visage passionné et volontaire, son être tout entier voué à sa musique, il était le même aujourd'hui dans le salon de la Genestière. La jeune fille n'osait bouger pour ne pas l'interrompre. Admirative et amoureuse, elle se délectait de son talent. Lorsque Marceau s'arrêta de jouer, Blanche s'approcha de lui.

— Il est très beau, ce morceau.

— Tu l'aimes ? Il faut que je le travaille encore.
Ça ne te dérange pas si je continue un peu ?

— Mais non, c'est un plaisir, continue.

Blanche sortit pour ne pas le déranger dans son travail. Pastis, sur le pas de la porte, écoutait la musique
en tournant de temps à autre les oreilles comme pour
mieux entendre. Sa maîtresse s'en amusa.

— On dirait que toi aussi tu aimes le violon ! J'ai
toujours su que tu avais du goût, mon Pastissou...

Le chat se laissa volontiers caresser, roulant sur
le dos les quatre pattes en l'air. Blanche déroula le
tuyau d'arrosage afin d'irriguer les arbustes assoif-
fés. Du jardin, elle écoutait attentivement la musique
de Marceau qui s'échappait du salon. Absorbée et
alanguie, elle n'entendit pas les pas de Marcel dans
l'allée, accompagné de sa fidèle Titine. C'est seulement lorsque la petite chienne vint boire au tuyau, que
Blanche s'aperçut de la présence de Marcel.

— Ah ben tu es là, papé ! Je ne t'avais pas
entendu...

Marcel observait le visage souriant de sa petite-fille.

— Tu es bien gaie, ma petite !

Se tournant vers la voiture du jeune homme, il
s'inquiéta de ne pas déranger.

— Non, c'est très bien que tu sois là. D'ailleurs,
j'avais prévu de te présenter Marceau. On attendra
qu'il ait fini de jouer...

— Volontiers, ma petite.

Marcel écouta, attentif, le filet de notes qui montaient vers les aigus.

— Un musicien, c'est agréable.

241

Blanche embrassa son grand-père affectueusement, comme toujours.

— J'aime te voir heureuse, ça me fait plaisir. Tu es rayonnante, ma petite !

— C'est vrai que je me sens bien.

Le vieil homme dévisagea sa petite-fille avec attention, le sourire aux lèvres. Puis son visage devint plus sérieux. Il s'assit sur le banc devant la maison.

— Viens à côté de moi, Blanche, j'ai beaucoup à te dire. Viens tout près, ma péquelette.

Elle comprit que l'instant était important, car Marcel ne l'appelait comme ça que quand il avait le cœur lourd... Il attendit qu'elle soit tout près de lui et soupira fortement.

— Tout d'abord, ton oncle François. Il a enfin cédé à mes demandes et à celles du médecin. Il est parti pour un mois en maison de repos. Tu avais remarqué son état depuis plusieurs années. Il était plein de rancœur et de haine. Moi je le sais bien, ce n'est pas quelqu'un de mauvais. En fait, il est en pleine dépression. Hier après-midi, nous avons beaucoup parlé et il s'est effondré.

— L'oncle François ? Je n'aurais jamais cru...

— Il ne faut pas se fier aux apparences, tu sais... Pour tout te dire, cette nuit, il a voulu se supprimer.

Blanche était stupéfaite par le récit de son grand-père.

— Heureusement que je l'ai entendu prendre son fusil dans l'armoire. Je l'en ai empêché de toutes mes forces. Je me suis cramponné à son arme sans jamais lâcher... Il s'est débattu mais n'a pas voulu me faire tomber. Alors il a renoncé et il a craqué de nouveau. Nous avons parlé jusqu'au matin.

— Tu as pu le raisonner alors ?

— Oui. Je crois qu'il a compris que je l'aimais.

Blanche se serra contre Marcel, qui continua à raconter.

— Enfin ! Je ne voulais pas le perdre lui aussi, tu comprends...

— Bien sûr que je comprends. Où il est ?

— À Saint-Paul. Là-bas, il verra un psychiatre tous les jours. Il pourra sûrement faire quelque chose pour l'aider. Quand il sera mieux, j'espère que l'on se retrouvera, comme un père et un fils ordinaires...

— J'espère, papé, tu le mérites.

Marcel lui sourit tristement.

— Viens, rentrons dans la cuisine, nous allons boire un coup. Allez Titine !

La petite chienne ne se le fit pas dire deux fois. Toute sautillante, elle fit irruption auprès de Pastis, qui n'apprécia pas cette intrusion soudaine. Le chat fit le dos rond, espérant l'impressionner mais elle le regarda avec des yeux étonnés.

— Ah ! vous êtes comiques tous les deux ! Pastis, arrête de crâner un peu...

Le chat, vexé, sortit le nez en l'air vers le jardin. Titine, intriguée, le suivit.

Après avoir bu un grand verre d'eau, Blanche et Marcel s'assirent autour de la table. La jeune fille y déposa un saladier de haricots verts qu'elle équeuta patiemment.

— Ce sont les haricots de ton jardin ?

— Oui. Je les ai cueillis hier soir. Je vais les faire en salade, avec quelques pommes de terre, un peu d'ail et une bonne vinaigrette à l'huile d'olive. Ça fera le repas de ce soir.

Le vieil homme sourit.

— Ma mère les faisait comme ça aussi. C'est délicieux en été.

— Tu veux rester manger avec nous, papé ?

— Non, ma petite, tu es gentille. Je suis venu pour te parler…

La musique s'arrêta dans le salon.

— Il y a autre chose, à part François ?

Blanche fut soudainement inquiète et lâcha ses haricots.

— Je crois que je reviendrai un autre jour, je ne veux pas vous déranger.

À cet instant-là, Marceau entra dans la cuisine. Blanche se leva, le prit par la taille et se tourna vers Marcel.

— papé, voilà Marceau.

Le vieil homme se leva et empoigna vigoureusement la main de l'amoureux de Blanche.

— Bonjour, jeune homme. Je ne m'y entends pas beaucoup dans ce domaine, mais vous avez l'air d'être un sacré musicien.

— Merci, monsieur. Je suis content de vous connaître, Blanche parle tellement de vous…

S'adressant à sa petite-fille, il plaisanta sur un ton devenu léger.

— Tu n'as pas mieux à faire que de parler d'un vieux bonhomme comme moi ?

Tous sourirent. La jeune fille dévisagea son grand-père. Marcel s'était interrompu au moment où il allait lui dire quelque chose d'important. Elle essaya de deviner de quoi il voulait lui parler. Alors qu'elle allait questionner Marcel, le téléphone sonna.

— papé, c'est pour toi. C'est le médecin de François qui voudrait te rencontrer…

— Ah oui, j'avais aussi donné ton numéro à la maison de repos.

— Tu as bien fait.

Marcel saisit le téléphone. L'échange fut bref. En raccrochant, Marcel expliqua qu'il n'y avait rien de grave. Juste un rendez-vous pour le lendemain après-midi à Saint-Paul.

— Tu veux que je t'y amène ?

— Non, ne te tracasse pas ! La femme de Georges s'y rend tous les après-midi, j'irai avec elle.

— D'accord, mais dis-le-moi si tu as besoin...

— Ne t'inquiète pas, ma petite. Mais on continuera cette conversation plus tard. Au revoir, jeune homme. Continuez à rendre ma petite-fille heureuse, elle fait plaisir à voir.

— Je m'y appliquerai, monsieur. Au revoir.

Marcel descendit l'allée, accompagné de Titine qui guettait encore Pastis du coin de l'œil. Les jeunes gens le suivirent du regard.

Sur le chemin du retour, le vieil homme pensa que la vie n'était pas clémente. Ce matin au lever, il était bien décidé à tout dire à Blanche. Il voulait lui parler de la découverte ahurissante qu'avait faite Marie le jour de son décès. Puis, bien sûr, il aurait dû lui raconter son secret qu'il gardait jalousement depuis quatre ans. Tout cela était du passé plus que présent aujourd'hui. Marcel devait présenter à Blanche la future locataire de Costebelle.

Sans la présence du jeune homme à la Genestière, tout aurait été dit. Mais bien qu'il ne lui ait pas déplu, Marcel préférait être seul avec sa petite-fille pour ce grand moment de vérité. En homme pudique qu'il était, il n'aimait pas se donner en spectacle devant des inconnus. Il décida de revenir dès que Blanche serait seule, pour tout lui révéler.

Devant la maison, alors qu'ils venaient de perdre de vue la silhouette de Marcel au bout du chemin, Marceau s'inquiéta.

— J'ai l'impression que j'ai interrompu une conversation importante, non ?

Blanche était pensive.

— Je ne sais pas. Mais pour en avoir le cœur net, j'irai le voir chez lui demain matin.

Les deux jeunes gens restèrent pensifs.

— Il est bien ton grand-père, pour son âge. Il marche sans canne ?

— Sans canne, il crapahute dans la garrigue à la recherche des truffes. Il ne porte pas de lunettes et a une dentition parfaite. Il est juste un peu sourd...

— Qui sait comment on sera à son âge ?

Blanche fit face au jeune homme.

— On sera tout flétris, avec des lunettes à double foyer, un dentier, sourds comme des pots, mais... toujours amoureux. Tu signes ?

La jeune fille rit de sa description. Marceau lui répondit très sérieusement.

— Je signe immédiatement.

Pastis qui avait suivi de loin Titine et son maître se mit à miauler dans leur direction. Sans réponse de la petite chienne, il remonta l'allée, dépité.

— Tu ne sais pas ce que tu veux, mon pauvre Pastis ! Quand elle est là, tu essaies de la faire fuir et quand elle est partie, tu râles...

Marceau prit le chat dans ses bras et le caressa avec douceur.

— C'est ça l'amour, hein le matou ?

18

Cette deuxième nuit passée ensemble fut tout aussi tendre que la première. Les jeunes gens alanguis étaient restés blottis, bercés par les battements de cœur de l'autre et la douceur de sa peau. Allongés sur les draps, leurs corps nus enlacés ressemblaient à une sculpture de Rodin. S'arrachant à cet état de grâce avec peine, ils se réveillèrent mieux sous la douche fraîche.

Plus tard, alors qu'ils buvaient leur café sous la tonnelle, l'air tiède du matin les envahit. Marceau soupira de bien-être.

— Qu'est-ce qu'on est bien ici ! Ton jardin est tellement agréable, que l'on n'a pas envie d'en bouger...

— Mais tu as tout ton temps.

— Il faut que je répète encore, si ça ne te gêne pas. C'est dans ces conditions que je peux rester deux jours avec toi, tu comprends ?

— Bien sûr. Travaille autant que tu en as besoin, je suis heureuse que tu sois ici.

Le jeune musicien fut reconnaissant de sa compréhension.

— De toute façon, il faut que je parte. Je vais aller chez Marcel. Je te confie la Genestière.

— D'accord, ma belle brune. Donne-lui le bonjour de ma part. À tout à l'heure.

Blanche se leva, embrassa le jeune homme et se dirigea vers l'allée.

— Tu n'y vas pas en voiture ?

Elle se retourna, souriante.

— Non, j'adore marcher. Je tiens à garder mes belles jambes…

— Bonne idée, ma brune.

Blanche laissa Marceau à son violon. Un quart d'heure plus tard, elle frappait à la porte de son grand-père. Le ciel était gris ce matin. Le soleil avait toutes les peines du monde à percer les nuages. Un orage se préparait sûrement. Dans la ruelle, une voisine sortit devant sa porte.

— Il est parti, Blanche. Je l'ai croisé quand je rentrais de commissions. Il allait chercher son journal.

— Merci, je vais à sa rencontre.

Le regard de Blanche ne put s'empêcher de descendre jusqu'au petit trou d'usure de la blouse de son interlocutrice. Ça la faisait toujours sourire, sans qu'elle ne puisse rien y faire. Elle remonta tranquillement vers le centre-ville, au travers des ruelles animées. Où allait-elle trouver Marcel, à cette heure tardive de la matinée ? Elle s'arrêta devant la vitrine du magasin de jouets. Blanche l'aimait particulièrement et s'y arrêtait souvent pour l'admirer. N'étaient pas mis en valeur de quelconques jouets en plastique mais des jouets en bois de fabrication artisanale, des marionnettes en chiffon, des nounours soyeux au sourire franc. C'était un plaisir pour les yeux.

— Alors, ma petite, tu as encore des envies de nounours ?

Marcel se tenait juste derrière elle, le journal sous le bras.

— papé, je viens de chez toi.

— Tu as délaissé ton amoureux ?

— Oui, mais pas pour longtemps. Je redescends avec toi.

Ils firent demi-tour, vers la petite bourgade.

— Je sais que tu n'as pas vu Marceau longtemps hier, mais... qu'en as-tu pensé ?

— Comme tu le dis, je ne l'ai pas vu longtemps, ton ami. Il a plutôt l'air... bon musicien et... propre sur lui... présentable...

Blanche le regarda, ébahie. Marcel rit en voyant sa bouille.

— J'adore te faire marcher ! Mais oui qu'il est sympathique, ton Marceau. Et puis, vous avez l'air très amoureux, c'est bien le plus important, ma petite !

— Ah ! tu m'as fait peur, papé. J'ai cru que c'étaient les apparences qui t'intéressaient maintenant...

— Oh non, elles sont trop trompeuses. Il est plus sûr de se fier à son cœur.

— C'est sûr.

Arrivés devant chez lui, Marcel s'apprêtait à mettre la clé dans la serrure lorsque la voisine sortit. S'adressant à Blanche, elle balbutia quelques mots.

— Ça y est, tu l'as trouvé ton grand-père ? Il n'était pas loin.

Avant que la jeune fille n'ait eu le temps d'ouvrir la bouche, Marcel avait déjà répliqué.

— Eh oui, elle m'a trouvé. Comment vous l'avez deviné ?

— Hein ? Je n'ai pas compris...

Se tournant vers Blanche, il marmonna.

— Et en plus, elle est sourde ! Vous pouvez rentrer chez vous. Bonne journée, madame la passoire.

La jeune fille regarda son grand-père avec des yeux ronds de stupeur.

— Bonne journée à vous aussi, monsieur Bruguière.

Ils entrèrent chez Marcel.

— Tu l'as appelé madame... la passoire !

— Oui, elle ne comprend rien. Elle croit que je lui dis madame Issoire. C'est marrant. Et puis, la passoire, ça lui va bien, non ?

Blanche éclata de rire, puis se ravisa en pensant à la vieille femme.

— La pauvre, elle n'a peut-être pas d'autre blouse...

— Tu plaisantes, elle est riche comme Crésus ! Mais elle garde tout son argent pour jouer au tiercé. C'est mon collègue Jojo qui encaisse ses mises. Je te le disais, les apparences sont trompeuses, ma petite.

— Plus que jamais.

Ils s'assirent autour de la table de la cuisine, burent un grand verre de sirop d'orgeat et continuèrent à discuter.

— Je suis content que tu sois venue.

— Hier, je t'ai senti tracassé. En dehors de François, tu voulais me parler d'autre chose... ?

Le vieil homme regarda sa petite-fille dans les yeux. Il aimait sa franchise. Il posa son verre, le fit tourner sur lui-même plusieurs fois, essayant de masquer sa soudaine nervosité. L'instant était arrivé. Marcel ne pouvait et ne voulait pas reculer.

— Oui, tu as raison.

Il soupira. Après un long silence, il commença à raconter.

Blanche ne lâcha pas du regard son grand-père, décidée à tout entendre.

— C'est un moment que j'attends depuis des années.

— Vraiment ?

Marcel hocha la tête avec gravité. Il prit les mains de Blanche dans les siennes, ce qui ne la rassura pas.

— J'ai tout découvert il y a quatre ans. Je ne pouvais rien te dire... Tu comprendras au fur et à mesure de mon récit pourquoi.

Après un court silence, Marcel se lança.

— Ce que je vais te révéler va sûrement te bouleverser. Je m'en excuse mais tu dois savoir désormais.

— Mais qu'est-ce qu'il y a, papé ?

Son grand-père la regarda droit dans les yeux.

— Je vais te parler de ta mère, maintenant.

— De maman... ?

— Oui, de notre Marie.

Blanche se demanda ce que son grand-père pouvait bien avoir à lui apprendre sur Marie... Elle la connaissait par cœur, sa mère. Marcel parla lentement, cherchant les mots les plus appropriés à son récit.

— Le jour de son accident, après avoir vu le docteur à l'hôpital de Marseille, un gendarme nous a donné ses affaires qu'il avait ramassées dans la voiture. Il s'agissait de son chapeau de paille, de son gilet bleu qu'elle traînait partout et surtout de son sac. Le lendemain, j'ai eu besoin de ses papiers d'identité pour les formalités, j'ai ouvert son sac.

— Oui...

— J'y ai trouvé une lettre.

— Une lettre ? Une lettre de qui ?

— D'une personne que tu ne connais pas. Elle lui demandait de venir rapidement à Marseille si elle voulait revoir sa sœur qu'elle croyait morte depuis trente et un ans.

— Sa sœur ?

Blanche était stupéfaite.

— Oui. Il s'agissait de ma fille Isabelle. Mon Isabelle ! Elle était vivante depuis toutes ces années ! Et nous, on ne le savait pas.

— Comment est-ce possible, papé ?

Un instant, Blanche se demanda si son grand-père n'avait pas perdu la raison... La dépression de François ne l'avait-elle pas déstabilisé ? Elle avait l'impression qu'il divaguait, prenant pour réalité ses vœux les plus chers. Elle le regarda attentivement. Pourtant, il était comme d'habitude, mêmes expressions, mêmes mots, mêmes gestes... Elle le laissa parler. Marcel s'expliqua.

— Isabelle avait été déclarée disparue, noyée avec son bébé de trois jours dans le gouffre du Diable, alors qu'elle avait seize ans.

Un bébé de trois jours... Ce n'était pas possible, il délirait !

— Son bébé ? Mais je n'avais jamais entendu dire qu'elle avait un bébé... Pourquoi ma mère ne m'en a jamais parlé... ?

— Parce qu'elle n'en savait rien. Marie était en pension lors des événements et ne rentrait que le week-end. Elle n'en a jamais rien su.

Blanche se souvenait de ce que sa mère lui avait confié, un soir de tristesse. Marie était bien en pension lorsque sa grande sœur s'était noyée... Elle se l'était assez reproché, d'ailleurs ! Elle pensait que si elle avait été présente à Costebelle, elle aurait sûrement pu la calmer et qu'Isabelle ne serait pas morte. Et si Marcel ne perdait pas la raison... ?

— Mais pourquoi l'avoir caché ?

Après un long silence ponctué de hochements de tête, il finit par répondre à Blanche.

— Pour Berthe.

Devant l'incompréhension de la jeune fille, Marcel rentra dans les détails.

— Berthe avait honte de la grossesse d'Isabelle. Elle craignait d'être la risée du village. Toujours son orgueil ! Elle m'a fait un cirque pas possible pour que nous tenions l'existence du bébé secrète. Il n'y avait que le médecin et les gendarmes qui étaient au courant. Berthe a menacé de nous quitter, moi et les enfants, si je n'acceptais pas. Avec le recul, je me rends compte que ça aurait été la meilleure chose qui aurait pu leur arriver, aux enfants. J'ai eu peur pour eux et pour moi aussi... Ravagé par le chagrin d'avoir perdu ma fille, j'ai fini par accepter. Tout ce que je souhaitais, c'était de pouvoir les pleurer en paix. Je m'en foutais pas mal que le village soit au courant, rien ne pourrait me rendre mon Isabelle...

Blanche pensa que sa grand-mère n'aurait jamais dû avoir d'enfant. Son cœur était froid et dur comme la pierre. Mais elle ne dit rien, par respect pour Marcel.

Le vieil homme parla encore et encore. La jeune fille, abasourdie, l'écouta avec attention.

— C'était une petite fille, toute rose et toute douce. Isabelle l'avait appelée Camille, Camille Bruguière. Ça lui allait bien. Berthe disait qu'elle était « enfant de péché ». Je m'en foutais...

Blanche pensa à la vieille lettre jaunie d'un certain

Janin, et se demanda de quel péché elle voulait parler ? Du sien ou de celui de sa fille ?

Un sanglot déchira la voix du vieil homme. Blanche, très émue aussi, le laissa continuer.

— Les habits d'Isabelle étaient restés au bord du gouffre. Elle avait même abandonné sa poupée en chiffon qu'elle ne laissait jamais. C'est moi qui lui avais fabriqué à sa naissance... François a dit qu'il les avait vues couler à pic, et qu'il n'avait rien pu faire. Nous avons essayé de récupérer leurs corps, mais ça a été impossible.

— Mais pourquoi a-t-elle fait ça ?

— À l'époque, on a pensé qu'Isabelle avait été choquée par un accouchement pénible... Ou que le père inconnu de l'enfant l'avait abandonnée ou violée... Toutes les hypothèses étaient permises... Mais maintenant je sais...

Il murmura ces derniers mots dans un souffle, si bien que Blanche ne les entendit pas. Elle continua à le questionner, voulant comprendre les moindres détails de cette folle histoire familiale.

— Elles n'étaient pas mortes, alors ? Comment ont-elles survécu au gouffre du Diable ? L'eau devait y être glacée en plein mois d'avril... Ce petit bébé, comment a-t-il résisté ?

Le regard de Marcel se durcit. Il soupira et sembla avoir du mal à continuer son récit. Il but quelques gorgées de sirop, caressa Titine qui s'inquiétait et poursuivit.

— Elles y ont survécu parce qu'elles n'y sont jamais tombées.

Blanche n'en revenait pas.

— Mais pourtant François les avait vues...

Le vieil homme regarda Blanche avec des yeux qui trahissaient un sentiment de tristesse et de colère mêlées. Il eut beaucoup de mal à articuler les trois mots qui sortirent de sa bouche. D'un ton presque inaudible, il avoua la douloureuse vérité.

— Il avait menti.

Les larmes de Marcel coulèrent sur ses joues ridées. Blanche était bouleversée de voir son grand-père pleurer ainsi.

— Mais pourquoi ?

Le vieil homme secoua la tête. Blanche comprit que pour l'instant, il était incapable d'en raconter plus à ce sujet. Ces horribles instants de vie remontaient à sa mémoire, submergeant son cœur meurtri par les épreuves. Elle vint s'asseoir tout près de lui, et l'étreignit pour le réconforter. Ils restèrent ainsi longtemps. Titine avait sauté sur les genoux de son maître, consciente de son chagrin. Plus tard, c'est Marcel qui décida de continuer son récit.

— Revenons à ta mère.

Blanche se redressa, accrochée aux lèvres du vieil homme.

— En recevant cette lettre le matin du 28 juillet, connaissant ta mère et l'amour qu'elle portait à sa sœur, Marie a dû foncer pour la rejoindre à Marseille. Comme elle devait être bouleversée ! Retrouver la trace de sa sœur adorée qu'elle croyait morte depuis si longtemps, ça a dû être un choc terrible pour elle.

— Oui, sans doute…

— Je pense qu'elle a dû être moins attentive à sa conduite… L'accident est arrivé en cours de route.

Blanche s'était souvent demandé ce que sa mère allait faire à Martigues ce jour-là. Mais Marie l'électron libre, Marie le papillon, partait fréquemment sur des coups de tête qui sait où, pour la journée. C'était son mode de vie, et personne n'aurait songé à s'en inquiéter. Elle aimait cette liberté, elle en avait sûrement besoin.

La première chose qui vint à l'esprit de Blanche la révolta. Si elle n'avait jamais reçu cette lettre, elle serait peut-être encore là...

Marcel lut dans ses pensées.

— Tu sais, si c'était son heure, on n'y pouvait rien...

Marie aurait dit la même chose. Ils restèrent un long moment silencieux, puis Blanche questionna son grand-père.

— Qu'as-tu fait ensuite, papé ? As-tu revu ta fille ?

— Oh oui, je l'ai retrouvée.

Un mince sourire détendit sa bouche.

— Elle habitait dans le quartier de l'hôpital, alors j'ai inventé un prétexte pour que François m'amène à Marseille. Un supposé examen très poussé devant être pratiqué à Marseille. Il m'y a déposé le matin et repris le soir.

— Pourquoi n'as-tu pas dit la vérité à François ?

— Avant, je voulais voir si c'était bien elle. Et puis François nous avait menti pendant trente ans ! Je voulais comprendre pourquoi il nous avait fait ça.

— Alors ?

— J'avais très peur en y allant. La fille d'Isabelle écrivait à Marie que sa mère était très mal. Je me demandais dans quel état j'allais la trouver... La perdre une deuxième fois, ça aurait été trop dur... Mais en même temps, j'avais hâte de retrouver ma fille que je n'avais pas su protéger... Quand je l'ai enfin vue, malgré les trente et un ans qui avaient passé, j'ai tout de suite reconnu la douceur de son visage. Elle m'a regardé avec attention, longtemps, sans un mot. C'est lorsque je l'ai appelée « Isabelle », que son expression est devenue douloureuse. Elle a pleuré et dit : « Mon petit papa. »

Blanche avait les larmes aux yeux en entendant son grand-père.

— Je leur ai rendu visite tous les quinze jours durant deux ans. J'ai inventé une rencontre entre copains d'armée à Nîmes, un jeudi sur deux, et je partais en taxi à Marseille. Petit à petit, on s'est retrouvés. Sa santé s'est améliorée, il paraîtrait grâce à nos retrouvailles. J'ai appris à connaître ma petite-fille…

— Comment est-elle ?

— Vous vous ressemblez beaucoup. Bien qu'elle soit moins brune que toi, vous avez les mêmes expressions, le même regard vif et les mêmes goûts.

Blanche trouvait assez surprenant de se découvrir une cousine… Elle avait souvent rêvé d'avoir une famille plus nombreuse, eh bien voilà qu'elle s'agrandissait. La vie était si curieuse…

Marcel prit les mains de sa petite-fille dans les siennes.

— Si tu veux, tu pourras la voir demain à Saint-Antonin.

Blanche, surprise, répéta les paroles de son grand-père mécaniquement.

— Demain… à Saint-Antonin… ?

— Oui, Blanche. Demain tu pourras faire la connaissance de ta cousine Camille, si tu le veux bien.

Elle regarda le vieil homme avec de grands yeux écarquillés qui posaient mille questions. Une cousine demain... Quelle surprise ! Pourtant, la réponse lui vint avec évidence.

— Oui, papé, je veux la rencontrer.

Marcel joignit ses vieilles mains, comme s'il disait merci. Il savait que sa péquelette réagirait ainsi. Il était bien placé pour connaître son grand cœur et son attachement aux autres. Marcel en dit plus sur la journée du lendemain.

— Elle viendra à Costebelle. C'est à elle que je l'ai loué.

— Ma cousine va habiter à Costebelle... Elle va vivre à Saint-Antonin... On va être tout près les uns des autres alors... ?

Un large sourire illumina enfin le visage de Marcel.

— Oui, tout près.

Cette idée plut à Blanche. Une cousine avec qui elle passerait peut-être des bons moments, si elle le souhaitait.

— J'ai encore une petite confidence à te faire.

— Encore !

Marcel rit spontanément en regardant la mine désappointée de Blanche.

— Non, ne t'inquiète pas. Rien de grave. Pour tout te dire, je lui loue Costebelle gracieusement.

— Mais tu as raison papé, c'est ta petite-fille.

En prononçant ces mots, elle réalisa qu'elle ne serait plus la seule petite-fille de Marcel. Une mélancolie l'envahit, sans qu'elle ne puisse rien y faire. Marcel s'en aperçut et l'embrassa.

— Vous êtes toutes les deux mes petites-filles, mais toi tu seras toujours ma péquelette !

La jeune fille offrit son plus beau sourire à celui qu'elle aimait plus que tout. En y repensant, elle trouva son attitude très puérile. Elle savait très bien que son grand-père avait le cœur assez grand pour deux. Rien ne changerait entre eux, c'était certain.

Blanche comprenait pourquoi Marcel s'était lancé dans le projet de redonner un coup de jeune à la vieille bâtisse... Il allait y installer sa petite-fille. C'était bien normal qu'il veuille rattraper le temps perdu. Son grand âge le pressait.

— Et ta fille sera là demain ?

Marcel baissa la tête puis lentement raconta.

— Isabelle est morte le 4 mai 1999. Elle s'est éteinte tout doucement dans mes bras, apaisée. J'ai pu être là grâce à sa fille qui m'a prévenu.

— Oh ! désolée. J'aurais été heureuse de connaître la grande sœur de ma mère... Une tante et une cousine, ça aurait été merveilleux.

Marcel hocha la tête sans rien dire. Blanche pensa au 4 mai 1999. Cette date lui parlait... Puis, elle fit le lien...

— Mais le 4 mai 1999, c'était la veille de la mort de Berthe ta femme ! Berthe est morte le 5 mai 1999. Je m'en souviens très bien car c'était le jour de l'anniversaire de maman...

— Oui, c'est vrai.

— Berthe était-elle au courant que sa fille Isabelle était en vie ?

— Oui. J'ai attendu plusieurs mois avant de lui dire la vérité. Mais tu sais que Berthe ne parlait plus depuis des années. Je n'ai pas pu savoir si elle avait compris ce que je lui expliquais... Elle restait impassible à toutes mes paroles. Pourtant, le jour du décès d'Isabelle, en rentrant de Marseille, je suis passé à la maison de santé. J'avais besoin d'en parler à quelqu'un. Naturellement je suis allé voir Berthe. Je lui ai annoncé la triste nouvelle. Elle n'a eu aucune réaction. Le lendemain matin, on m'a téléphoné pour m'avertir qu'elle s'était éteinte dans la nuit. Le personnel de la maison de santé m'a confié qu'elle avait beaucoup pleuré le soir après mon départ. Au matin, ils l'ont trouvée là, sur son lit, avec dans ses mains la poupée en chiffon d'Isabelle... Elle est morte en sachant qu'Isabelle lui avait tout pardonné et qu'elle l'aimait. Berthe avait fait beaucoup de mal à notre fille. Tu sais qu'elle avait un caractère difficile. Elle n'a jamais su aimer ses enfants simplement. J'avais beau lui en faire le reproche et prendre leur défense, elle restait froide comme la glace. Elle était coincée dans ses principes, muselée par le paraître, à cause de son éducation de bourgeoise. Isabelle n'a jamais voulu la revoir. Pourtant, au fil des années, elle est arrivée à ne plus lui en vouloir. Elle est morte en paix, loin du désamour de sa mère. Quant à Berthe, elle est passée à côté de nos enfants et a réalisé trop tard...

Depuis que Charly le brocanteur avait découvert la vieille lettre adressée à Berthe, Blanche savait qu'Isabelle n'était pas la fille de Marcel. Berthe était-elle morte en regrettant d'avoir mal aimé sa fille ou bien de n'avoir jamais été aimée de son amant ? Pauvre Marcel si sincère, il ne saurait jamais la vérité, elle serait trop insupportable à entendre.

Depuis dix minutes, le ciel s'assombrissait d'épais nuages noirs. Puis, très brusquement, une forte pluie s'abattit sur Saint-Antonin, tirant le vieil homme et sa petite-fille de leurs pensées nostalgiques. Marcel regarda dehors à travers la fenêtre de la cuisine.

— Ça ressemble bien à un épisode cévenol.

— Il faut que je rentre, papé.

— Attends un peu, ça déluge.

— Je vais téléphoner à Marceau qu'il vienne me récupérer sur la placette, ici il ne trouvera pas.

— Vas-y.

La pluie redoublait, aussi violente que soudaine. L'eau ruisselait le long de la petite ruelle, transportant sur son passage les petits graviers du bitume. Le ciel était bas et lourd comme un abcès qui ne demande qu'à percer.

— Marceau part de la maison, je m'avance à sa rencontre. À bientôt, papé.

Ils s'étreignirent affectueusement.

— Prends mon imperméable, sinon tu seras trempée.

Il alla décrocher une grande cape kaki et la déposa sur les épaules de Blanche. Sous le capuchon, on ne voyait pas ses yeux. Il la prit tout contre lui, puis la regarda avec tendresse.

— Fais attention à toi, ma petite.

— Promis, papé.

Blanche s'élança dans la ruelle et disparut de la vue de Marcel. Aujourd'hui, le temps aussi était au gris.

19

À la Genestière, les amoureux restèrent enfermés tout l'après-midi. L'orage ne s'était pas atténué. Par la fenêtre de la cuisine, Blanche regardait son potager. Les fraises baignaient dans l'eau. Elle pensa à ses champs qui seraient vite impraticables. Heureusement que les récoltes étaient à jour ! Rien de fragile ne risquait d'être abîmé. Elle ouvrit la porte pour ressentir la vigueur de la pluie. Marceau la rejoignit.

— On peut dire que dans ta région, il ne pleut pas souvent mais quand il pleut, on s'en souvient !

— C'est un épisode cévenol. C'est un pays de force et de conviction. Quand l'orage vient des Cévennes, il est puissant et violent autant que le soleil l'a été la veille. Ici c'est un pays de caractère. Quand il fait du soleil, il n'est pas tiède, il brûle. Quand il pleut, il ne bruine pas, il déluge. Il n'y a pas de place pour les demi-tons. Tout y est affirmé comme notre accent et notre caractère. C'est comme ça ici.

— C'est pour ça que je m'y plais.

Ils restèrent enlacés un long moment à regarder la pluie tomber. La jeune fille était toute pensive après les révélations de son grand-père... Marie avait dû être très troublée lorsqu'elle avait reçu cette lettre ! Blanche n'avait même pas pu en parler avec elle. Ce jour-là, avec ses amis, ils étaient partis très tôt à la mer. Pas de chance. Si elle avait été à la Genestière ce 28 juillet-là, elle aurait sûrement accompagné Marie... Sa mère serait encore en vie ou bien elles seraient mortes toutes les deux... Comment savoir ? Ça ne servait à rien de se torturer.

Blanche aurait eu encore mille questions à poser à Marcel. Elle n'avait pas eu le temps de lui demander pourquoi cette tante avait disparu si longtemps. Pourquoi François leur avait-il menti ? Pourquoi Marcel n'avait-il pas révélé l'existence d'Isabelle dès qu'il avait connu la vérité ? Pourquoi était-ce possible aujourd'hui ? Elle réalisa qu'elle n'aurait pas pu lui demander tout cela, le vieil homme avait été bien éprouvé de se remémorer ce passé si douloureux. Blanche n'aurait pas supporté de le voir plus triste. De toute façon, ces questions auraient été reportées à plus tard, orage ou pas.

— Tu sais, ce matin, Marcel m'a fait des révélations sur notre famille.

Marceau s'écarta un peu pour contempler Blanche.

— J'aimerais t'en parler...

— Je t'écoute, ma brune.

Alors Blanche raconta la visite chez son grand-père et son lot de surprises. Il était important pour Blanche de partager ses émotions avec Marceau. Cela lui semblait naturel désormais. Il fut touché de ses confidences, en mesura toute la dimension. Cette histoire lui semblait tellement incroyable... Pourtant c'était bien réel et ça arrivait autour de Blanche...

— Tu es impatiente de connaître cette cousine ?

— Impatiente, je ne sais pas. Plutôt curieuse. Mon grand-père dit que l'on se ressemble.

— Deux jolies filles dans une même famille. Je ne pars plus de Saint-Antonin !

— Bonne idée.

— Ne me prends pas au mot, je risque de rester...

— Reste.

Il l'entoura de ses bras. Il comprit que Blanche ressentait la même chose que lui, qu'elle avait les mêmes sentiments, la même passion. C'était sûr, ils allaient faire un bon bout de chemin ensemble. Cette nuit-là fut une nuit de complicité, de partage et de générosité. Ils s'aimèrent comme s'ils s'aimaient depuis des années, avec évidence et sérénité. Ils étaient conscients de franchir un nouveau pas vers une vie à deux épanouie.

Le lendemain matin, la pluie avait laissé place à un soleil enthousiaste. Blanche devait s'occuper du séchage et de l'emballage des dernières plantes cueillies. Pas de grasse matinée. Elle fut debout de bonne heure. Après avoir bu son café, Marceau la rejoignit dans son atelier. Il s'affaira à l'aider du mieux qu'il put, malgré sa méconnaissance du métier. Blanche lui expliqua les différentes étapes à suivre, les dosages, les qualités et les défauts de certaines plantes. Elle parla de sa profession avec ardeur, dévoilant une véritable connaissance de l'environnement.

— Notre région est riche en variétés. Mais toutes les régions le sont, les plantes sont différentes, c'est tout. On ne connaît jamais tout, même au bout d'une vie entière. Ce qui est passionnant, c'est de toujours apprendre.

Marceau était admiratif. Il pensa que c'était pareil

pour la musique. Il n'aurait pas assez d'une vie pour tout jouer.

Lorsque l'emballage fut terminé, Blanche se mit à sa comptabilité.

— Je suis désolée, Marceau, mais il faut que je m'y tienne régulièrement sinon je ne m'en sors pas...

— Là, je ne peux rien faire pour t'assister. Je te propose d'aller cuisiner quelque chose pour le déjeuner... ?

— Chouette idée ! J'ai déjà faim.

— Je ne cuisine pas aussi bien que toi mais je me débrouille un peu. Il faudra que tu sois indulgente.

— Pas de souci, chef Marceau.

Lorsque Blanche eut bouclé ses comptes, elle retrouva son amoureux dans la cuisine. La pièce embaumait la persillade. La table était mise, un petit bouquet de fleurs des champs se pavanait au centre.

— C'est prêt, ma belle brune.

Le chef d'un jour avait concocté une petite salade de concombre au fromage blanc et à la menthe fraîche, puis des tomates du jardin à la provençale.

— Mais c'est très bon !

— Mon père m'a un peu appris. Tu sais, les Italiens sont de fins cuisiniers. Le « bien manger » est une qualité de vie là-bas aussi. Contrairement à ce que beaucoup de Français pensent, ils ne mangent pas que des pâtes et des pizzas. Il tient une auberge dans le Val d'Aoste, c'est une région magnifique.

— J'espère que je le rencontrerai un jour...

— Oh oui, en Italie tous les deux, ce serait génial. Mon père t'adorera.

— Tu en es bien sûr !

— Certain. Il a autant de goût que moi.

Alors que Marceau finissait juste sa phrase, des voix se firent entendre dans le jardin.

— Hé ho ! tu es là, ma Blanche ?

Cette intonation, Blanche la reconnut tout de suite. Quant à Marceau, il fronça les sourcils, ce qui rendait sa mimique presque comique.

— Viens, Paul, on est dans la cuisine.

Malgré son entrée souriante, Paul serra la mâchoire lorsqu'il aperçut un inconnu attablé avec Blanche. Derrière lui, la jolie Laurie essoufflée le suivait péniblement toute en sueur. Elle s'écroula sur la première chaise qu'elle vit.

— Coucou, ma caille. Ouf ! je m'assois, j'en peux plus. Je ne ferai plus jamais de vélo avec lui. Il est fou, ce gars. C'est un extraterrestre. Jamais fatigué, jamais mal aux muscles, jamais soif... Un zombie, je te dis, le Paul !

— Tais-toi un peu, espèce de pénible ! Tu ne vois pas que Blanche n'est pas seule...

Laurie, qui ne s'était pas aperçue de la présence de Marceau, décocha un petit rire embarrassé en guise de bonjour.

Paul regarda Marceau avec insistance. Celui-ci maintint son regard. S'apercevant du malaise qui naissait entre les deux hommes, Blanche laissa éclater son rire cristallin.

— Mais vous ne dérangez pas, les amis. Assieds-toi, Paul.

Jetant un coup d'œil triomphant vers son rival, Paul s'assit en souriant.

— Je vous présente Marceau, mon bel amoureux.

À son tour, le jeune homme sourit en se raclant la gorge, pensant : « Prends-toi ça dans les dents ! »

— Eh ben dis donc, ma cocotte... Tu ne t'embêtes pas, hein ? Tu n'as pas choisi le plus moche. Oh ! punaise, les beaux yeux que vous avez !

Blanche rit en voyant Laurie détailler du regard Marceau, surpris et un peu gêné par tant d'insistance. Il lui sourit discrètement.

Paul, un peu agacé, ne regarda que Blanche, préférant ignorer l'intrus.

— On venait prendre de tes nouvelles, ça fait longtemps que tu n'es pas descendue chez Boubou, le soir... Mais je comprends mieux pourquoi, maintenant...

Blanche reconnaissait bien là le ton boudeur de son ami Paul. Marceau prit à l'évidence beaucoup de plaisir à en rajouter.

— Il est vrai que Blanche a été très occupée ces derniers temps... Plutôt que nous avons été très occupés...

— Oh ! ça suffit, les coqs ! Je n'aime pas les combats... J'ai beaucoup travaillé aussi, ajouta Blanche en souriant. Tu sais que c'est le moment des récoltes pour moi.

Laurie, qui détaillait Blanche désormais, s'empressa de faire son commentaire.

— Ah ! c'est là que tu as bronzé... Je me disais, d'habitude on va à la mer entre filles. Pour tout vous avouer Marceau... je peux vous appeler Marceau, hein ?

— Oui, bien sûr.

— On va à la plage entre filles et on se fait bronzer toutes nues dans les dunes. C'est mieux, on n'a pas de traces comme ça...

— De traces... ?

— De traces du maillot, pardi !

— Ah ! bien sûr...

Blanche et Marceau rirent de bon cœur devant les préoccupations un peu superficielles de Laurie. Paul leva les yeux au ciel.

— Mais on s'en fout de tes traces ! Tiens, tu veux voir les miennes ?

Joignant le geste à la parole, il releva son cycliste et laissa apparaître une démarcation très nette entre sa jambe brune et sa cuisse blanche. Laurie, effarée, ne put retenir sa surprise.

— Oh, mon Dieu ! Mais c'est horrible ! Tu ne peux pas rester comme ça. Je te donnerai une crème auto-bronzante pour tes cuisses en rentrant.

— Une crème pour mes cuisses... Il ne manquerait plus que ça ! Tu n'en rates pas une.

L'hilarité était générale dans la cuisine de la Genestière. Laurie persistait à soulever le cycliste de Paul qui râlait.

— Bon, tu as fini ? Pourquoi on venait, au fait ?

Marceau répondit.

— Pour prendre des nouvelles de Blanche.

— Ah oui, mais pour l'anniversaire aussi...

— Quel anniversaire ?

— L'anniversaire d'Armelle. On a prévu de lui faire une surprise samedi 25 au soir, une grillade-party au bord de l'eau. Ça te dit, Blanche ?

— C'est une excellente idée ! J'adore ça, les soirées au bord du Gardon.

— Le mot d'ordre est « tous déguisés ».

Marceau regarda Paul avec attention.

— Vous n'aurez qu'à y aller comme vous êtes !

Blanche éclata de rire. En effet, Paul arborait la tenue complète du parfait cycliste qu'il était. Quelques secondes après, Laurie s'écroulait de rire aussi, comprenant la blague de Marceau.

— C'est bien dit alors ! C'est un rigolo, ton copain. Mon Dieu...

Paul, agacé par Laurie, l'envoya promener.

— Mais que tu es bête, toi alors ! Tu n'as pas fini de rire comme une bécasse ?

Plus il s'énervait et plus Laurie riait. Décidément, Blanche les aimait bien ces deux-là ! Paul reprit son sérieux.

— Si tu veux insister auprès de Mathilde, elle ne m'a toujours pas dit si elle venait... Je ne la vois plus, elle non plus !

Marceau ne résista pas à faire une réponse ironique.

— Elles sont toutes amoureuses...

— Sûrement... Bon allez, on vous laisse finir !

Il poussa Laurie vers la porte mais celle-ci réussit à crier en direction de Marceau.

— Et vous pouvez venir aussi...

— Merci.

Une fois Paul et Laurie au bout de l'allée, Blanche se tourna vers son homme, les mains sur les hanches.

— Mais vous êtes terribles, tous les deux ! Deux gamins.

Il rit. Il était vrai que Blanche n'avait pas tort. La prenant dans ses bras, il lui murmura à l'oreille :

— Il t'a appelée « Ma Blanche » ! Ça m'a agacé.

Elle trouvait cette jalousie très mignonne mais ne l'encouragea pas. Elle expliqua son ancienne relation avec Paul et la complicité qu'ils avaient gardée. Marceau comprit qu'il devrait s'en accommoder. Il était prêt à accepter beaucoup de compromis pour les beaux yeux de sa brune. Elle seule comptait. Et puis, il comprenait aussi Paul. S'il avait perdu Blanche comme lui, il ne l'accepterait pas si facilement. Finalement, Paul lui parut plus sympathique.

— Elle est rigolote, ta copine.

— Ah ! Laurie, c'est un vrai clown. Elle ne le fait pas toujours exprès d'ailleurs. On l'adore tous. Si tu es là samedi soir, ce sera l'occasion de connaître toute la bande…

— Malheureusement, c'est impossible. Je dois partir demain matin de bonne heure. Nous avons un concert le soir à Collioure.

— Dommage… Mais ça aura été très chouette de t'avoir pendant deux jours, rien que pour moi, de dormir avec toi et de me réveiller à tes côtés…

— Ça a été important pour moi aussi. J'ai pu mieux te connaître…

Marceau plongea son regard intense dans celui de Blanche.

— Et plus je te connais, moins j'ai envie de te quitter.

— Moi aussi, je suis bien avec toi.

Blanche le regarda, il rayonnait, il était magnifique. Elle pensa, sans oser lui dire, qu'il était l'homme de sa vie.

20

En début d'après-midi, Marceau fut prévenu qu'il devait rejoindre au plus vite Collioure où le concert du lendemain avait lieu. L'agent du groupe philharmonique leur avait décroché une longue interview sur une télévision locale de Perpignan le soir même. En tant que violon soliste, il devait être présent pour jouer en direct. Ils ne pouvaient pas négliger cette aubaine qui leur ferait sûrement beaucoup de publicité. Embarrassé, il annonça son départ prématuré à Blanche.

— Je suis vraiment désolé, ma belle brune…

— Moi aussi, mais je comprends. C'est une occasion à ne pas laisser passer pour vous. Il y a qu'une chose qui me chagrine…

— Quoi donc ?

— Je ne te verrai pas à la télé. Je ne capte pas Télé-Perpignan.

Marceau l'étreignit.

— Je leur demanderai un enregistrement de l'émission rien que pour toi. Je te l'apporterai très vite. Je ne peux plus me passer de toi, Blanche.

Quelques minutes plus tard, la voiture s'élança dans le chemin de terre, soulevant des traînées de poussière derrière elle. En remontant l'allée, elle aperçut la chemise bleue à carreaux de Marceau qu'il avait oubliée sur l'étendage. Blanche la prit et la serra contre elle. Il serait quand même un peu avec elle durant son absence. Alors qu'elle allait entrer dans la maison, Pastis bondit devant ses pieds.

— Mais qu'est-ce qu'il t'arrive ? Tu es bien dévarié, mon Pastissou !

Le chat miaula, boudeur. Il venait de laisser filer une petite souris grise.

— Ne t'inquiète pas, c'est la chaleur ! Rentre avec moi.

Il était temps de rejoindre Marcel à Costebelle. Blanche était tendue et pensive. Elle prit le temps de lire un peu, mais ne parvenait pas à se concentrer. Elle partit à la cuisine, ouvrit le réfrigérateur et en sortit un saladier de fraises. Elle en croqua quelques-unes. Que ces fruits étaient bons ! Puis, elle se décida à monter à la salle de bains.

Après une douche réparatrice, elle chercha un moment comment s'habiller, soucieuse de plaire à cette cousine tombée du ciel... Elle avait envie que leur première rencontre se passe le mieux possible, c'était important pour Marcel, et pour elle aussi. Après avoir sorti une jupe, deux jeans, et quelques tee-shirts, Blanche n'arrivait pas à se décider. Elle était nerveuse, ça ne lui ressemblait pas. Elle dut se rendre à l'évidence qu'elle en voulait sûrement à cette cousine qui avait attiré Marie sur la route meurtrière de Marseille... C'était idiot, elle devait réagir. Ce n'était pas dans ses habitudes d'être si négative. Elle l'aimerait sûrement quand elle la connaîtrait...

Blanche pesta en se disant : « Zut, elle me prendra

comme je suis ! » Elle enfila son petit débardeur orange et son short en jean et démarra en direction de Costebelle.

Sa 4L entra dans la cour et prit place à l'ombre des cèdres. Il était quinze heures trente, le soleil de l'après-midi plombait sur le petit village. Une voiture était garée devant la propriété. Quand elle descendit de son véhicule, elle remarqua que les artisans avaient terminé leurs chantiers. Tout était propre. Le jardin avait été débarrassé des matériaux divers qui traînaient çà et là, utiles à la rénovation de la vieille demeure. Un paysagiste avait tondu la grande pelouse, fleuri l'allée et d'anciennes jardinières en pierre remisées chez François. Le parc était beau avec cette multitude de plantes fleuries qui l'égayaient et le rendaient plus attractif. Enfin, on avait envie de s'y promener, de s'allonger sur son herbe grasse pour flâner.

En se retournant vers la maison, elle vit que les deux énormes lions avaient disparu, rendant la montée d'escalier plus sobre. Blanche n'avait pas encore vu les travaux réalisés à l'intérieur. Elle entendait la voix de Marcel à l'étage et une voix féminine.

Titine dormait d'un œil au pied de l'escalier, guettant le retour de Marcel. Blanche la caressa en passant et entra dans le hall. Le changement y était surprenant. La clarté l'envahissait, faisant ressortir les tomettes rouges récemment cirées. Pour la première fois en pénétrant à Costebelle, elle n'eut pas envie de faire demi-tour. L'affreuse frise avait été recouverte. Les plafonds étaient plus blancs que jamais.

Curieuse, elle entra dans un grand salon et une salle à manger qui rencontraient pour la première fois la douceur. Plus de fioritures ni de lourdeur. Une ocre chaude transformait ces pièces en lieux paisibles et reposants. Même la vieille cheminée en bois s'était débarrassée de ses motifs dorés. Elle arborait fièrement une patine à l'ancienne qui s'harmonisait parfaitement avec la tonalité de la pièce.

La maison tout entière semblait respirer, revivre, libérée de ce poids qui l'étouffait. Blanche fut contente de ses choix. Quel plaisir d'avoir contribué à cette transformation ! Marie l'aurait sûrement appréciée. Blanche pensa qu'il était dommage que cette tâche n'ait pas été confiée à sa mère. C'était sa maison d'enfance. Même si elle n'en avait jamais gardé un bon souvenir, Marie aurait sans doute adoré la changer d'un coup de baguette magique... Elle aurait perçu cela comme une revanche vis-à-vis de Berthe. Berthe qui donnait plus d'importance à sa maison qu'à ses enfants... Blanche continua à déambuler de pièce en pièce.

La cuisine blanchie avait retrouvé une seconde jeunesse. La haute fenêtre pouvait enfin imposer sa présence et laisser pénétrer les rayons de soleil au travers de ses carreaux. « Voilà un endroit où l'on mangera sans avaler de travers ! » ironisa Blanche. Puis, attirée par les voix à l'étage, elle monta sans bruit.

Ils étaient dans la chambre bleue. S'avançant doucement, Blanche les vit de dos, son grand-père et une jeune femme. Ils ne l'entendirent pas arriver. Elle détailla du regard cette inconnue qui faisait brusquement irruption dans sa vie. Non pas avec méfiance mais avec curiosité. Sa silhouette était élancée, ses cheveux mi-longs châtains retombaient sur ses épaules. Sa taille était très fine. Elle portait une jupe blanche et un tee-shirt anis.

En voyant ensemble Marcel et l'inconnue, Blanche comprit qu'ils avaient noué de véritables liens, durant ces quatre années de rencontres bimensuelles. Elle en était heureuse pour Marcel. La jeune femme le tenait par le bras et penchait de temps à autre sa tête vers lui. Cette attitude apparut affectueuse aux yeux de Blanche, qui était désormais prête à accueillir cette personne dans sa famille.

Sans soupçonner l'arrivée de Blanche, ils continuèrent leur conversation.

— C'était la chambre de ta mère. Petite, elle y passait énormément de temps. Elle restait souvent là, à regarder par la fenêtre. On y aperçoit la garrigue, regarde ! La vue sur la vallée de l'Aucre semblait lui faire du bien, la calmait...

La jeune femme semblait émue. Elle se rapprocha plus près de Marcel. Blanche retrouva dans ces mouvements ses propres mouvements. Elle en fut touchée. Marcel avait peut-être raison, elles se ressemblaient...

La jeune femme parla d'une voix attendrie.

— Tu t'es souvenu qu'elle aimait tant le bleu... C'est exactement son bleu... Ce bleu limpide presque turquoise...

Marcel expliqua.

— Ce n'est pas moi qui ai choisi les couleurs, Camille, c'est ta cousine Blanche.

— C'est troublant...

Au moment où Blanche allait signaler sa présence, la jeune femme continua.

— C'est curieux pour moi que tu m'appelles Camille, même si c'est mon prénom de naissance. Mes parents ne m'ont jamais appelée comme ça. Je crois que je ne pourrai pas m'y faire.

Après un moment de silence…

— S'il te plaît Marcel, je préférerais rester Nathalie.

« Nathalie. » En entendant ces mots, Blanche eut le souffle coupé. Elle avait l'impression que ses jambes ne la portaient plus. Avait-elle bien entendu ? Elle avait dit « Nathalie » ? Mais comment n'avait-elle pas fait le rapprochement plus tôt ? Toute subjuguée par la présence de Marceau, Blanche n'avait pas entrevu cette éventualité ! « Imbécile que je suis, pensa-t-elle, comment n'y ai-je pas pensé ? C'était évident ! »

Elle aurait voulu disparaître, ne plus être là devant cette porte, avoir juste le temps de reprendre ses esprits… Mais il était trop tard. Titine déboula dans la pièce en jappant, ce qui fit retourner Marcel. Il vit Blanche et lui sourit.

— Blanche, tu es là ? Viens, ma petite !

À cet instant, la jeune femme fit face à Blanche. Le choc fut encore plus violent.

De grands yeux verts… Ces grands yeux verts-là, ils lui étaient familiers, même si elle ne les avait jamais vus. Le visage fin et expressif…

Blanche ne parvenait pas à en détacher son regard…

C'était le visage de Nathalie Coste.

Quand Marcel et Nathalie s'étaient retournés vers Blanche à Costebelle, ils avaient mis son trouble apparent sur le compte de l'émotion provoquée par la rencontre. Se découvrir une cousine de trente-cinq ans n'était pas banal ! Ils étaient loin de se douter que Blanche connaissait l'histoire secrète de la jeune femme et de sa famille. Qu'elle avait souvent rêvé de la retrouver un jour, sans jamais trop y croire… Aujourd'hui, elle s'était tenue là, devant elle, plus réelle que jamais.

Blanche avait pris sur elle et s'était ressaisie du mieux qu'elle pouvait, afin de ne pas inquiéter Marcel. Elle avait bredouillé quelques banalités et messages de bienvenue à sa cousine. Celle-ci l'avait félicitée pour la déco qui apparemment correspondait à ses goûts. Nathalie avait découvert avec émotion la chambre bleue de sa mère. Quand elle avait choisi la peinture de cette chambre, pour Blanche il s'agissait d'une pièce comme une autre. Elle eut envie de ce si beau bleu qu'elle avait vu au mazet, celui de la robe en velours d'Odile Coste. Aujourd'hui, plantée dans la chambre aux côtés de Nathalie, elle avait réalisé qu'elle était dans la chambre d'Odile Coste, sa tante !

Comment était-ce possible ? Isabelle Bruguière disparue, sa tante était en fait Odile Coste, l'inconnue du carnet. Un sentiment mêlé d'incrédulité et de joie était monté en elle, fort et incontrôlable. Elle était bouleversée et ne put retenir ses larmes longtemps, submergée par l'émotion. Personne ne pouvait comprendre ce qui se passait dans la tête de Blanche, et surtout pas Marcel et Nathalie. Le vieil homme s'était empressé de consoler sa petite-fille.

— Eh ben, ma petite, que t'arrive-t-il ?

Incapable de répondre, Blanche avait caché son visage dans son bras, comme quand elle était enfant. Nathalie s'inquiéta.

— C'est à cause de moi ?

Blanche avait fait non de la tête et avait pris la main de Nathalie. Marcel avait pensé connaître la raison de l'émoi de Blanche.

— Elle a toujours rêvé d'avoir des cousins et des cousines. Elle était la seule petite-fille jusqu'à maintenant. Aujourd'hui ça arrive brusquement, elle est sûrement chavirée…

La jeune fille avait saisi l'opportunité que lui avait donnée Marcel sans le savoir.

— Pardon, c'est exactement ça. Je suis désolée de n'avoir pu contenir mon émotion…

Alors Nathalie Coste posa sa main sur son épaule.

— Tu sais, Blanche, moi aussi je suis très heureuse de t'avoir pour cousine.

Marcel avait été radieux tout l'après-midi. Lui qui d'habitude causait peu, n'avait pas arrêté de parler à tort et à travers de Costebelle, de la Genestière, de Saint-Antonin. Ils étaient descendus tous les trois dans le parc. Il avait questionné Nathalie sur sa vie à Aix-en-Provence. Celle-ci avait discrètement raconté son quartier animé et bruyant. Blanche avait très envie de lui parler de Grand Bastide mais s'était retenue. Chaque chose en son temps. Marcel avait ensuite parlé de la famille qu'il avait construite avec Berthe. Dès qu'il eut prononcé ce prénom, Nathalie s'était raidie et son visage avait changé. Blanche s'était aperçue de sa colère contenue et l'avait comprise. Bien qu'elle voyait la jeune fille pour la première fois, Nathalie avait ressenti dans son regard de l'empathie et de l'approbation. Berthe était la mère « aux yeux noirs » qui avaient tourmenté Isabelle-Odile toute sa vie ! Il était compréhensible qu'il soit insupportable pour Nathalie d'entendre parler d'elle. Trop de mal avait été fait à sa mère. L'avantage que Blanche avait de connaître le secret de Nathalie, c'était qu'elle pouvait lire entre les lignes.

Après avoir questionné Blanche sur son métier, Nathalie avait parlé de son association. Créée deux ans auparavant avec une amie éducatrice spécialisée comme elle, « La Parole de l'enfant » avait pour but d'accueillir des enfants autistes de quatre à douze ans. L'équipe travaillait à les ouvrir à leur environnement par l'intermédiaire de diverses activités. Les premiers locaux d'Aix-en-Provence étant devenus trop exigus, Marcel avait proposé Costebelle. Tout d'abord réticente, Nathalie s'était rendue à l'évidence. C'était l'endroit rêvé pour les enfants. Le petit village tranquille de Saint-Antonin, la demeure spacieuse, le grand parc…

Ce que Nathalie n'avait pas dit, c'était qu'elle avait aussi été tentée de se rapprocher de son père et de son grand-père.

Blanche avait pensé que c'était un juste retour des choses. Costebelle qui avait hanté Odile serait bientôt un lieu d'ouverture pour une multitude d'enfants autistes… Quelle belle revanche sur la vie !

Après plusieurs heures passées ensemble, le grand-père et les petites-filles avaient dû se quitter, heureux de cet après-midi exceptionnel. Blanche mesura à quel point il était inoubliable pour elle. Les deux cousines avaient décidé de se revoir prochainement, avant l'emménagement de Nathalie à Costebelle. Marcel en était comblé. Il se doutait qu'entre les deux jeunes filles les liens allaient vite se créer. Chacun était rentré chez soi, le cœur battant.

21

Le soir même, assise sur la terrasse, Blanche se sentait fatiguée. Tant d'émotions en un seul après-midi ! Elle qui pensait avoir perdu Odile Coste pour toujours, la retrouvait dans sa famille. Elle était heureuse et bouleversée à la fois. Ses traits étaient tirés. Des petits cernes bleutés soulignaient ses yeux verts. Elle resta longtemps assise dans son fauteuil en osier, à regarder autour d'elle. Elle était soulagée d'être seule ce soir. Elle n'aurait pas voulu que Marceau la voie dans cet état, à demi décomposée. Elle regardait la Genestière, cette vieille bâtisse familiale où elle avait grandi. Elle pensa à ses ancêtres qui s'y étaient succédé avant elle. Avaient-ils eux aussi de lourds secrets cachés dans un coin de leur mémoire ? Combien d'entre eux n'avaient jamais été dévoilés ? Mille questions bouillonnaient dans son crâne. Blanche pencha sa tête en arrière et ferma les yeux. Sous ses paupières closes, le soleil faisait de la résistance. Sur un fond orangé, des paillettes de lumière allaient et venaient à leur guise. Sûrement une branche d'arbre qui bougeait au gré d'un léger courant d'air… Elle écouta le chant des cigales et le trouva amplifié, comme si elles s'étaient réunies en chorale tout près de ses oreilles. Soudain, Pastis sauta sur ses genoux, la tirant de sa quiétude. En ouvrant les yeux, elle vit la tête du chat en gros plan qui s'apprêtait à lui lécher le nez.

— Pastis, qu'est-ce que tu fais ?

Le félin sauta sur la terrasse et se dirigea vers le potager.

— Tu as raison, il faudrait que je me bouge un peu !

Elle se frotta les yeux, étira ses bras le plus loin possible et se leva d'un bond. Blanche se pencha pour apercevoir l'heure à l'horloge de la cuisine. Elle marquait dix-neuf heures. Marceau devait être en direct sur Télé-Perpignan. Elle était impatiente de voir l'enregistrement qu'il lui rapporterait dès son prochain séjour à la Genestière. Elle ne savait pas quand, mais ce serait sûrement dans peu de temps. Les amants avaient de plus en plus de mal à se quitter...

Le potager n'était pas à arroser ce soir. L'épisode orageux de la veille avait gorgé d'eau les allées du jardin. De nombreux légumes étaient à maturité. Sur le guéridon un cageot vide attendait patiemment d'être rempli. Blanche saisit au bout d'une rangée le couteau qui restait toujours planté dans la terre. Elle coupa quelques aubergines somptueuses en robe de nuit. Les tomates dodues profitaient chaque jour. Si Blanche trouvait le temps le lendemain, elle les farcirait. Les grosses courgettes se cachaient sous leur feuillage abondant. Les haricots verts étaient encore à cueillir ce soir. Elle les donnerait à Marcel. Elle gardait le meilleur pour la fin. Au fond du potager restaient les fraises. Les petites Gariguettes rouges exhalaient leur parfum dans tout le jardin. Blanche choisit les plus grosses, les rinça dans l'arrosoir d'eau limpide et les dégusta une à une. C'était encore comme ça qu'elle les préférait. Elle cueillit quelques poivrons et rapporta les légumes sur la table de la cuisine. Quelques pince-oreilles s'échappèrent du cageot. Pastis partit à leur poursuite, plus excité que jamais.

Après une douche rafraîchissante, elle se glissa dans la chemise à carreaux de Marceau. Elle tombait sur ses genoux. Blanche se sentit apaisée, presque comme dans ses bras. Enfoncée dans son canapé, elle pensait sans arrêt à cet après-midi de toutes les découvertes.

Il fallait qu'elle en parle à Mathilde. Blanche voulait lui dire qu'Odile Coste n'était plus une inconnue. Elle lui téléphona.

— Mathilde, c'est moi. Tu es seule ?

— Oui, Blanche, Liora est repartie au mas.

— Oh c'est bien ! Elle a pardonné à Jeannot ?

— Ce n'est pas si simple. Elle veut être avec lui, c'est un bon début.

— Oui, c'est sûr...

— Tout va bien ? Tu as une drôle de voix...

— J'ai passé un après-midi de dingue. Mathilde... ?

— Oui ?

— Je sais qui est Odile Coste.

— Ce n'est pas vrai...

— Si. C'est une histoire de fou.

Mathilde resta muette au bout du fil. Elle n'avait pas l'habitude d'entendre son amie avec cette voix-là. Elle ne devait pas être bien. Blanche avait sûrement besoin d'elle...

— Mathilde, viens s'il te plaît...

Intriguée, elle ne mit pas longtemps à se décider.

— Je suis là dans dix minutes.

— Merci, ma copinette, je t'aime fort.

Cinq minutes plus tard, Mathilde arrivait à la Genestière.

Sur son visage embelli de taches de rousseur se lisait un air inquiet. Blanche était habituellement si joyeuse et optimiste ! Mathilde était impatiente de savoir ce qui la tracassait.

Le soir n'allait pas tarder à tomber. Une petite brise rendait la soirée délicieuse. Des grillons chantaient aux quatre coins du jardin. Dans l'allée, un lapin de garenne bondit dans les buissons de millepertuis en entendant les pas de la jeune femme sur le gravier. Mathilde trouva son amie dans la cuisine, occupée à équeuter les haricots verts.

— Coucou ! Tu travailles encore à cette heure-ci...

— Mais ce n'est pas du travail, ça se fait tout seul.

Les jeunes filles s'embrassèrent.

— J'ai fini, tu veux boire quelque chose ?

— Non, plus tard. Dis donc, tu as une belle chemise... Elle n'est pas un peu grande ?

— Oh si, mais je me sens bien dedans. C'est celle de Marceau. Il est venu passer deux jours ici mais a dû repartir en début d'après-midi.

Son amie l'écouta et la laissa parler.

— Je crois que c'est sérieux avec lui. Je ne me suis jamais sentie aussi bien avec quelqu'un. Il ressent le même sentiment, c'est merveilleux.

Mathilde afficha un beau sourire.

— Je suis sincèrement heureuse pour toi. J'avoue que mon histoire avec Adrien me plaît beaucoup aussi. Pour la première fois, j'ai envie de faire une longue route avec un garçon, moi qui me voulais sans attache. C'est étonnant, non ?

— On ne peut rien prévoir de sa vie. C'est le destin

qui n'en fait qu'à sa tête. Je l'ai bien compris cet après-midi... Viens sous la tonnelle, Mathilde, on sera mieux dehors.

Mathilde la suivit, soucieuse. Dès qu'elles furent assises, elle questionna son amie.

— Alors, qu'y a-t-il de nouveau ?

Blanche semblait émue. Après un court instant de silence, elle lui parla des événements de la journée.

— Je l'ai rencontrée, Mathilde.

— Qui as-tu rencontré ?

— Nathalie Coste.

— ... À Marseille ?

— Non, à Costebelle.

Comme Mathilde ne comprenait pas, Blanche lui raconta les récentes révélations de Marcel, l'identité d'Odile et de Nathalie. Elles étaient deux à être abasourdies maintenant.

— Tu te rends compte, Mathilde, que cette personne qui ne vivait qu'au travers d'un petit carnet est devenue bien réelle ? Nathalie Coste était là, devant moi, exactement comme je l'avais imaginée. C'était ahurissant. Je ne peux pas t'expliquer les sentiments qui m'animent. Je suis bouleversée, vidée de mon énergie, mais en même temps heureuse. Et en plus, je découvre qu'elle est de ma famille...

— Nathalie est ma tante et elle est... ta cousine. C'est fou, cette histoire.

Blanche hocha la tête. C'était bon de se confier à son amie.

— Et l'Odile de mon carnet, mon Odile Coste, c'était la sœur de ma mère. C'est presque irréel, mais ça me fait chaud au cœur. J'ai tellement vibré avec elle au fil des pages, que je la connais. Je suis touchée de faire partie de sa famille. Je l'aimais déjà.

Elle dit ça avec tant de sincérité que ses yeux brillèrent soudain.

— Odile Coste, la sœur de ta mère, c'est incroyable… Bientôt, on sera de la même famille toutes les deux…

— De toute façon, on a toujours été comme deux sœurs depuis l'enfance, ça ne changerait rien, ma copinette.

— C'est vrai, on ne peut pas être plus proches.

Après un court silence, Mathilde questionna son amie.

— Comment elle est ?

— D'immenses yeux verts, fine, un peu réservée et sympa. Elle te plaira.

Blanche parla de l'association de Nathalie.

— Décidément, on a vocation à monter des associations dans la famille !

— Tu te rends compte que les yeux noirs qui ont fait tant de mal à Odile, c'étaient les yeux de Berthe Vernet, ma grand-mère…

Mathilde était stupéfaite. Elle-même n'avait jamais pensé à cette éventualité. Il était vrai que Mathilde n'avait pas souvent croisé le regard de la grand-mère de Blanche, pour s'apercevoir qu'il était si sombre. Elle ne faisait pas partie de leur environnement immédiat. Soudain une autre évidence lui vint à l'esprit.

— Le frère d'Odile qui a tout fait pour que sa sœur disparaisse, c'était ton oncle François alors ?

— François…

— Pourquoi a-t-il fait ça ?

— C'est facilement imaginable, pour l'éloigner de sa mère. Il a dû espérer toute sa vie que sa mère lui reviendrait... Le pauvre, il faut voir où il en est maintenant.

Blanche n'avait plus aucune animosité envers son oncle François, malgré toute la peine qu'il avait semée. Elle espérait simplement qu'il puisse se soigner et vivre plus paisiblement. Elle reprit son argumentation.

— J'ai enfin compris pourquoi Odile avait préféré vivre cachée afin de ne pas être séparée de son bébé. Une jeune maman autiste n'aurait jamais pu garder son bébé à la vue des services sociaux. C'était l'enfant de l'amour, Odile n'aurait pas supporté qu'on le lui enlève. En plus, elle devait être paniquée à l'idée que Berthe l'élève ! Impossible de faire revivre à Nathalie ce qu'elle-même avait vécu. Souviens-toi Mathilde, les premières pages de son carnet... « Je suis lourde de mon chagrin. Ce sont tes yeux. Ils sont vides. Vides de moi. Je n'y suis pas dedans ! J'aurais tellement voulu m'y voir un peu ! Mais tes yeux sont toujours restés noirs, noirs à crier. » Je n'oublierai jamais ces mots...

— Ils sont lourds de désespoir. Si tu réfléchis bien, dès qu'ils se sont enfuis avec Jeannot, elle a été heureuse. Elle a vécu cachée mais heureuse...

— C'est vrai. Jeannot lui a permis de vivre plus sereinement. Elle n'aurait jamais trouvé cette paix à Costebelle. Elle aurait sans doute sombré dans la démence.

Blanche et Mathilde restèrent là un moment à caresser Pastis, blotti entre elles, sur le banc.

— J'ai avoué à ma grand-mère que je connaissais depuis peu l'histoire de mon grand-père et d'Odile Coste. Je lui ai dit que tu avais trouvé le carnet, dans le mazet perdu. Elle a été intéressée mais ne désire pas le lire pour l'instant. Elle voudrait que ce soit Jeannot qui lui en dise plus sur Odile. Liora veut tout entendre de sa bouche. Elle était heureuse que je lui dise la vérité, très heureuse ! J'ai gardé sa confiance, c'est sûr.

— J'étais certaine qu'elle ne pourrait pas t'en vouloir. Elle est rentrée chez elle alors ?

— Oui, Liora est rentrée au mas. Elle a dit qu'il fallait qu'elle parle à mon grand-père. Elle a appris que Serge Vézon avait aidé Odile durant des années. Mais elle ne lui en veut pas d'avoir gardé le secret. Liora sait très bien que c'était pour la protéger, et par amitié pour son amie d'enfance. Elle prend sur elle d'accepter toutes ces révélations. Elle m'a dit quelque chose qui m'a beaucoup fait réfléchir lorsqu'elle habitait chez moi. Elle m'a dit « La seule question importante que je dois me poser vis-à-vis de Jeannot, c'est : est-ce que je l'aime ? Tout le reste est secondaire. »

— Bien sûr qu'elle a raison ! Elle est robuste quand même... Ils ont tous eu peur pour sa santé durant des années. Malgré tout, elle est restée solide comme un roc.

— C'est vrai. J'ai tellement tremblé pour elle, moi aussi... Son cœur a encaissé tant de malheur depuis son enfance... Mais, malgré les apparences, Liora est forte. Elle aime mon grand-père d'un amour solide. Elle sait ce qu'elle veut. Je pense qu'après cette lourde épreuve, leur couple va se reconstruire.

— Tant mieux pour eux. Ils méritent de finir leur vie ensemble.

— Jeannot va présenter sa fille à Liora bientôt. Je pense qu'elle connaît son identité à présent. Elle m'en parlera quand elle le jugera utile. Elle sait que je serai toujours là pour elle.

— Elle a de la chance de t'avoir comme petite-fille.

— Je ne sais pas, c'est comme ça, tout simplement !

Elles restèrent sans parler un long moment, puis Mathilde soupira bruyamment.

— Tous ces tracas sont épuisants ! On aurait bien besoin de penser à autre chose, tu ne crois pas ?

Blanche était de son avis. S'aérer leur ferait le plus grand bien.

— Et si on allait à la fête votive de Saint-Maurice demain soir ? Ça nous changerait les idées, non ?

— Pourquoi pas... Ah ! mais dis-moi Mathilde, c'est demain soir le 25... ?

— Oui, pourquoi ?

— C'est l'anniversaire surprise d'Armelle au bord du Gardon.

— Mais oui, j'avais oublié ! Qu'est-ce qu'on va lui offrir ?

Blanche avait remarqué une affiche annonçant un concert de MC Solaar à Montpellier. Elle proposa à Mathilde d'offrir une place à Armelle qui l'aimait beaucoup.

— Chouette idée ! Et si on y allait avec elle... ?

— J'attendais que tu le proposes, ma copinette.

— Super, je réserverai dès demain. Mais au fait, il faut se déguiser pour demain soir...

— C'est vrai.

— Tu as une idée pour ton déguisement ?

— Non, je n'y pensais plus.

— On ne va jamais trouver, c'est trop tard !

— Mais non, ne t'inquiète pas. Demain matin, je passe te prendre et on ira à la friperie. Je chercherai aussi dans la grande malle de Marie, à la cave. Ma mère gardait toujours des choses incroyables, une vraie caverne d'Ali Baba !

— Ça marche. On fera les folles, ça nous fera du bien.

— Tu as raison, on va pouvoir se défouler.

Une chouette hulula dans la nuit, faisant taire les grillons excités. Le silence revint, apaisant et réparateur. Au bout de l'allée, une fouine traversa, ondulant avec souplesse son corps fin et leste, à la poursuite d'un malheureux lapin de garenne qui détala, affolé. Les filles regardaient le ciel, reconsidérant irrémédiablement les événements qui venaient de bousculer leurs vies. Sans parler, elles pensèrent aux mêmes personnes, au même destin qui en bon chef d'orchestre chamboulait l'histoire de tous à sa guise.

Les deux amies se penchèrent l'une vers l'autre, front contre front, comme lorsqu'elles étaient des enfants. L'imbroglio se démêlait désormais. Elles n'en sortaient pas indemnes, mais plus fortes et surtout encore plus liées.

Ce lien d'amitié qui unissait Mathilde et Blanche depuis l'enfance, c'était l'amitié d'une vie.

Avant de raccompagner son amie jusqu'au bout de l'allée, elle lui donna les haricots verts qu'elle venait d'équeuter et quelques autres légumes.

— Mais ne me donne pas tout ça !

— Tu en feras profiter autour de toi. Marceau est parti pour plusieurs jours, je suis seule à en manger maintenant.

— C'est vrai que je connais plusieurs mamés à qui tes légumes vont faire plaisir… Elles n'en achètent pas souvent, tu sais. Ils sont de plus en plus chers.

— C'est vrai, et puis les miens sont bio !

— C'est sûr.

— Donne-moi ton tendeur, je vais attacher le cageot sur ton porte-bagages.

Blanche s'affaira et le fixa solidement.

— Fais attention dans les virages, il ne faudrait pas que tu perdes les tomates…

S'imaginant la scène, les deux amies s'esclaffèrent. Redevenant sérieuse, Blanche prit son amie par les épaules.

— Merci d'être venue. Ça m'a fait beaucoup de bien de te parler.

Mathilde l'embrassa sur la joue.

— Tu sais que je serai toujours là pour toi.

Blanche sourit.

— Je sais. Et moi pour toi.

La jeune fille grimpa sur son vélo.

— À demain matin, neuf heures à l'esplanade.

— À demain.

Mathilde démarra en direction du village. Blanche lui lança une dernière recommandation.

— Ne fais pas le Petit Poucet avec mes tomates…

— Ne t'inquiète pas, je gère !

Les deux filles se quittèrent en riant. Blanche regarda s'éloigner son amie. Elle se sentait plus légère désormais. Sa présence l'avait toujours apaisée. En remontant vers la maison, elle prit une décision.

« Il faut que je voie Marcel dès demain, j'ai tant à lui dire. Je ne peux plus me taire maintenant. Je sais où le trouver de bonne heure. »

Elle rentra, se coucha et resta éveillée longtemps, l'esprit hanté par des visages familiers.

22

Au bout de la plaine des champs longs, Marcel apercevait le soleil se lever. Il aimait ce moment de la journée où l'aube pointe son nez après une nuit étoilée. Les couleurs du matin étalaient leur douceur sur la nature somnolente. Plus bas, dans la combe, un petit vol de passereaux effleurait la cime des hauts peupliers. Un merle matinal fendait le silence de son chant limpide et mélodieux. Titine trottinait en zigzag, la truffe collée au sol, reniflant chaque buisson.

Assis sur un large rocher usé par le temps, Marcel regardait le village au loin. Ce matin, il était plus paisible que jamais. Il pensait à la veille. Ce qu'il désirait le plus était enfin arrivé. Blanche et Nathalie avaient fait connaissance. Il en était certain, elles seraient vite inséparables. Il pouvait se sentir heureux, malgré le fragile état psychologique de François. Marcel restait optimiste. François savait que son père connaissait le rôle qu'il avait joué dans la disparition de sa sœur, depuis plusieurs années. Marcel lui pardonnait. Pouvait-il en vouloir à ce fils qui souffrait tant ? Il fallait laisser le passé derrière et regarder devant. Il faudrait du temps à François pour se rétablir, mais il y parviendrait parce qu'il était entouré de sa famille.

Titine vint japper aux pieds de son maître, demandant de son regard affectueux quelques caresses de plus. Le vieil homme s'exécuta avec plaisir. Debout contre ses jambes, la petite chienne profitait de cet instant de tendresse avec un bonheur visible.

— Ah ! ma Titine, mon amie, heureusement que tu es là ! Si tu savais comme tu me rends la vie plus douce…

On aurait dit que Titine savait, elle jappa comme pour remercier Marcel de ces belles paroles.

Une dernière chose tenait à cœur à Marcel. C'était là, dans sa garrigue, qu'il y pensait tous les matins. Il souhaitait qu'Isabelle revienne à Saint-Antonin. Sa place était ici, dans cette terre qu'elle avait tant aimée, auprès de Marie et… de Berthe.

Les derniers mois de sa vie, Isabelle parlait sans arrêt de sa mère. Elle ne parlait plus des yeux noirs, mais de sa mère. Elle n'en avait plus peur et avait réalisé petit à petit qu'elle y était attachée. Marcel lui avait longuement raconté le mutisme et la tristesse de Berthe, depuis qu'elle avait cru sa fille noyée. Isabelle avait écouté, questionné, fait répéter encore, comme pour mieux se nourrir de cette affection inespérée.

Marcel avait aussi expliqué la panique qui s'était emparée de Berthe devant ce bébé différent, qui refusait tout contact maternel et hurlait sans discontinuer. Il expliqua sa certitude de ne plus être à la hauteur et d'être devenue une mauvaise mère. Le rejet que l'enfant faisait de sa mère lui renvoyait l'image de son propre échec. Trop fière et orgueilleuse pour demander de l'aide, elle s'enferma dans ce trouble néfaste qui la rongea toute sa vie. Les années passant, elle était devenue aigrie, méchante et froide, sûrement par désœuvrement.

Isabelle n'avait jamais envisagé le comportement de Berthe sous cet angle. Comment aurait-elle pu imaginer que cette mère froide et cassante était en fait une mère perdue, fragilisée par l'incompréhension du comportement de son enfant ? Blindée dans sa carapace, Berthe avait montré un personnage opposé à ce qu'elle était en réalité. Comment ses enfants auraient-ils pu la connaître autrement ? Devant eux, pas une faille, pas une faiblesse. Toujours cette rigidité et cet œil froid. Seul Marcel l'avait connue autrement, l'avait aimée autrement. Malgré ses paroles blessantes et son attitude négative vis-à-vis d'eux, Marcel savait que Berthe avait aimé ses enfants.

Lorsque Isabelle réalisa que Berthe était en réalité une personne fragile, elle se sentit proche d'elle, comme elle ne l'aurait jamais pressenti... Elle devint plus calme. Son visage semblait reposé, ses traits fins délivrés de leurs grimaces douloureuses. Les confidences de Marcel lui avaient apporté la sérénité tant espérée. Elle s'éteignit paisiblement, libérée de ses vieux démons.

Marcel fut tiré de ses pensées par la voix de Blanche qui le hélait à l'autre bout de la plaine. Se redressant, il s'avança vers elle, heureux de cette surprise.

— Alors ma petite ? Tu es bien matinale...

La jeune fille s'élançait vers lui, le sourire aux lèvres.

— J'avais besoin de te voir, papé, et j'avoue qu'ici c'est le meilleur endroit.

Blanche regarda autour d'elle, c'était un véritable

bien-être de se trouver ici. Elle prit son grand-père par la taille afin de mieux se blottir contre lui. Ils restèrent un instant silencieux, les yeux perdus dans cette nature enveloppante. L'un comme l'autre ne se lassaient pas de la respirer, comme pour mieux s'en nourrir.

— Tu sais, papé, tous les deux on est pareils. On ne peut pas se passer de notre terre, de ses parfums de garrigue, de ses couleurs si douces...

Marcel sourit à ces mots.

— C'est vrai, tout cela est ancré en nous. Ce sont nos racines, celles qui nous forgent comme on est, celles qui nous attachent par le cœur, celles qui nous rendent heureux avec si peu...

— J'aime t'entendre parler comme ça !

— C'est mon cœur qui parle tout seul, je n'y suis pour rien.

Ils s'assirent ensemble sur le rocher. Blanche regarda son grand-père avec intensité.

— Je suis tellement heureuse de te ressembler, si tu savais...

Marcel, ému, la prit dans ses bras. Titine vint elle aussi réclamer des caresses.

— Sacrée Titine, tu n'en as jamais assez !

Ils rirent en voyant l'air malheureux qu'arborait la petite chienne. Après avoir posé sa grosse main sur la tête de Titine, Marcel posa la question qui lui tenait à cœur.

— Dis-moi ce que tu as pensé de ta cousine...

Blanche prit son temps pour répondre. Un vol d'étourneaux passa au loin, ondulant dans le ciel comme les mains d'une danseuse classique. Un geai fit entendre son cri déplaisant dans les chênes du champ voisin.

— C'était justement d'elle dont je voulais te parler...

Le vieil homme mit sa casquette en arrière sur son front et la rajusta d'un geste machinal.

— Dis-moi, ma petite.

Blanche savait que c'était le moment...

— Je l'ai trouvée intéressante, telle que je la connaissais.

Marcel la regarda, surpris.

— Comment ça « telle que je la connaissais » ?

— C'est pour cela que je voulais te voir, papé. En fait, je la connaissais sans la connaître vraiment...

Marcel lui prit la main et lui demanda posément de s'expliquer. Alors Blanche commença par cette belle journée de juin où, partie pour cueillir quelques plantes, elle découvrit le mazet abandonné dans la garrigue. Elle raconta les meubles, les affaires de femme restées là dans la poussière. Puis, comment, poussée par la curiosité d'avoir trouvé la petite clé, elle avait ensuite découvert le petit carnet, journal intime de cette femme qui vivait cachée là, Odile Coste.

Marcel écoutait attentivement sa petite-fille. Blanche raconta son contenu, la vie d'Odile, l'enfance de Nathalie, sa fille, à Grand Bastide, quelquefois accompagnée d'un certain « J », son père. Elle raconta encore les états d'âme, les crises, les nombreux jours de bonheur, le manque du pays et de sa famille. Puis elle raconta aussi le retour d'Odile dans le mazet de la garrigue, son bonheur de retrouver sa terre de Saint-Antonin, la tristesse de ne plus revoir sa petite sœur et son père. La suite, Marcel la connaissait. La solitude, la déchéance et le départ pour Marseille. Elle expliqua pourquoi, pour protéger cette clandestinité, elle-même n'avait dévoilé sa découverte qu'à son amie Mathilde. Et puis, hier, sa rencontre nez à nez avec Nathalie, la Nathalie du carnet.

Marcel resta silencieux, scrutant l'horizon comme s'il y cherchait quelqu'un. Il semblait réfléchir à un problème sans solution, les sourcils froncés, l'air presque douloureux. Blanche s'inquiéta.

— papé, tu vas bien ?

Marcel la regarda avec douceur.

— Oui, ma petite. Je pensais simplement que c'est assez incroyable que ce soit toi qui l'aies trouvé ce carnet ! Quel signe du destin...

— C'est vrai, c'est curieux. N'importe qui aurait pu tomber dessus un jour et notre histoire ne se serait pas déroulée ainsi. J'aurais découvert l'existence de cette tante et de cette cousine disparues, sans m'y être attachée auparavant... Là, c'est différent. J'ai appris à les connaître, à les aimer. Leur histoire a fait partie de mes journées depuis deux mois. Et maintenant je découvre Nathalie en vrai, Nathalie ma cousine...

— La vie est étonnante. Même à mon âge, elle continue de me surprendre, pourtant un vieux bougre comme moi...

Après un long silence contemplatif, il vint à l'esprit de Marcel une évidence.

— Il faudra que tu le donnes à Nathalie, il sera très important pour elle.

— Bien sûr, papé.

— Tu me le feras lire aussi, hein ? De savoir qu'elles avaient été heureuses toutes les deux, ça m'a aidé à ne pas en vouloir à Jeannot. Mais ça a été difficile.

Blanche voulait bien l'imaginer. Puis Marcel continua.

— Maintenant, il risque d'aller en prison.

— En prison ? Pourquoi ?

— Pour avoir fourni des identités fictives à sa maîtresse et à sa fille. Il a décidé d'expliquer toute l'histoire à la gendarmerie depuis le début. Sa femme est d'accord. Malgré le fait que personne n'ait porté plainte contre lui, il devra s'en expliquer devant la justice. Il risque quelques années de détention.

— Pourquoi tout dire maintenant, il y a prescription !

— Parce qu'il veut reconnaître Nathalie pour qu'elle porte enfin son nom et celui de sa mère. Pour l'état civil, elle va devenir Camille Bruguière-Comte bien vivante et non pas Camille Bruguière disparue à l'âge de trois jours. Pour nous, elle restera Nathalie, c'est comme ça que ses parents l'ont toujours appelée. Et puis, je tenais moi aussi à ce que la vérité soit rétablie. Tu sais, ma petite, je suis vieux et je veux arranger mes affaires avant de partir. Il me reste François, toi et Nathalie. François aura mes grandes terres sur la colline, il pourra y chasser à sa guise et peut-être replanter des chênes truffiers s'il veut. Je le dédommagerai en argent, j'ai quelques économies.

Marcel poussa sa casquette sur l'arrière de son front et continua à expliquer ses projets à sa petite-fille.

— Pour toi, ma péquelette, c'est bien sûr la Genestière et ses terres autour qui te reviennent. Il faut que tu puisses continuer à y être heureuse et à la faire si bien revivre ! Le bonheur est dans cette maison. Ça me fait chaud au cœur chaque fois que j'y viens. Je retrouve la Genestière de mon enfance. Nous n'étions pas riches, mais nous étions heureux. Mes parents s'entendaient bien, même si devant leurs enfants ils n'étaient pas très démonstratifs. Ils étaient amoureux et le sont restés toute leur vie. Ils se soutenaient dans les moments difficiles, se souciaient l'un de l'autre, se cherchaient des yeux lorsqu'ils ne se voyaient plus. C'était très rassurant pour nous. Ma mère chantait toute la journée comme le faisait Marie. Avec mes frères et sœurs, nous étions toujours dehors, à l'affût de quelques grives à ramener fièrement pour le repas. Mon père travaillait dur la terre, par tous les temps. Il était juste et droit. Il ne mentait jamais. Oui, à la Genestière, c'était le bonheur, et ça l'est toujours avec toi.

Blanche embrassa son grand-père. Ses mots la touchèrent profondément. C'était bien comme ça qu'elle la percevait.

— Je l'aime, cette maison. Elle a une âme tout simplement.

Marcel hocha la tête, des étoiles dans les yeux, se remémorant ces années précieuses, entouré des siens qui lui manquaient tant quelquefois.

— C'est vrai. Ça l'a rendue belle, tout cet amour !

Ils se sourirent affectueusement.

— Et pour Nathalie...

— C'est Costebelle. C'est évident, papé. Costebelle pour elle et les enfants. Ils en ont besoin...

L'émotion monta aux yeux de Marcel, touché par la spontanéité de Blanche.

— Oui. C'était mon idée aussi. Voir la fille d'Isabelle vivre heureuse à Costebelle, ce serait la plus belle chose que je pourrais espérer avant de mourir.

Blanche se blottit tout contre son grand-père.

— Tu as encore le temps, papé. J'ai tellement besoin de toi !

— À vrai dire, ma petite, maintenant que la famille

s'est retrouvée, je ne suis pas pressé du tout. J'espère vous voir pendant des années encore autour de moi, à Saint-Antonin. Et puis, que deviendrait ma Titine sans moi ?

La petite chienne sauta en tournant en rond, toute joyeuse. Blanche s'empressa d'aller la caresser.

— Titine, tu es un chien de cirque !

Apparemment, cette affirmation avait l'air de convenir à la petite bête, heureuse d'être le centre d'intérêt. Ils marchèrent encore au milieu des chênes truffiers. Les rayons de soleil chauffaient déjà. Au bout de la terre, ils aperçurent les grandes oreilles d'un lièvre qui guettait leurs mouvements. Ils s'arrêtèrent pour mieux l'observer. L'animal se tassa un peu vers le sol, puis en quelques bonds majestueux disparut dans la vigne du bas. Blanche et Marcel ne se lassaient pas du spectacle que la campagne offrait. Ils respiraient le même air, pensaient de la même façon, s'attachaient aux mêmes valeurs. Ils se promenèrent encore un peu sans parler. Ils n'en avaient pas besoin. L'essentiel était dit, le reste ils le comprenaient. Au village, la cloche de l'église sonna neuf heures.

— Je vais te laisser, papé. J'ai rendez-vous avec Mathilde.

— Va, ma petite. Ça m'a fait du bien de parler avec toi de tout ça…

— Moi aussi.

Sa petite-fille l'embrassa une dernière fois. Blanche tourna les talons et rejoignit sa voiture laissée sur le chemin des grands pins. Elle était pensive. Elle avait l'impression de vivre des instants qu'elle n'oublierait jamais. Tous ces secrets révélés, ces personnages qui surgissaient du passé… Le destin semblait jouer avec sa famille, au grand mépris des émotions de chacun. Si au moins elle avait pu en parler à Marceau... Il avait cette maturité des hommes qui savent écouter. Elle avait tellement envie de tout lui raconter ! Mais Marceau vivait sa passion et elle n'aurait surtout pas voulu le freiner. La musique était sa vie. Est-ce qu'elle aurait longtemps sa place auprès de lui ? Blanche se reprocha immédiatement ces pensées négatives. Ce qu'ils vivaient était merveilleux, il fallait tout prendre et ils verraient bien par la suite.

Elle prit la direction de l'esplanade. À l'ombre des grands platanes, Blanche trouva son amie en pleine discussion avec des joueurs de pétanque.

— Il nous manque quelqu'un pour faire notre équipe, vous venez jouer avec nous... ?

Mathilde riait.

— Non, regardez, mon amie vient me chercher...

— Mais ce n'est pas grave, elle jouera aussi ! Deux jolies filles comme vous, ça ne se trouve pas tous les jours. Pas vrai, Robert ?

Le plus chétif des retraités hocha la tête, le chapeau de paille bien vissé sur le crâne.

— Pour sûr que ça serait un bel atout pour nous d'avoir ces belles demoiselles dans notre équipe... Mais si on les prend toutes les deux, on aura une personne de trop pour le coup.

Au même moment, tous les regards se posèrent sur une retraitée qui attendait, boules en main, à l'écart du groupe.

— Tu lui as dit à la Mauricette qu'elle jouait avec nous ?

— Ben oui, je lui ai dit hier.

— Et si tu lui disais que tu t'es trompé dans tes calculs… ?

— Ah ! on ne peut pas lui faire ça, elle joue avec nous toutes les semaines !

— Tu as vu la dégaine qu'elle se paie ? Avec ses chaussettes dans ses nu-pieds, son short flottant et ses lunettes à triple foyer, c'est un remède contre l'amour !

— Peut-être, mais elle pointe bien.

— C'est vrai qu'elle pointe bien, mais y a pas que ça dans la vie…

— Pour jouer à la pétanque, c'est important.

Mathilde s'empressa de leur couper la parole afin de se libérer.

— Vous êtes bien gentils mais je dois partir. Mon amie m'attend.

Elle s'éloigna en riant et rejoignit Blanche à sa voiture. Pendant ce temps, les joueurs de boules discutaient encore.

— Putain, Robert, t'as pas un brin d'ambition ! Si on avait eu ces jolies petites avec nous, les autres en face ils en auraient bavé de jalousie. Ils auraient passé tellement de temps à les bader qu'ils auraient même oublié de compter les points. Tandis qu'avec la Mauricette, y a pas de risque qu'ils soient déconcentrés.

Des rires bruyants s'élevèrent de l'esplanade.

— Bon, Mauricette, tu viens t'inscrire ou tu dors ?

Blanche et Mathilde s'engagèrent vers la plaine au sud de Saint-Antonin. La petite route sinueuse longeait des champs de tournesols que le soleil avait fini de griller. La moisson était imminente. Un grand entrepôt coloré par de joyeux tags se dressait sur la gauche.

C'était la friperie. La voiture s'y engagea. Quelques véhicules y étaient déjà garés.

— Tu sais comment tu vas te déguiser, Blanche ?

— Non, pas encore. Je verrai bien ce que je vais trouver... Je n'ai pas eu le temps de fouiller dans les affaires de ma mère ce matin. Et toi, tu sais ?

— Oui. En Martienne. J'ai retrouvé des antennes que j'avais fixées sur un casque de chantier. Ce sont des flexibles récupérés je ne sais plus pourquoi... Je pensais y ajouter des petits miroirs au bout. Un peu de maquillage vert et une grande tunique, ce sera sympa. Tu en penses quoi ?

— Oh, je te fais confiance ! Avec l'imagination que tu as, ça risque d'être étonnant.

Les deux amies poussèrent la porte de l'entrepôt. À l'entrée, Raymonde les accueillit avec un bonjour chaleureux. Entourée de ses deux caniches couchés devant elle sur des tapis moelleux, elle tenait la friperie depuis de nombreuses années. Des grands étals croulaient sous le poids des fripes en tout genre. La petite salle du fond était réservée aux déguisements, plus improbables les uns que les autres. Les filles entreprirent de brasser les vêtements, tirant ceux qui se cachaient dessous pour les reposer ensuite sur l'énorme tas. Tandis que Mathilde sortait une large robe métallisée, Blanche s'enthousiasma pour un accoutrement hors du commun : un déguisement de carotte. En voyant son amie brandir sa trouvaille sous son nez, Mathilde éclata de rire.

— Tu ne pouvais pas mieux tomber. Avec quelques brins de persil de ton jardin dans ta poche, tu seras géniale !

— J'adore. J'ai du maquillage chez moi. Tu viendras te préparer à la maison et on ira ensemble. Paul a dit que tout le monde se retrouvait à dix-neuf heures sous le vieux pont. Il trouvera un prétexte pour amener Armelle là-bas à vingt heures.

— Ça marche. On rentre vite laver tout ça, ça sent la poussière.

Après avoir échangé quelques mots sympathiques avec la patronne, les amies remontèrent gaiement dans la 4L, leurs costumes sous le bras. Elles rirent à l'avance en s'imaginant leurs dégaines, affublées de la sorte. Elles remontèrent la route de Saint-Antonin. Blanche déposa Mathilde dans sa rue et rentra chez elle. La matinée avait été plaisante, la soirée s'annonçait endiablée.

Après avoir mangé une salade de tomates, elle se posa un instant à l'ombre du vieux platane. Elle eut très envie d'entendre la voix de Marceau. Elle prit son portable et commença à faire son numéro, puis renonça. Peut-être allait-elle le déranger pendant une répétition… Elle lui envoya un SMS : « La Genestière est vide sans ta musique. Tes bras me manquent. Reviens vite ! »

Pastis vint se frotter contre ses mollets. D'un air évasif, Blanche le caressa du bout des doigts. Son esprit était occupé par les personnages de sa famille, les anciens et les nouveaux. Il fallut que son chat lui saute sur les genoux pour qu'elle sorte de ses pensées.

— Qu'est-ce qu'il y a, Pastis ?

L'animal frotta sa tête contre les mains de Blanche.

— Excuse-moi, j'étais ailleurs. Mais oui que je t'aime, mon Tissou ! Allez hop, on se bouge.

Elle partit voir à la buanderie si le cycle du lave-linge était terminé, puis elle sortit étendre le déguisement. Elle souriait encore de l'image que lui avait renvoyée le grand miroir de sa chambre lorsqu'elle avait enfilé son déguisement. Il faisait une chaleur de plomb aujourd'hui encore. Tout serait très vite sec. Dans la remise, elle décrocha une grosse clé suspendue à un clou et se dirigea vers la cave de la maison. La vieille porte en bois résista un peu avant de s'ouvrir. Le temps et les intempéries l'avaient déformée et fanée. Blanche descendit les marches qui menaient au sous-sol. Le contraste avec la chaleur extérieure était saisissant. De larges toiles d'araignée s'étaient emparées des voûtes de la cave. Elle s'était souvent dit que l'endroit était parfait pour conserver du bon vin. Peut-être qu'un jour, lorsqu'elle saurait mieux les choisir, la cave retrouverait sa vocation première... Pour le moment, elle servait de débarras.

Parmi les quelques meubles entreposés, Blanche reconnut la malle en bois de Marie. Depuis le départ de sa mère, elle n'avait pas eu le cœur de l'ouvrir. Elle recherchait de grosses fleurs en tissu à épingler sur ses ballerines pour le soir même. Elle se souvenait que Marie en confectionnait quelquefois pour décorer ses grands sacs. La malle s'ouvrit en grinçant. Des jupons en crépon, des écharpes en soie, des chapeaux et des casquettes la remplissaient. Une bouffée d'émotion monta au visage de Blanche, troublée de revoir toutes ces affaires auxquelles Marie tenait. Les couleurs étaient reines dans la vieille malle. Du bleu, du jaune, de l'orangé, du vert anis, du mauve, du rouge éclatant, un arc-en-ciel qui avait accompagné la vie de sa mère, de son adolescence à son départ. Marie sans couleur n'aurait pas été Marie.

Dans un sac, elle tomba sur les fameuses fleurs en tissu. Elle les examina et se dit qu'elle était vraiment douée pour la couture. Blanche aurait été incapable d'en faire autant. Elle se souvint que Marie récupérait sans cesse des chutes de tissu en disant « ça me servira un jour ». Elle reconnut aussi la boîte à boutons. Quand les vêtements ne pouvaient plus servir, Marie les décousait un à un, puis les rangeait dans la boîte en fer. Lorsqu'elle l'ouvrit, Blanche reconnut les boutons de sa robe préférée d'enfant, des nounours rouges souriants. Dans le fond, les boutons en bois d'une veste en laine se mêlaient à une multitude de petits nacrés, de moyens en fer et de gros en plastique. Ils attendaient là depuis des années, afin d'être choisis un jour parmi tous les autres.

Au fond du sac, Blanche découvrit quelques bijoux fantaisie : de grandes créoles, des bracelets de toutes les couleurs, des colliers de fleurs. Elle reconnaissait bien là la fantaisie maternelle. Quel bonheur de fouiller dans les affaires de Marie. Il lui sembla la retrouver un peu. C'était doux et « ça ravigotait le cœur », comme aurait dit Marcel. Dans la poche intérieure du sac, Blanche aperçut un papier en transparence. Elle ouvrit la fermeture zippée et en sortit une photo en noir et blanc. Elle avait immortalisé deux adolescentes. Blanche reconnut sa mère, souriante, cheveux châtains coiffés en bataille, le regard franc et l'air décidé. La jeune fille à ses côtés était très brune. Ses longs cheveux tombaient en cascade dans son dos. Elle ne souriait pas et regardait l'objectif d'un air craintif. Marie avait passé son bras autour de son épaule. Blanche crut savoir qui elle était. Le rose lui monta aux joues. Elle ne put détacher son regard de la photo. C'était sûrement elle... Elle, tout contre Marie. Elle, qui la regardait au travers de ce cliché, comme Blanche l'avait vue au travers de ses lignes… Comme pour chercher une confirmation, elle la retourna. L'écriture de Marcel s'étirait à son dos : « Mes chères filles, Marie douze ans ct Isabelle quatorze ans ».

C'était bien elle. Blanche avait, devant ses yeux, le jeune visage de celle qui allait devenir Odile Coste. Son Odile Coste était là, dans les bras de sa propre mère. Elle la regardait le cœur battant et elle l'aimait.

Elle posa la photographie sur le sol à côté des fleurs en tissu, zippa le sac avec précaution, replia les beaux jupons en crépon et referma la grande malle. Elle remonta les marches avec son trésor dans les mains. Elle pensa très fort à Marie et dit à haute voix : « Merci maman. » La photographie rejoignit le petit carnet. Ses mots avaient désormais un visage, celui d'une adolescente au regard sombre.

23

La salle de bains de la Genestière ressemblait à un joyeux bazar. Les deux amies finissaient de se barbouiller le visage en vert pour Mathilde et en orange pour Blanche, quand la sonnerie du téléphone retentit en bas. Empêtrée dans son costume de carotte, Blanche descendit les escaliers à petits pas. L'allure de son amie fit éclater de rire Mathilde. Enfin parvenue jusqu'au téléphone, elle décrocha.

— Ah ! tu es là ! J'allais raccrocher. Ça va, ma belle brune ?

— Marceau, c'est bon de t'entendre. Où es-tu ? Tu vas bientôt rentrer ?

— Pas tout de suite, je suis à Biarritz. J'en ai profité pour embrasser ma mère. Je ne l'avais pas vue depuis longtemps. Tout va bien ?

— Oui, aujourd'hui avec Mathilde, on oublie tous nos soucis. On va faire la fête pour l'anniversaire d'Armelle. D'ailleurs, en ce moment même, tu parles à une carotte et dans la salle de bains, il y a une espèce de Martienne venue d'une drôle de planète...

À l'étage, la voix de Mathilde retentit.

— De Rigolus, entre Onslapette et Jememar !

La carotte éclata de rire.

— C'est une grande folle ! Elle est à fond.

— Vous faites plaisir à entendre, au moins. J'aimerais bien vous voir, les filles... Vous prenez des photos, hein ?

— Tu fais bien de le dire, on aurait oublié l'appareil...

— Dommage que je sois loin, je me serais bien déguisé en lapin, pour te croquer...

La voix de Blanche devint plus sérieuse tout d'un coup.

— Reviens vite, tu me manques.

— Dans trois jours, on se rapprochera de Montpellier. Je me débrouillerai pour venir à la Genestière, ma petite carotte.

— Trois jours, d'accord.

— Amusez-vous bien. Je t'embrasse très fort.

Que c'était bon d'entendre ces mots ! Elle ne s'en lasserait jamais. Le bonheur l'envahit.

— Je te fais mille bisous. À très bientôt.

La Martienne la retrouva en bas. Elle raccrocha, un magnifique sourire aux lèvres. Son regard tomba sur l'être singulier qui se tenait devant elle.

— Excellent, Mathilde, on ne te reconnaît même pas.

— Tant mieux parce que je pensais à quelque chose, pendant que tu gloussais au téléphone avec ton amoureux. Là, maintenant, on part en voiture... ?

— Oui.

— On va traverser Saint-Antonin comme ça ?

— Ben oui, ça va être rigolo de voir la tête des gens.

— Tu as raison, une carotte et une Martienne dans une 4L, ils ne voient pas ça tous les jours au village !

— Allez, courage, on y va.

Elles quittèrent la maison, et montèrent avec difficulté dans la voiture. Prises d'un grand fou rire, les deux amies roulèrent tranquillement en ville. C'est lorsque le véhicule emprunta le rond-point de la fontaine qu'elles tombèrent sur la gendarmerie nationale. Trois fonctionnaires chargés de faire des contrôles d'identité les arrêtèrent. Devant l'étonnement perceptible dans leurs yeux, le fou rire des filles redoubla.

— Contrôle d'identité, vos papiers s'il v… Qu'est-ce que c'est que ça ?

Blanche et Mathilde furent incapables de répondre au gendarme qui s'était approché de la voiture. Son jeune collègue intervint.

— Je pense que tu as devant toi un légume et…

Il regarda avec attention Mathilde, assise côté passager.

— … un truc bizarre !

Le fonctionnaire le plus âgé resta imperturbable. Il fronça les sourcils et parla d'un ton autoritaire.

— Vos papiers, s'il vous plaît. Et vite !

Ravalant sa salive, Blanche réussit à balbutier quelques mots.

— Mes papiers ? Mais je ne les ai pas. On allait à une fête costumée au bord du Gardon…

— Rien à faire ! Vous devez toujours avoir vos papiers sur vous.

Mathilde se pencha vers la fenêtre de son amie et s'adressa au gendarme en pouffant encore de rire.

— Mais, monsieur, vous avez déjà vu une carotte avec un sac à main ?

Le fonctionnaire ne parut pas apprécier la plaisanterie.

— J'espère que vous ne vous moquez pas de moi, mademoiselle… Votre carte d'identité, s'il vous plaît.

Sous le maquillage, il ne s'aperçut pas que la jeune fille le regardait avec des yeux ahuris.

— Elle est chez moi… On est de Saint-Antonin.

Le jeune gendarme intervint de nouveau, désireux d'apaiser la situation.

— Ce n'est pas grave, vous viendrez nous montrer tout ça lundi à la gendarmerie.

— Comment ça, ce n'est pas grave ? Si tu crois que ça marche comme ça, ici ! Vos noms et prénoms... ?

Les filles ne riaient plus. Le ton montait et elles n'avaient pas envie de se retrouver au poste de police, au lieu d'aller à la fête d'anniversaire d'Armelle.

— Blanche Bruguière et Mathilde Barandon.

— Bruguière ?

— ... Oui...

— C'est votre grand-père, Marcel Bruguière ?

— Oui.

Le visage du gendarme changea de couleur. Il se souvint de la mésaventure qui était arrivée à son oncle durant sa jeunesse, avec un certain... Marcel Bruguière. Son ton se radoucit brusquement.

— Bon, enfin... ce n'est pas si grave que ça. Mais attention, que je ne vous y reprenne pas à rouler sans vos papiers. Allez, circulez !

Son jeune collègue le regarda, étonné de ce revirement d'humeur. Abasourdies, les amies partirent sans demander leur reste. Plus loin, elles rirent encore de leur mésaventure.

— Quelle histoire de fou ! À un moment, j'ai cru que c'était la caméra cachée...

— Et en plus, toi qui vas en rajouter. « Vous avez déjà vu une carotte avec un sac à main ? »

— Ce n'est pas ma faute s'il n'avait pas d'humour !

Lorsque Paul arriva chez Armelle aux alentours de dix-neuf heures quarante-cinq, il eut beaucoup de mal à la convaincre de le suivre. Un ami était passé à l'improviste chez elle, pour lui dire bonjour. Pourtant le prétexte que Paul avait inventé titillait la curiosité de la jeune fille.

— Où l'as-tu trouvée, cette poterie antique ?

— Sous le vieux pont, au bord du Gardon. Je faisais mon footing et lors d'une pause, mes yeux se sont posés dessus...

— Mais pourquoi ne l'as-tu pas apportée avec toi ?

— Elle est à moitié enterrée, je n'ai pas voulu la dégrader. Je l'ai laissée sur place.

La jeune fille réfléchit, et paraissait embarrassée.

— On pourrait y aller demain matin... ?

Paul perdait patience. Il était à court d'imagination.

— Euh non ! Un autre gars que moi l'a vue. Demain matin ce sera peut-être trop tard. Ton ami n'a qu'à venir avec nous...

Armelle capitula.

— C'est d'accord, allons voir cette antiquité.

Paul leva les yeux au ciel, il pensait bien ne pas parvenir à ses fins. Ils grimpèrent tous les trois dans le camion d'Armelle et démarrèrent en direction du Gardon. Lorsqu'ils arrivèrent sous le vieux pont, une flopée d'individus en tout genre sortit des broussailles. Armelle comprit tout de suite le traquenard de Paul.

— Tu es un sacré menteur, toi ! Vous aviez pensé à mon anniversaire ?

Paul, soulagé, répondit avec bonne humeur.

— Tu ne croyais quand même pas que l'on allait l'oublier ?

Heureuse, elle l'embrassa, tandis qu'un diable, un canard, une danseuse indienne, une Martienne, une infirmière, un fakir et une carotte s'agglutinaient autour d'elle en riant. Elle les regarda un à un afin de les reconnaître.

— Mais vous êtes de grands malades !

Les glacières et les paniers contenant le pique-nique géant firent leur apparition. Quelques-uns sortirent le bois destiné au barbecue, des packs de bière et un puissant poste CD. La fête put commencer.

Soudain, on entendit un grand bruit derrière les buissons.

— Attendez-moi ! Oh là ! là ! que je suis bête...

La petite bande vit une Kylie Minogue toute en paillettes sortir de sa cachette, un peu décoiffée. C'était Laurie.

— J'avais oublié qu'au bord du Gardon, il y a des galets ! Je n'arriverai jamais à marcher avec mes talons...

L'hilarité fut générale. L'infirmière cria qu'il y avait des baskets dans la malle de la voiture du canard.

— Kylie Minogue en baskets ! Ce n'est pas sérieux ?

À contrecœur, Laurie quitta ses grands talons et rejoignit le groupe. Tous avaient fait de vrais efforts pour se déguiser et riaient d'eux-mêmes.

Lorsque Blanche vit l'ami d'Armelle, elle fut surprise. Comment aurait-elle pu penser qu'il serait là ? Il ne l'avait pas encore vue. Elle le détailla du regard. Elle qui avait souvent souhaité le revoir quelques mois auparavant, le trouvait maintenant assez banal. Bien que charmant, Kerry ne la troublait plus comme avant. Après avoir questionné Armelle, il s'approcha de Blanche.

— Bonsoir. Je suis très content de te revoir.

— Bonsoir, Kerry. Que fais-tu là ? Et ta campagne de pêche ?

— Interrompue. Le patron ne pouvait plus nous payer, on a dû rentrer plus tôt. Ça me convient, j'avais envie de revenir ici.

— Tu te languissais de tes amis ?

Kerry fixa du regard Blanche.

— Tu me manquais. Je suis revenu pour toi.

Paul, qui avait entendu la conversation, laissa tomber ses bras le long de son corps en signe d'impuissance et partit plus loin, dépité. Blanche, bien que flattée, s'empressa de tenir Kerry au courant de sa situation sentimentale.

— Je suis très amoureuse de quelqu'un d'autre. Il ne se passera plus rien avec toi, Kerry, juste des liens amicaux si tu veux. J'aime profondément Marceau.

Le jeune homme resta silencieux puis il ajouta quelques mots à voix basse.

— Il a de la chance, ce Marceau.

Paul, qui avait entendu la conversation, marmonna dans sa barbe.

— À qui le dis-tu, bouffi !

La grillade-party battait son plein. Les amis étaient tout contents de cette occasion de se retrouver. Les blagues fusèrent, les rires couvrirent la musique. Le canard dansait avec Bécassine. Kylie Minogue en baskets se défoulait sur des titres d'AC/DC. Le fakir embrassait Betty Boop. Tout se passait pour le mieux. Paul, Armelle et Kerry, qui étaient les seuls à ne pas être déguisés, furent transformés par leurs amis en Tarzan, en Popeye et en Barbarella, dans un fou rire général. Plus loin, dans un nuage de fumée, un pompier annonça que les saucisses étaient cuites. Sur une table de camping, on ouvrit des morceaux de pain tartinés de moutarde ou de ketchup, que l'on tendait au chef des grillades, afin qu'il les garnisse. L'ambiance était excellente. De nombreuses heures s'écoulèrent. Tarzan mit une Martienne à l'eau et tous les suivirent dans le Gardon. Le fakir perdit sa barbe, Barbarella perdit ses seins et la carotte se gorgea d'eau au point de devenir un gros navet orange. À bout de souffle, ils s'allongèrent tous sur les galets et parlèrent jusqu'au lever du jour. C'était une belle fête, Armelle était heureuse.

Lorsque Blanche se réveilla chez elle en début d'après-midi, sa tête lui parut plus lourde que d'habitude. La soirée s'était terminée vers les six heures du matin, la nuit avait été courte. Sous la tonnelle, devant son grand bol de café noir, les yeux mi-clos, elle regardait Pastis qui courait inlassablement après une sauterelle grise. Le soleil était encore radieux, une petite brise bienveillante rendait la chaleur supportable. Un rouge-gorge se baignait dans une coupelle que Blanche avait placée là en guise d'abreuvoir. Il éclaboussait les alentours sans se soucier de la présence d'autres oiseaux. Un rosier anglais à grosses fleurs roses enveloppait l'air de son parfum poudré. La Genestière était paisible, en ce dimanche de fin août.

Cet après-midi, Blanche rendrait visite à François dans sa maison de repos. Bien qu'elle ait peu d'affinité avec cet oncle tourmenté, elle était consciente qu'il aurait besoin de l'aide de sa famille pour se reconstruire. Peut-être que Marcel avait raison, François pourrait montrer une meilleure facette de sa personnalité... Au fond d'elle, Blanche savait bien que dans la vie rien n'est acquis, rien n'est définitif. Il fallait accorder à François le bénéfice du doute. Marie aurait apprécié la lucidité de sa fille.

Marceau allait bientôt revenir à la Genestière. À cette pensée, un large sourire s'afficha sur le visage de Blanche. Bientôt elle le serrerait contre elle, enfouirait sa tête contre son épaule et respirerait l'odeur de sa peau. À cette perspective, son cœur battait à la chamade. Qu'il était bon d'être amoureuse ! Elle s'était rendu compte la veille à quel point elle l'était, lorsque

Kerry était réapparu devant elle. Blanche avait compris qu'il n'y avait que Marceau qui compterait désormais.

Vers seize heures, lorsque la 4L de Blanche pénétra dans le village de Saint-Paul, le soleil brûlait encore les peaux claires récemment arrivées dans le Midi. La place était désertée de ses habitants, tous à l'ombre de leurs persiennes. La jeune fille se gara devant un grand bâtiment à l'architecture moderne. En s'avançant dans les allées fleuries, elle aperçut le va-et-vient des résidents et des soignants. À l'accueil, elle demanda François Bruguière. On lui indiqua la chambre 37. Elle toqua doucement à la porte mais aucune réponse ne se fit entendre. Blanche entra sans bruit dans une chambre sombre. Sur le lit, François dormait. Son visage penché sur le côté, Blanche pouvait discerner ses traits détendus, à l'expression presque enfantine. Elle n'avait jamais vu son oncle ainsi abandonné de toute rigidité. Le traitement devait y être pour beaucoup. Elle fut stupéfaite de le découvrir ainsi, plus humain, presque attachant. Lorsqu'elle s'assit sur le fauteuil tout près du lit, celui-ci se mit à grincer, ce qui réveilla François. Ensommeillé, il regarda la jeune fille, étonné.

— C'est toi, Blanche ?

Il y avait de la bienveillance dans sa voix.

— Oui, c'est moi. Je viens voir comment tu vas…

— Tu viens prendre de mes nouvelles… ?

Son timbre se troubla.

— C'est gentil.

Il la regarda un long moment en la dévisageant, comme s'il la découvrait.

— Tu es aussi jolie que ta mère.

Blanche fut très étonnée d'entendre ces paroles dans la bouche de son oncle. Il s'en aperçut. Il continua.

— C'est vrai, vous avez le même éclat.

Blanche ne répondit pas.

— Je sais que tu n'es pas habituée à ce que je discute comme ça, moi qui t'ai parlé si méchamment la dernière fois à Costebelle...

François baissa la tête.

— Je te demande de m'en excuser.

La jeune fille le regarda droit dans les yeux, mais sans rancune. Elle n'oubliait pas que son oncle avait voulu mourir. Son regard sur lui avait changé.

— N'en parlons plus.

— Mais si, il faut en parler. J'ai dit des horreurs sur ta mère que je ne pensais pas.

Les yeux de François semblaient sincères. Blanche en fut touchée.

— Je sais, tonton.

Il la regarda étrangement.

— C'est la première fois que tu m'appelles tonton...

C'était vrai. Ce mot n'était jamais venu à la bouche de Blanche auparavant. Elle détourna volontairement la conversation qui devenait gênante.

— Est-ce que tu es bien ici ?

— Oui, je n'ai pas à me plaindre, ils prennent soin de moi. Je vois un psychiatre tous les jours. Comme un vrai dingue.

— Tu as l'impression que ça te fait du bien ?

Il la regarda fixement.

— Je crois que oui. J'arrive à lui parler maintenant. En fait, je pense que j'arrive à parler tout court.

— C'est bien. C'est important de dire aux autres ce que l'on pense.

— J'ai beaucoup de progrès à faire encore.

— Ça viendra. Fais-toi confiance.

Le visage de François s'assombrit brusquement.

— Comment faire confiance à un sale type ? Je suis mauvais, Blanche, depuis toujours. Ce n'est pas une maladie qui se guérit.

La jeune fille s'approcha plus près de lui mais n'osa pas lui prendre la main.

— Personne n'est tout blanc ou tout noir, personne n'est tout bon ou tout mauvais. On a tous au fond de nous des mauvais sentiments que les événements de la vie font ressurgir ou pas.

— Mais moi, déjà petit, j'étais mauvais.

Blanche comprit qu'il faisait allusion à ses sœurs qu'il détestait.

— C'est parce que tu étais malheureux.

Il regarda sa nièce avec des yeux d'enfant perdu et hocha la tête, égaré dans ses lointaines pensées.

— Les enfants mauvais, ça n'existe pas.

— Tu crois ?

— Oui, j'en suis sûre.

— Merci.

Il tortilla le drap entre ses doigts, puis reprit soudain un visage d'adulte.

— Je voudrais vraiment m'en sortir, tu sais !

— Tu t'en sortiras, tonton. Vous avez tant à rattraper avec Marcel…

En entendant le prénom de son père, François laissa échapper quelques larmes aux coins de ses yeux.

— Oh oui, je l'ai toujours repoussé, le pauvre. Il est si bon. Il ne me laisse pas, tu sais ?

— C'est un homme merveilleux.

François hocha la tête quand la porte s'ouvrit bruyamment. Une femme de service blonde, assez corpulente, à la voix claire et gaie, entra en chantant.

— Coucou, mon ami François, voulez-vous un jus de fruit et un petit goûter ?

François répondit avec un mince sourire.

— Ce que vous voulez, Roselyne.

— Oh ! mais la belle jeune fille que voilà !

François prit la main de Blanche.

— C'est ma nièce.

— Enchantée !

Avant que Blanche ait eu le temps de répondre, François marmonna.

— Elle est aussi jolie que Marie.

Puis il parla, tête baissée, en direction de la femme de service.

— Marie, c'était ma sœur, une de mes sœurs.

Roselyne lui décocha un grand sourire et prit son temps pour servir le goûter de François. Il sembla à la jeune fille qu'elle n'était pas insensible au charme de son oncle. Blanche se leva.

— Je vais y aller maintenant. Je reviendrai bientôt.

— Merci, Blanche, ça m'a fait plaisir de te voir.

Elle embrassa François, puis elle se retourna vers la femme de service qui préparait le goûter sur un plateau.

— Au revoir, Roselyne.

Blanche parla plus bas.

— Soignez-le bien…

Roselyne lui fit un sourire entendu.

Sur la route du retour, Blanche fut assez satisfaite de sa visite. Apparemment, François semblait vouloir changer et guérir. Elle était contente d'avoir fait un pas vers lui. Sa visite n'avait pas été inutile. Elle reviendrait pour le soutenir et surtout pour s'assurer qu'il ne rechute pas. Ça serait difficilement supportable pour Marcel et pour elle maintenant.

24

Quelques jours passèrent à la Genestière, sans que rien de particulier n'arrive. Mais aujourd'hui Blanche attendait une visite importante. Nathalie devait passer la voir. Lors d'une conversation téléphonique, elle n'avait pas eu de mal à la convaincre de venir chez elle.

Elle désirait lui transmettre le petit carnet d'Odile. Il était temps. Blanche savait que désormais il ne lui appartenait plus. Sa place était dans les mains de Nathalie. Ce n'était pas sans un pincement au cœur qu'elle l'envisagea. Elle avait vécu tant d'émotions auprès d'Odile...

Lorsque Nathalie avait entendu sa voix au téléphone, elle avait été heureuse. Quand elle lui parla du carnet, elle fut touchée à l'idée de le retrouver, elle qui l'avait cru détruit. Elle comprit pourquoi elle s'était sentie toute proche de cette cousine. Blanche connaissait sa mère et leur histoire. De ce fait, elle ne la regardait pas comme une étrangère. Elles allaient se rencontrer pour la deuxième fois seulement, et pourtant elles étaient déjà complices.

Cet après-midi, le soleil était moins chaud. Blanche

en profita pour arracher les mauvaises herbes qui s'étaient invitées au pied des arbustes. Elle portait le chapeau en paille de Marie, il était devenu le sien. Les trompettes flamboyantes de la vieille bignone commençaient à se flétrir. Blanche pensa « ça sent l'automne ». Heureusement que son feuillage persisterait encore un peu pour offrir son vert lumineux au jardin. Le rosier grimpant continuait à fleurir. Ses petits boutons d'un rouge vif s'ouvraient sur une multitude de pétales odorants. Quelques coccinelles se promenaient sur ses feuilles dentelées, à la recherche de pucerons. Le petit insecte dodu était présent en force dans le potager, pour le plus grand bonheur de Blanche. Il préservait les légumes en se régalant des indésirables.

La jeune fille admira le lantana qu'avait planté Marie six ans auparavant. Il s'était imposé à l'angle de la terrasse, croissant chaque année un peu plus. Ses délicates fleurs jaune orangé illuminaient l'arbuste vaporeux. Il était superbe. La sonnerie du téléphone résonna dans le salon. Blanche s'essuya les mains et rentra. C'était Marceau.

— Alors, ma belle brune, que fais-tu ?

— Marceau, enfin...

— Quel bel accueil ! Tout va bien à la Genestière ?

— Oui, ça va. J'ai mille choses à te raconter. Quand reviens-tu ?

— Dans huit jours, peut-être...

— Huit jours !

Marceau éclata de rire.

— Mais non, je suis trop impatient de te voir. Je reviens demain dans la matinée.

— C'est chouette !

— Je parie que tu souris... ?

— Gagné. Tu me mets du baume au cœur.

— Toi aussi. J'ai hâte de te retrouver. À demain, ma belle brune ! Je t'embrasse très fort.

— À demain, Marceau, je t'aime.

C'était la première fois que Blanche lui disait. Elle en fut tout étonnée elle-même. Elle raccrocha et soupira d'aise. Dès qu'elle entendait la voix de Marceau, son cœur battait plus fort. C'était un sentiment si agréable. Elle aimait à penser qu'ils avaient beaucoup de chance de s'être rencontrés. Certains ne croisent jamais la passion sur leur chemin…

Blanche regarda l'heure. Il était seize heures trente, Nathalie allait bientôt arriver. Elle ramassa ses quelques outils de jardin et les rangea dans le petit cabanon en bambou, près du potager. Pastis la suivit. Alors qu'elle entrait dans la cuisine, le chat décida de poursuivre un papillon citron. De bond en bond, il renonça vite à son objectif et se contenta de guetter un lézard gris accroché au mur ensoleillé. Blanche sortit sous la tonnelle avec un livre à la main. Elle s'installa dans son fauteuil, enleva le marque-page et continua sa lecture. Il s'agissait d'un des livres que son amie lui avait donnés, *L'Arrache-cœur*, de Boris Vian. Blanche aimait bien son écriture et l'originalité de ses histoires. Un quart d'heure après, une portière claqua devant le portail. Blanche aperçut Nathalie au bout de l'allée. Elle descendit à sa rencontre, tout émue. Elle savait que cette entrevue allait être importante pour les cousines. Lorsqu'elles arrivèrent face à face, toutes deux souriantes, Blanche avança timidement sa main mais Nathalie l'embrassa sur la joue.

— Tu as trouvé facilement ?

— Oui. C'est curieux, je suis arrivée ici comme si l'endroit ne m'était pas inconnu…

Blanche, surprise, sourit.

— Entre la Genestière et la famille Bruguière, c'est une longue histoire d'amour. Notre grand-père a dû t'en parler… ?

— Oh oui, très souvent.

Nathalie regarda tout autour d'elle avec intérêt.

— Que c'est joli ! C'est exactement comme Marcel me l'avait décrit.

Tout naturellement, c'est sous le vieux platane qu'elles s'installèrent après avoir fait le tour de la propriété. Nathalie regardait le jardin, les yeux emplis d'admiration devant tant de diversité. Les murets de pierres sèches entrelacés par le lierre lui rappelaient les alentours du mazet. Sa mère avait sûrement adoré cet endroit. Dommage qu'elle n'ait pas vécu ici plutôt qu'à Costebelle… Devinant sa cousine perdue dans ses pensées, Blanche lui donna quelques détails.

— C'est Marie, ma mère, qui a planté la plupart des arbustes il y a une dizaine d'années. Elle avait elle aussi une passion pour le jardinage. Je me suis contentée d'ajouter des vivaces et des bulbes.

Nathalie ne pouvait pas détacher ses yeux de cette nature florissante.

— Comme on se sent bien ici ! C'est si paisible…

Elle regarda Blanche attentivement. Elle semblait heureuse de l'accueillir dans son petit paradis. Marcel lui avait raconté combien Blanche avait été malheureuse au décès de sa mère. Il lui avait aussi décrit son éprouvant travail dans les terres. Et pourtant la rudesse de la vie ne semblait pas avoir marqué cette jeune fille. Son visage était serein comme celui d'une vieille femme qui regarde sa vie passée et qui se dit qu'elle a été tout de même heureuse.

— Ce jardin te ressemble, Blanche. Il est épanoui et joyeux. Ce que j'ai tout de suite remarqué chez toi, ce sont tes yeux, ils sourient autant que ta bouche. Tu es tellement expressive, petite cousine, que ça donne envie de rester auprès de toi.

La jeune fille, touchée par les paroles de Nathalie, répondit avec évidence et spontanéité.

— Mais reste autant que tu veux. Ma porte te sera toujours ouverte. Maintenant que tu vas vivre à Saint-Antonin, nous allons pouvoir rattraper le temps perdu et apprendre à nous connaître. Je suis très heureuse de t'avoir auprès de moi. Marie l'aurait été aussi…

— Tu me montreras des photos de ta mère ?

— Oui, ne bouge pas, je vais les chercher.

Blanche revint très vite avec une ancienne boîte à biscuits transformée en boîte à photos.

— Ça fait bien longtemps que je ne l'ai pas sortie. Depuis son décès. Je n'aime pas trop remuer les souvenirs. Je préfère ceux du cœur, même s'ils deviennent moins précis avec le temps.

— Si tu veux, tu les sortiras une autre fois…

— Non, ça me fera beaucoup de bien de parler de ma mère avec toi.

La boîte s'ouvrit sur un méli-mélo de photos enchevêtrées, toutes époques confondues.

— C'était à elle, c'est pour cela que c'est en bazar. Marie aimait le désordre.

Nathalie soupira d'aise.

— Si tu savais comme je l'aime aussi…

Devant l'étonnement de Blanche, elle s'expliqua.

— Cela peut te sembler curieux mais lorsqu'elle était contrariée, Odile, ou Isabelle si tu préfères…

— Oh non, continue à l'appeler Odile s'il te plaît !

Surprise, Nathalie regarda sa cousine. Blanche se justifia.

— Tu comprends, moi je l'ai connue comme Odile Coste. Je me suis attachée à ce nom. Isabelle Bruguière n'est pas réelle pour moi.

Les yeux emplis de reconnaissance, Nathalie poursuivit son récit.

— Odile, ma mère, alignait tous les objets qui lui tombaient sous la main à la perfection, au centimètre près, encore et encore. C'était un besoin pour elle, elle ne pouvait pas s'en empêcher. Je détestais ça. Pour moi, c'était le signe qu'elle allait mal.

— Oui, je comprends. Je l'ai lu dans son petit carnet.

— Pas étonnant qu'elle en ait parlé. Elle s'en rendait compte, ça l'agaçait encore plus mais c'était plus fort qu'elle. Marcel m'a dit que c'était pour ça que Marie avait toujours détesté l'ordre elle aussi…

Blanche était surprise.

— Bien sûr, c'est plus clair maintenant. C'est étonnant qu'elle ne me l'ait jamais expliqué, elle qui me disait tout. Elle m'a très peu parlé de sa sœur, juste le nécessaire. Le souvenir était resté très douloureux, je le sentais.

— Ta mère n'a sûrement pas voulu te transmettre ses angoisses. Elle n'a pensé qu'à te préserver de cette histoire familiale difficile. Te parler de ma mère n'aurait servi qu'à raviver sa propre douleur. Et puis, Marie la croyait morte… Donc à quoi bon brasser cette souffrance ?

Blanche hocha la tête. Nathalie avait raison, à quoi bon ? Marie l'optimiste avait préféré regarder vers l'avenir et protéger sa fille.

Les deux jeunes femmes furetèrent dans la boîte sans dire un mot. Elle contenait beaucoup de photographies de Blanche bébé et enfant. Dans le fond, elle tomba enfin sur celle qu'elle cherchait. Un tirage en noir et blanc de Berthe et de ses trois jeunes enfants devant le grand escalier de Costebelle, encadré par les lions rugissants. C'était Marcel qui l'avait prise. Contre une Berthe rigide et inexpressive s'était lové François, âgé de sept ans environ. Le petit garçon affichait un large sourire, heureux de l'opportunité qu'il avait de se rapprocher de sa maman. La petite Marie, âgée de trois ans à peine, donnait la main à son grand frère. Son autre main semblait retenir Isabelle, son aînée de deux ans, qui apparemment tentait de fuir, le visage en larmes.

— Voilà la seule photo que Marie avait de Costebelle.

Nathalie l'examina attentivement. Elle reconnut avec émotion sa mère.

— Elle résume bien l'ambiance qu'il devait y régner. Marcel m'a dit que ma mère était souvent en crise en ce temps-là.

— De quoi souffrait Odile exactement ?

— À cette époque, personne ne savait l'expliquer. Le médecin la disait folle, sans plus de précision. C'était vécu comme une fatalité, presque une punition. Aujourd'hui, avec l'avancée de la recherche, on sait qu'elle était atteinte de troubles autistiques. Je pense plus particulièrement au syndrome d'Asperger, mais elle n'en avait pas toutes les caractéristiques.

Elle était très intelligente, tu as dû voir comme elle écrivait bien... Mais des troubles du comportement empoisonnaient sa vie. Ils la rendaient très maladroite par moments et lui donnaient des attitudes convulsives. Elle se tordait les mains, se balançait sur elle-même. Il n'y avait rien à faire, juste attendre qu'elle se calme. Elle pouvait très vite tomber en dépression.

— Je l'ai lu dans son carnet.

— Je suis impatiente de le lire. Après tant d'années, c'est extraordinaire de le retrouver...

Nathalie sourit et continua son récit.

— Ma mère avait besoin de faire des pliages. Elle pouvait faire une quantité étonnante de cocottes en papier ! Que des cocottes en papier, jamais autre chose. C'était comme ça. C'était épuisant, mais je l'aimais tant. J'aurais fait n'importe quoi pour elle.

Blanche pensa aux cocottes en papier qu'elle avait découvertes dans le mazet.

— Oui, je comprends.

Bien sûr que Blanche comprenait. Elle avait vécu un certain temps avec Odile, au travers de ses écrits. Nathalie continua à en parler.

— Si ma mère avait été enfant aujourd'hui, elle aurait pu vivre dans un environnement plus calme, avec des professionnels qui l'auraient accompagnée vers une ouverture à l'autre. Ses angoisses n'auraient pas disparu mais elles auraient été apaisées. On ne l'aurait pas traitée de « folle », on aurait parlé de sa maladie.

— Mais malheureusement on ne peut pas changer le cours de la vie. L'histoire de ta mère a sûrement conforté ta détermination à aider les enfants autistes ?

Peut-être que si elle n'avait pas été malade, tu ne serais pas devenue éducatrice...

— Peut-être, Blanche.

— Le côté positif de la maladie d'Odile, c'est qu'aujourd'hui sa fille est précieuse pour des dizaines d'enfants malades et leurs familles. C'est une revanche de la vie.

Nathalie prit les mains de Blanche et la regarda, les yeux brillants.

— Marcel m'avait longuement parlé de toi mais tu es encore plus étonnante que je l'imaginais. Tu es une bouffée d'air pur, petite cousine.

— J'aime bien quand tu m'appelles « petite cousine », c'est affectueux.

— D'accord, petite cousine.

Les deux jeunes femmes se sourirent avec tendresse. Une complicité naissait.

— Tu sais au sujet de Costebelle... ?

— Oui...

— J'ai pensé lui donner un autre nom.

— Ah oui, lequel ?

— « La maison Isabelle Bruguière », pour faire plaisir à Marcel.

— C'est une belle idée. Il va être très touché par cette attention. Et puis, c'est bien que disparaisse « le manoir des peigne-culs » ! C'est comme ça que les habitants du village l'appelaient du temps des parents de Berthe.

Nathalie et Blanche rirent de bon cœur.

— Le manoir des peigne-culs ! En effet, ils devaient être sympathiques, ces gens-là...

— Des vrais gens de la haute.

— C'est une excellente idée qu'il change de nom alors ?

— Excellente. Je pense que ça fera même plaisir aux gens d'ici. C'est bien pour ta mère aussi. À Saint-Antonin, on se souviendra d'elle comme d'une enfant malade et pas comme d'une folle. C'est plus juste.

— Tu as raison.

Blanche lui tendit une photo plus récente de Marie.

— Regarde cette photo, c'était ma mère à vingt-quatre ans. Elle était belle, hein ?

— Oui, elle avait un air de famille avec Odile, le même sourire, la même fossette au menton... D'ailleurs, toi aussi, tu lui ressembles beaucoup à ma mère avec tes cheveux si bruns.

Blanche en fut touchée. Elle ressemblait à Odile Coste ! Comme la vie était curieuse...

— Tu l'as toujours appelée Odile ?

— Oui, et je l'appellerai toujours ainsi. Pour moi, Isabelle, c'était la petite fille meurtrie. Elle est devenue Odile avec mon père et moi, le bonheur construit jour après jour, loin de ses vieilles chimères. Elle restera Isabelle seulement pour Marcel.

Blanche partit dans la cuisine. Elle en revint avec un plateau chargé d'un pichet d'eau glacée, une bouteille de sirop et deux grands verres.

— Tu aimes le sirop d'orgeat ?

— Oui, beaucoup.

Après avoir servi à boire, Blanche avança en direction de sa cousine une petite boîte en fer fermée à clé. Nathalie la reconnut immédiatement, pour l'avoir vue maintes fois sur la table ronde du mazet. Elle caressa le fer de la boîte sans l'ouvrir.

— C'était Brigitte Vézon qui l'avait offerte à ma

mère, pour l'inciter à écrire afin d'évacuer sa peine. Je croyais qu'Odile avait brûlé son carnet.

En confiance, Nathalie continua à livrer son histoire à Blanche.

— Un jour de crise, j'ai retrouvé la boîte ouverte et des cendres dans l'évier. Je lui ai posé la question mais elle ne m'a pas répondu. Je n'ai pas insisté, pensant que ça avait dû être un besoin et que ce n'était pas si grave... Ça fait tout drôle de la voir aujourd'hui devant moi.

Nathalie la prit dans ses mains et la pressa contre elle.

— Je lirai le carnet chez moi, tu comprends ?

— Bien sûr. Il t'appartient maintenant.

Blanche était fière d'elle. Le petit carnet était maintenant entre les mains de la seule personne qui devait le détenir, la fille d'Odile. Une question restait quand même sans réponse. Elle interrogea sa cousine.

— Est-ce que tu sais pourquoi toutes ses affaires sont restées au mazet ?

— Oui. Quand je suis venue la chercher, elle était en état de crise comme ça lui arrivait souvent. J'avais demandé à mon père de venir récupérer ses effets personnels plus tard, mais il n'en a pas eu le courage. Vider le mazet, c'était un peu plus éloigner ma mère de lui, ça lui était insupportable. Il n'a rien dit. Il a préféré tout laisser pour la sentir encore un peu là. Il a bloqué l'accès de la Cadière et, normalement, personne ne pouvait atteindre le mazet...

— C'était sans compter sur une écervelée qui escaladerait un jour l'abîme du Diable !

— C'est vrai. Je n'aurais jamais eu le courage d'affronter ce précipice, tu aurais pu te tuer !

— Je sais. Je ne prends pas de si gros risques d'habitude, je ne sais pas ce qui m'a pris ce jour-là…

Les miaulements de Pastis les tirèrent de leurs réflexions. Le petit chat se frotta contre les pieds de Nathalie qui ne l'avait pas encore vu. La jeune femme se baissa et le prit dans ses bras, contente de ces soudaines marques d'affection.

— Quel accueil, monsieur le chat ! C'est de famille, on dirait…

Nathalie lança à Blanche un regard complice. Tout était simple entre elles. Elles parlaient le même langage.

— Mathilde va venir souper avec nous.

— Formidable, j'ai hâte de la connaître aussi ! Mon père m'a beaucoup parlé d'elle.

Blanche ne tarit pas d'éloges au sujet de son amie. Elle raconta à Nathalie leur complicité, leur attachement depuis toujours. Puis, elle pensa à Armelle.

— Nous sommes amies avec Armelle Vézon, tu la connais…

— La petite Armelle… Il y a longtemps que je ne l'ai pas vue… J'ai mieux connu son frère Yann. Le petit Yann, il était si rigolo avec ses taches de rousseur ! Je l'adorais.

Nathalie afficha un large sourire au souvenir de l'époque où elle et le petit Yann crapahutaient autour de Grand Bastide. Les visites de Serge et Brigitte Vézon donnaient un air de fête à l'austère maison. C'était un des rares instants où la jeune Nathalie oubliait la maladie de sa mère et jouait aux jeux des enfants de son âge.

Blanche regardait sa cousine attentivement. Quelle douceur dans ses traits… Elle comprenait aisément qu'elle consacre son temps à aider les enfants en difficulté. Elle devait se sentir si proche d'eux, de leur vécu et de leur ressenti ! Qui mieux que Nathalie pouvait les comprendre ?

Une question vint à l'esprit de Blanche. En toute simplicité, elle la posa.

— As-tu un homme dans ta vie ?

Sa cousine sourit. Elle prit son temps pour répondre.

— Je suis restée très longtemps seule. Quand je suis arrivée à Marseille, je ne pensais qu'à mes études, je voulais réussir à tout prix. J'avais laissé ma mère seule pour les poursuivre. J'ai beaucoup culpabilisé. Je n'avais pas le choix, je devais réussir. Donc, je ne sortais pas, je travaillais.

Blanche l'écoutait attentivement.

— Je réussissais. La troisième année de fac, j'ai rencontré quelques garçons, mais jamais rien de sérieux. Ma colocataire était souvent invitée à des fêtes étudiantes et me traînait avec elle, presque de force.

— On n'a pas ça en commun. Moi, on ne m'a jamais traînée à une fête, j'y suis toujours arrivée la première !

Nathalie rit devant la franchise de sa jeune cousine.

— Mais tu as bien raison, ça fait du bien de faire la fête.

— Oh oui ! Excuse-moi, je t'ai coupée… Rien de sérieux… ?

Nathalie reprit son récit.

— Non, rien d'important. C'est lors d'un stage en institut que j'ai rencontré Medhi. Il était stagiaire lui aussi. Il se destinait à être kinésithérapeute. Il m'a tout de suite plu, peut-être parce qu'il était différent des autres.

— Comment différent ?

— Il parlait peu, avait très souvent un air triste, et surtout je ne l'intéressais pas. Pourtant, j'avais mon petit succès auprès des garçons, mais lui ne me regardait pas. Je me suis fait une raison. Le stage terminé, on s'est perdus de vue. La vie a continué. Je me suis beaucoup investie dans mon travail. J'ai eu plusieurs aventures mais je ne suis jamais parvenue à m'attacher assez pour continuer. Je crois qu'il me manquait la passion. Et puis sept ans plus tard, j'ai été affectée au centre hospitalier d'Aix-en-Provence. Le deuxième jour, je suis tombée nez à nez dans les couloirs avec Medhi. Il travaillait dans le même service que moi.

Les yeux de Nathalie avaient brillé lorsqu'elle avait prononcé ces dernières paroles. Ça n'échappa pas à Blanche.

— Alors ? Comment il a réagi ?

— Il m'a parlé volontiers, il était visiblement heureux de me revoir. C'est moi qui me suis montrée méfiante... J'avais peur d'être déçue. Et puis ce n'était pas le moment idéal pour entamer une histoire d'amour. Odile n'allait pas très bien, je venais de créer mon association et en plus, je commençais à ce nouveau poste... Ça faisait beaucoup. Je n'avais pas l'esprit serein.

— Oui, je comprends.

— Un jour, on s'est aperçus qu'on habitait dans le même quartier. Il m'a proposé qu'on fasse du covoiturage pour aller au travail. J'ai accepté. Et là, jour après jour, on a appris à se connaître et à s'apprécier. Il m'a confié qu'il était amoureux de moi depuis le stage mais, par timidité, n'en avait rien laissé paraître. En fait, il n'était pas arrivé dans le quartier par hasard, mais il y avait emménagé pour se rapprocher de moi. J'ai trouvé ça craquant. Il ne voulait plus perdre de temps, moi non plus. On ne s'est plus quittés.

— Elle est chouette, cette histoire.

— Oui, c'est vrai. Il n'y avait que lui qui me plaisait et le destin a voulu que l'on se retrouve des années après. J'en suis très heureuse.

Blanche resta pensive.

— Le destin... ce chef d'orchestre...

Nathalie contempla sa cousine avec étonnement.

— Pourquoi dis-tu ça ?

Blanche se leva sans un mot, et partit quelques instants dans la maison. Lorsqu'elle en ressortit, elle tenait un grand livre entre ses mains.

Elle s'approcha de Nathalie et le déposa sur la table devant elle. Nathalie, surprise, observa le bouquin.

— Qu'est-ce que c'est ?

— Regarde-le bien...

La jeune femme observa la couverture. Petit à petit, elle sembla le reconnaître. Le rouge lui monta aux joues. Elle ne parvint pas à en détacher son regard. Elle leva des yeux incrédules vers sa cousine.

— C'est mon livre d'histoire de l'art ! C'est Brigitte Vézon qui me l'avait offert pour mes treize ans... Comment l'as-tu retrouvé, Blanche ?

— Encore le destin. Ouvre-le au feuillet de garde...

Nathalie s'exécuta. La photo de deux enfants souriants apparut, calée entre les pages du bel ouvrage. Elle ne pouvait le croire. Le passé lui sauta à la figure si vivement qu'elle ne put contenir son émotion. Ses yeux s'emplirent de larmes. Pourtant, elle avait été habituée à serrer les dents pour dissimuler ses sentiments. En présence de Blanche, elle ne pouvait pas.

Elle la regarda. Cette jeune cousine semblait lire en elle comme dans un livre ouvert, c'était troublant. Nathalie se sentit impuissante à réagir de quelque façon que ce soit, comme anéantie.

Blanche s'approcha doucement d'elle et la prit par les épaules. Nathalie se laissa aller à cet élan de tendresse sans aucune résistance. Elles se blottirent tout simplement dans les bras l'une de l'autre. Blanche se demanda si ça aurait été possible sans la découverte du petit carnet d'Odile… Elle avait le sentiment qu'il avait fait le lien entre sa nouvelle famille et elle, pour que l'acceptation soit une évidence. Elle avait tant appris de ces quelque cent pages noircies, sur elle-même et sur son entourage. Elle était sereine. Elle savait que plus rien ne pouvait arriver, ils étaient tous fortement liés, grâce à Odile.

Sous le vieux platane de la Genestière, les deux cousines restèrent longtemps à regarder les images du passé. Émues par les êtres qu'elles découvraient et amusées par les modes anciennes, elles échangèrent leurs sentiments jusqu'à la fin de l'après-midi. Marcel était omniprésent dans leur conversation, en patriarche aimé et respecté par ses petites-filles. Elles parlèrent de l'avenir qui s'ouvrait devant elles, de leurs espérances et de leurs projets. Elles n'en manquaient pas. Elles pleurèrent, rirent, se lièrent enfin autour du souvenir d'Odile et de Marie.

Depuis sa construction, la Genestière avait toujours été un endroit qui respirait le bonheur. Aujourd'hui plus que jamais, entre ses vieux murs de pierre, la légende était réalité.

25

Ce matin, le mistral s'était levé, puissant et impé-
tueux, étourdissant les passereaux de ses mouvements
irréguliers. Les cimes des arbres se dandinaient comme
de jeunes enfants dansant sur une comptine. De petits
nuages blancs s'empressaient de remonter dans le ciel
jusqu'à un paysage inconnu. Aujourd'hui, septembre
faisait son apparition, laissant derrière lui un été chaud
et langoureux.

Blanche, réveillée par les sifflements du vent, resta
un peu plus au lit. Elle se sentait le cœur léger, certaine que cette journée serait belle. Marceau revenait ce
matin. Elle repensa à tous ces événements qui avaient
bousculé son existence ces derniers mois. La vie était
pleine de surprises, tour à tour bonne et mauvaise,
mais elle n'était pas insipide. Pastis sauta sur son lit.
Il miaula pour attirer l'attention de sa maîtresse.

— Que t'arrive-t-il, mon Pastissou ?

Le chat gratta à la porte de la chambre.

— Tu veux sortir ?

Pastis tourna sur lui-même en signe d'approbation.

— Il ne te manque que la parole, mon petit vieux !
Allez, hop, hop, hop, on y va !

Blanche bondit du lit et enfila la chemise à carreaux posée sur la chaise. Elle descendit et ouvrit la porte de la cuisine. Le chat se faufila rapidement dehors et rejoignit une belle chatte tigrée aux yeux transparents.

— Ah ! coquin, tu as une copine ! Tu as raison, il n'y a rien de mieux que l'amour.

Pastis sembla partager l'opinion de Blanche et, dans un miaulement sourd, emboîta le pas de la belle féline. Alors qu'elle se préparait à prendre son petit déjeuner dehors, Blanche renonça à cause de la poussière que soulevait le mistral. À l'intérieur, elle étala sur une grande tranche de pain de la confiture de citre. Son bol de café chaud sur la table, elle se versa un verre de jus d'orange. Avec gourmandise, elle mordit dans sa tartine. Aujourd'hui on était samedi, Blanche avait décidé de prendre son temps. Le week-end serait consacré à Marceau. Peut-être resterait-il plusieurs jours ?

Elle sortit de la douche et chercha dans le vieux placard sa jupe courte en toile beige qu'elle n'avait pas portée depuis longtemps. Elle s'habilla. Un petit chemisier blanc en lin retombait sur ses hanches, dévoilant juste ce qu'il fallait de sa peau bronzée par le soleil d'été. Blanche laissa ses longs cheveux noirs sécher à l'air libre comme à son habitude.

De retour dans la cuisine, elle enfila son tablier et se plongea dans la vaisselle qu'elle n'avait pas faite la veille au soir. Nathalie et Mathilde étaient parties tard après le souper. Elles avaient discuté toutes les trois à bâtons rompus, ne voyant pas le temps passer. Odile, Jeannot, Liora avaient été les principaux sujets de leur conversation. Chacune avait dévoilé son vécu auprès des siens avec sincérité, laissant autour d'elles les émotions flotter dans l'atmosphère chaleureuse de la Genestière. Elles n'avaient pas pleuré, elles avaient ouvert leurs cœurs simplement. Elles n'oublieraient pas cette soirée. Elles s'étaient découvertes, comprises, et elles attendaient avec beaucoup d'impatience de se revoir.

Il était huit heures et demie, Marceau n'arriverait pas avant quelques heures. Elle profita du temps qu'elle avait devant elle pour faire un peu de rangement. Dans sa chambre, elle aéra le lit, plia quelques vêtements, et rangea son bracelet dans le tiroir de la table de nuit. Au fond, elle aperçut la vieille lettre adressée à Berthe, qu'elle avait déposée là. Blanche pensa qu'elle devait être mieux cachée. S'il lui arrivait quelque chose, Marcel pourrait tomber dessus et lire son contenu. Il ne fallait absolument pas que cela arrive. Le jour où Marcel ne sera plus de ce monde, Blanche donnerait la vieille lettre à Nathalie. Elle concernait sa mère. Pour l'instant, elle devait la cacher ailleurs que dans un simple tiroir.

Se souvenant du mazet, elle pensa aux murs en pierre de pays qui offraient de belles possibilités. Elle se souvint que dans le salon, tout près de la cheminée, une pierre décelée invisible de la pièce abritait une ancienne cachette vieille de plus de cent ans.

Blanche descendit, vida la bibliothèque de ses livres, pour libérer l'accès de la cachette. Mais il fallut la démonter. Partie dans l'atelier en quête de quelques outils, elle revint bien déterminée à parvenir à ses fins. Plusieurs minutes lui furent nécessaires afin de venir à bout du meuble en chêne solidement arrimé au mur. Au milieu des piles de livres et des planches éparpillées au sol, la jeune fille mis au jour la cache secrète. Accroupie, elle tira sur la vieille pierre qui ne voulait pas bouger. Il fallut à Blanche une grande patience et une dizaine de minutes, pour qu'enfin le mur livre ses secrets. Heureuse que son obstination ait payée, elle prit la vieille lettre. Avant de la déposer dans cette nouvelle cache où elle resterait enfermée de longues années espérait-elle, elle ressentit le besoin de la relire. Assise par terre, elle parcourut les mots arrogants de cet homme que Berthe Vernet avait sûrement aimé toute sa vie. La puissance de la claque qu'elle avait dû prendre à leur lecture avait été certainement terrible. Elle ne s'en était jamais remise et par dépit, avait répercuté ce mépris sur leur enfant, cette Isabelle qui lui rappelait tous les jours sa trahison, sa peine et son humiliation. Avant de connaître l'existence de ce courrier, Blanche avait toujours cru que Berthe n'avait pas aimé Isabelle parce qu'elle était différente. Ça la rendait encore plus méprisable à ses yeux. Marie et Marcel avaient probablement pensé de même. Mais aujourd'hui Blanche savait la vérité. Elle pensa avec tristesse que si Berthe n'avait jamais croisé la route de ce Janin de malheur, la vie de ses enfants et la sienne auraient été plus heureuses.

La lettre repliée dans son enveloppe jaunie, Blanche la déposa délicatement dans le mur. Ensuite, elle replaça la lourde pierre, remonta la bibliothèque, et y rangea tous ses livres. Voilà. Comme Odile, elle avait trouvé refuge dans les murs. Elle se sentit soudain libérée de ce poids. Marcel ne saurait jamais la vérité sur la paternité de sa fille Isabelle. Il pourrait finir sa vie, heureux, entre ses deux petites-filles et son fils, sans ombre au tableau.

Le sourire aux lèvres, Blanche s'élança vers la chaîne hi-fi. Elle choisit le dernier CD de Michael Jackson.

La musique endiablée retentit dans toute la maison. La jeune fille ne put s'empêcher de chanter à tue-tête, ondulant des reins en même temps que le rythme soutenu du morceau. Elle se défoula, les yeux fermés, se croyant seule. Pourtant elle ne l'était pas.

Dans l'encadrement de la porte, quelqu'un l'observait avec le plus grand intérêt. Ce n'est que lorsque la musique s'arrêta que Blanche ouvrit les yeux et qu'elle le vit.

— Marceau.

Elle bondit vers lui, l'enlaçant avec ardeur.

— Ma belle brune...

Ils s'embrassèrent passionnément, longuement.

— Mais tu es en avance !

Il plongea ses yeux bleus dans les siens.

— J'avais trop hâte de te rejoindre. J'ai envie de passer ma vie avec toi, ma belle.

Blanche pensa que c'était merveilleux d'entendre ces mots.

— Moi aussi, Marceau. Je ne veux plus te quitter.

Il caressa les cheveux de Blanche encore humides.

— Si tu veux, je m'installe à la Genestière dès aujourd'hui...

Blanche n'en crut pas ses oreilles. Ses yeux s'agrandirent, pétillants de joie.

— Oui, oui, oui ! Nous deux ici, ensemble tous les jours... c'est merveilleux !

Ils se serrèrent très fort. Sans un mot, ils montèrent jusqu'à la chambre. Ils ne prirent pas le temps de se déshabiller pour faire l'amour. Ils avaient besoin l'un de l'autre tout de suite. Le sentiment violent qu'ils éprouvaient les laissa sans voix. Ils s'étreignirent, s'embrassèrent, respirèrent le parfum de la peau de l'autre avec avidité. Ils se regardèrent, les doigts dans les cheveux, encore étonnés de la passion qui les habitait. Blanche et Marceau s'endormirent blottis l'un contre l'autre.

C'est un craquement sec qui les réveilla en sursaut. Assis sur le lit, ils écoutèrent la puissance du mistral.

— Quelque chose a dû s'envoler dehors…

— Allons voir.

Ils descendirent main dans la main et sortirent au vent.

— C'est une branche du vieux cèdre qui a cassé.

— Quel dommage, il est si beau cet arbre…

— Tu sais, ici, ça arrive souvent, le mistral peut être si violent !

Le vent souleva soudain la jupe de Blanche jusqu'à sa taille, découvrant ses cuisses harmonieusement galbées. Marceau sourit.

— J'aime bien le mistral, finalement…

Blanche se lova contre lui.

— Tu n'as pas besoin de lui pour voir mon corps.

Il l'embrassa avec douceur.

— Je sens que je ne vais pas m'en lasser, ma belle brune.

— Tant mieux ! Est-ce que tu as pris ton petit déjeuner ?

— Oui, je me suis arrêté en route.

— Rentrons, tu me raconteras tes concerts.

Blanche entraîna Marceau dans le salon. Ils s'installèrent sur les coussins moelleux du canapé.

— Avant de parler musique, je voudrais t'avertir qu'en octobre, je pars.

Blanche se retourna, surprise.

— Tu pars ?

— Oui, pour un mois en Italie chez mon père.

— Un mois…

— Oui.

Il s'approcha tout près d'elle et lui souleva le menton afin de plonger ses yeux dans ceux de Blanche.

— Viens avec moi.

L'émotion monta à ses joues. Elle soupira, soulagée par cette invitation. Il vit son trouble et s'en réjouit.

— J'avais tellement peur de ne plus te voir pendant un mois…

— Tu viens alors ?

— Oui, volontiers.

Elle réfléchit à ses terres et à son entreprise.

— Le gros de la saison sera fini. Je n'ai pas beaucoup de travail en cette période-là. Je pense que Marcel voudra bien nourrir Pastis.

Marceau la prit contre lui, heureux de cette réponse.

— Tu verras, mon père est un type extra. Il te plaira, c'est sûr. Il s'est remarié il y a quinze ans environ et nous a fait une demi-sœur. Enfin une fille dans notre famille de garçons ! On l'adore tous, Valentina.

— Quel âge elle a ?

— Quatorze ans. Je te ferai découvrir la vallée d'Aoste, mes amis italiens Marco et Giovanni. Toi qui aimes l'histoire, tu ne seras pas déçue là-bas. Les Romains y ont laissé quelques vestiges. Il y a beaucoup à visiter et, aux alentours, la montagne est si belle. Tu vas aimer, c'est sûr. Tu rencontreras aussi mes frères et leurs familles. C'est une tradition chez nous. On passe au moins quinze jours tous ensemble à Aoste, chez mon père. C'est un peu bruyant, mais ça fait tellement plaisir de se retrouver. On est tous très différents. On s'engueule quelquefois mais on s'adore.

J'ai six neveux et nièces. Le plus jeune est encore un bébé. Tu verras, elle est belle ma famille. Ça sera des vacances inoubliables.

— Je n'en doute pas une seconde.

— Je suis vraiment très heureux que tu viennes ! À vrai dire, si tu n'étais pas venue avec moi, je ne sais pas si j'aurais eu le cœur de partir d'ici sans toi...

Blanche sourit.

— C'est gentil, mais tu ne dois pas délaisser les tiens. Je suis heureuse de faire leur connaissance.

Elle se décida à poser la question qui l'ennuyait.

— Quand dois-tu repartir ?

Marceau poussa la mèche rebelle qui tombait dans les yeux de Blanche derrière son oreille.

— Je n'ai plus de concert jusqu'à début décembre.

— Tu ne repars pas, alors ?

Marceau embrassa Blanche sur le front.

— Si tu me veux, je peux rester ici tous les jours...

— Formidable ! Oh oui que je te veux.

Elle posa ses lèvres sur les siennes. Elle l'embrassa avec empressement. La caressant, il libéra ses deux seins ronds de son chemisier et les prit dans ses mains. Blanche murmura.

— Fais-moi l'amour tout de suite !

Il ne se fit pas prier. Leur passion dévorante semblait inassouvie. Ils sentirent la chaleur de leurs peaux l'une contre l'autre avec plaisir. Le bonheur de ces deux-là rayonnait à la Genestière ce matin de septembre.

Plus tard dans la matinée, ils sortirent les affaires de Marceau du coffre de sa voiture et les installèrent dans la maison.

— Tu n'as pas grand-chose. Juste deux sacs ?

— Oui. Jusqu'à maintenant, j'étais toujours sur les

routes. Il me fallait un bagage léger. Ça ne sert à rien d'avoir des valises remplies de vêtements quand on va d'hôtel en hôtel. C'est un fardeau. Pour les concerts, c'est le régisseur qui s'occupe de nos costumes, je n'ai pas à m'en soucier. Tu sais que dans la vie de tous les jours, je ne suis pas compliqué. Deux ou trois jeans et quelques tee-shirts, ça me suffit. Petit à petit, je m'installerai mieux.

— Tu auras tout ton temps pour t'installer, maintenant que tu vas vivre avec moi… J'ai du mal à réaliser.

Le large sourire de Blanche en disait long sur son bonheur. Elle attrapa une mallette dans le coffre du véhicule et la souleva.

— Ben dis donc ! Je ne sais pas ce qu'il y a dedans mais c'est lourd.

Marceau se retourna.

— Ce sont mes partitions. Attends, je vais les porter.

— Non, il faut bien que je me fasse les muscles ! Tiens, mardi, je suis de déménagement. Si ça te dit, tes bras robustes seront les bienvenus.

— Oui, d'accord. Qui déménage ?

— Ma cousine Nathalie. Elle emménage ici, à Saint-Antonin.

— Alors, comment tu l'as trouvée, cette cousine tombée du ciel ?

Blanche réfléchit un instant, chercha le mot juste et le trouva.

— Elle est touchante. Je l'aime déjà.

— Ça ne m'étonne pas de toi… Tu aimes le monde entier.

Blanche rit à cette remarque.

— N'exagère pas ! Disons que j'essaie de voir avant tout les qualités des autres, en sachant que nous avons tous des défauts. C'est humain. La perfection n'existe pas, heureusement.

— Pourquoi, heureusement ?

— Parce que la vie serait ennuyeuse, pardi !

Le rire cristallin de Blanche résonna sous la tonnelle. Les deux sacs de voyage de Marceau avaient trouvé leur place dans la chambre de la jeune fille. Elle observa les meubles autour d'elle.

— Cet après-midi, je viderai la grande armoire. Il y a encore quelques affaires de ma mère. Il est temps de les enlever.

— Tu es sûre ?

— Certaine. Elle aurait été si heureuse de mon bonheur.

Blanche regarda par la fenêtre. Le mistral s'était un peu calmé. Les arbres avaient trouvé enfin le repos. Marceau s'approcha d'elle et l'enlaça. Ils contemplèrent la nature qui reprenait vie après la tourmente. Les oiseaux revinrent picorer les graines transportées par le vent. Pastis sortit son nez de la cuisine avec méfiance. La quiétude était revenue sur la Genestière.

— J'ai envie de me promener sur les sentiers. Ça te dit ?

— Allons-y.

Ils partirent en direction du chemin de la combe du loup. En cette fin de matinée, la température était idéale pour la balade. Dans le ciel bleu se mêlaient des nuances d'orangé, annonçant que le vent n'avait faibli que pour quelques heures. Le soleil de onze heures brillait très haut. Ils marchèrent paisiblement bras dessus bras dessous dans la campagne ensoleillée. Au détour d'une vigne abandonnée, ils aperçurent le derrière blanc d'un lapin de garenne insouciant.

Marceau se laissa charmer par la vue d'un couple de faisans qui s'envola d'un fourré tout près d'eux.

— Je me sens bien ici. Ta garrigue est magnifique.

Blanche se blottit contre lui, heureuse de lui faire partager son amour pour cette terre authentique. Ils marchèrent jusqu'aux champs du haut. La vue sur la vallée de l'Aucre y était sublime. Les yeux de Blanche s'émerveillaient toujours de ce spectacle pourtant familier. Elle savait qu'elle ne s'en lasserait jamais.

Elle était fille du Sud dans son cœur et dans son sang, dans ses phrases et dans ses gestes. Ici étaient ses racines, dans cette terre de rochers blancs, de chênes verts et d'oliviers centenaires. Au cœur de ces vieilles pierres qui chuchotent les histoires les plus folles, elle mordrait avec gourmandise dans cette belle vie qui s'offrait à elle. Avec celui qu'elle aimait à ses côtés, elle franchirait avec confiance les montagnes que la vie ne manquerait pas de mettre sur leur chemin. Aujourd'hui plus que jamais, Blanche n'avait peur de rien.

Plus bas, en descendant vers les vignes, ils aperçurent Saint-Antonin qui se dressait fièrement entouré de verdure. Là avait commencé l'histoire des Bruguière, dans ses ruelles étroites et ensoleillées. Là continuerait celle de Blanche et Marceau, au détour d'un jardin fleuri bordé de murets en pierres sèches et de chemins de terre ondulant dans la garrigue parfumée.

Au loin, le soleil dorait les combes et les plaines, illuminant de ses doux rayons les tuiles romanes d'un petit mazet perdu au milieu de nulle part.

Remerciements

Je remercie le jury du concours Femme Actuelle 2014, ainsi que sa présidente Éliette Abécassis, de m'avoir accordé leur confiance. Un grand merci tout particulièrement aux lectrices et lecteurs, qui ont compris que ce livre avait été écrit avec le cœur.

Merci à ma mérette et à mon amie Jessie pour leur soutien sans faille. À mon grand-père Marcel qui m'accompagne toujours. À ceux qui m'inspirent dans le quotidien et pour qui mon cœur déborde d'amour, mes enfants Théo et Clara, et mes deux petits bouts Naïs et Loucas. Et enfin à toi, Marc, pour ta patience et ton enthousiasme. Ta présence à mes côtés est mon élixir de bonheur, tu es mon Marceau.

Toute ressemblance avec un village se nommant Saint-Antonin ne serait que fortuite, celui-ci n'existant que dans l'imagination de l'auteur.

*Cet ouvrage a été composé et mis en page
par Nord Compo à Villeneuve-d'Ascq*

Imprimé en France par CPI
en novembre 2018

N° d'impression : 2040813
Dépôt légal : juillet 2016
Suite du premier tirage : novembre 2018
S26558/06